Le Chant du Cygne

Le Chant du Cygne

Mourir aujourd'hui

Sous la direction de Jacques Dufresne

Éditions du Méridien
Montréal 1992

Maquette et mise en pages: Daniel Huot

ISBN 2-89415-086-5

© Éditions du Méridien

Dépôt légal 4e trimestre 1992 — Bibliothèque nationale du Québec

Imprimé au Canada

* Division de Société d'information et d'affaires publiques (SIAP) Inc.

Avant-propos

En avril 1990, *l'Agora*, une entreprise de recherche et communication dirigée par Jacques Dufresne, organisait, en collaboration avec l'Ordre des Infirmières et Infirmiers du Québec, un important colloque ayant pour thème *Mourir avec dignité*. L'Association des hôpitaux du Québec, l'Association des Centres d'Accueil, la Fédération des CLSC et l'ACHAPQ se sont aussi associés à l'événement.

En juin et juillet de la même année, fait tout à fait inhabituel qui souligne l'importance de l'événement, le quotidien *La Presse* publiait des extraits substantiels de huit des conférences prononcées au colloque.

Ayant obtenu à cette fin le soutien de l'Ordre des Infirmières et Infirmiers du Québec, la petite équipe de l'Agora, composée de Jacques Dufresne, Hélène Laberge et Benoît Grou, entreprenait peu après de s'inspirer des communications du colloque pour le présent livre intitulé *Le chant du cygne*. Pour l'essentiel, ce livre est constitué des textes, complets ou abrégés, des conférences prononcées au colloque.

Pour justifier le choix du titre de ce livre est-il nécessaire d'ajouter un commentaire au texte de Platon qu'on va lire? Nous voulions d'abord mettre en relief la chose que les conférenciers au colloque, chacun à sa manière, ont affirmée avec le plus de force: il faut écouter le mourant, lui permettre de dire sa vie, d'accéder en les révélant à un autre aux zones secrètes de son être...et de l'être. Le lecteur familier avec le débat sur la mort aura aussi compris que ce choix nous a permis d'éviter d'introduire dans le titre une expression, mourir avec dignité, dont l'ambiguïté a maintes fois été soulignée au colloque.

Le chant du cygne ou la mort selon Socrate

L'expression *le chant du cygne* qui nous vient de la plus haute antiquité grecque est toujours utilisée pour désigner, par exemple, un discours ou un récital d'adieu. Dans la bouche de Socrate, elle prend une valeur sacrée. Représentons-nous ce sage dans sa prison d'Athènes, où il vient d'apprendre qu'il est condamné à mort pour impiété. Les amis qui l'entourent aimeraient bien l'entendre une dernière fois parler de la connaissance de soi et de l'immortalité de l'âme, mais ils n'osent pas le lui demander, de peur de l'importuner dans ses derniers instants. Voici l'aimable reproche que leur adresse Socrate:

«Selon vous, je ne vaux donc pas les cygnes pour la divination; les cygnes qui, lorsqu'ils sentent qu'il leur faut mourir, au lieu de chanter comme auparavant, chantent à ce moment davantage et avec plus de force, dans leur joie de s'en aller auprès du Dieu dont justement ils sont les serviteurs. Or les hommes, à cause de la crainte qu'ils ont de la mort, calomnient les cygnes, prétendent qu'ils se lamentent sur leur mort et que leur chant suprême a le chagrin pour cause; sans réfléchir que nul oiseau ne chante quand il a faim ou soif ou qu'un autre mal le fait souffrir; pas même le rossignol, ni l'hirondelle, ni la huppe, eux dont le chant, dit-on, est justement une lamentation dont la cause est une douleur. Pour moi cependant, la chose est claire, ce n'est pas la douleur qui fait chanter, ni ces oiseaux, ni les cygnes. Mais ceux-ci, en leur qualité, je pense, d'oiseaux d'Apollon, ont le don de la divination et c'est la prescience des biens qu'ils trouveront chez Hadès qui, ce jour-là, les fait chanter et se réjouir plus qu'ils ne l'ont jamais fait dans le temps qui a précédé. Et moi aussi, je me considère comme partageant la servitude des cygnes et comme consacré au même Dieu; comme ne leur étant pas inférieur non plus pour le don de divination que nous devons à notre Maître; comme n'étant pas enfin plus attristé qu'eux de quitter la vie!»

Grandes perspectives

Mourir avec dignité

La mort dans la culture

La mort dans la nature

La mort au fil des siècles et de notre temps

Reconquérir sa mort au Québec

Mourir avec dignité

THÉRÈSE GUIMOND[1]

L'alliance entre l'Ordre des infirmières et infirmiers du Québec et l'Agora s'est créée au fil des ans. La vision du monde de ce groupe, vision centrée sur la vie, le sens et l'unité, ses préoccupations en ce qui regarde la santé, l'éducation, l'écologie, l'éthique et le droit rejoignent les infirmières au cœur même des grandes questions qui les préoccupent.

En raison de son ouverture sur le monde, l'Agora est un lieu, un endroit privilégié de partage et d'échange où il est permis de réfléchir, de faire passer et de recevoir des messages forts pertinents.

Le thème du présent colloque intitulé «Mourir avec dignité» n'est certes pas le fruit du hasard. La nécessaire remise en question de nos façons de voir et d'approcher la mort dans notre société, dans nos établissements de santé et dans nos propres vies est fondamentale et mérite un temps d'arrêt.

Il y a autant de façons de mourir qu'il y a de façons de vivre. Mais nos sociétés occidentales actuelles, nous le savons trop bien, sont avant tout des sociétés hautement technicisées et le système de santé et des services sociaux n'y échappe point.

Le développement rapide des sciences et l'exploitation des bio-technologies des dernières années ont grandement contribué à l'utilisation

---

1. Infirmière, M.B.A., directrice générale et secrétaire de l'Ordre des infirmières et infirmiers du Québec.

massive d'équipements ultraspécialisés auprès de personnes aux prises avec des problèmes de santé. Bien sûr, cette approche permet de contrôler la maladie et ses effets, mais elle permet également d'augmenter la durée de la vie, sans trop se soucier des répercussions que celle-ci peut avoir sur la qualité de la vie.

Or, actuellement la majorité des Québécois finissent leurs jours en centre hospitalier dans la plus grande et la plus froide solitude. De plus, ces êtres extrêmement vulnérables subissent une multitude d'interventions et de traitements sans avoir eu la chance d'exprimer leur désir profond.[1]

De surcroît, et ceci dans la plupart des pays industrialisés, la moitié des budgets alloués pour la santé sont consacrés pour des soins dispensés à des personnes qui décèdent dans les mois qui suivent[2], contribuant souvent à prolonger indûment la vie, à augmenter la souffrance et à dépersonnaliser la mort.

Par conséquent, les relations observées entre ces personnes et les professionnels de la santé de même qu'entre les membres des divers groupes de professionnels se sont en quelque sorte détériorées.

En matière de santé et de soins, les individus réclament maintenant leurs droits à l'information et à la décision libre et éclairée. Le Comité provincial des malades a consulté 304 comités de bénéficiaires affiliés pour leur demander ce que signifiait pour eux l'expression «Mourir dans la dignité». Les réponses ont été simples, mais unanimes: nous désirons mourir sans souffrir; nous ne voulons pas être seuls; nous voulons être entourés, consolés, encouragés et supportés. Fait à souligner, «personne n'a demandé de miracles de la médecine». Avec le phénomène de la reconnaissance des droits et libertés des individus, ces derniers ne veulent plus être de simples objets d'intervention ni subir les décisions d'autrui. Ils exigent, eux aussi, de nouveaux rapports d'autorité entre soignant/soigné que ce soit sur les plans individuel, familial, communautaire et même sur celui de l'ensemble de la société. De même, les individus désirent être mieux informés et être intégrés

---

1. Elaine Emond, «Humaniser la mort: un nouveau projet social», *Santé et société*, vol. 12, n°1 (hiver 1989-1990), p. 48.
2. Bernard Mosseray, «Adoucir la mort en respectant la vie», *«Santé et société»*, vol. 12, n°1 (hiver 1989-1990), p. 2.

dans tout processus décisionnel qui concerne leur santé et surtout, être respectés dans leurs choix.

Respecter l'individu dans ses choix passe d'abord dans nos propres façons d'interagir avec nos collègues de travail. Compte tenu de l'aspect multidimensionnel de la santé, il est sûr que la communication, la collaboration et la concertation entre les intervenants à l'intérieur de chacune des professions est d'une importance vitale.

Tous les professionnels de la santé devront être perméables et sensibles aux divers changements socioculturels, économiques et politiques, et directement concernés par les grandes orientations sociosanitaires et les politiques gouvernementales. Ils doivent également adapter leurs services pour répondre aux divers besoins de santé et de bien-être de la population, quels que soient les groupes d'âge, du début de la vie jusqu'à la mort. Dans le domaine de la santé, nul ne peut agir en vase clos, la collaboration et la complémentarité étant des exigences fondamentales et ce, même en ce qui concerne la famille, les associations communautaires et les organismes des autres secteurs d'activité touchant la communauté.

Quant aux infirmières, leurs préoccupations en ce qui touche la fin de la vie se sont davantage manifestées publiquement au cours des deux dernières années. L'émergence du testament biologique relié au mouvement et au droit de mourir dans la dignité a amené les membres de notre groupe à amorcer une réflexion et à produire en octobre 1988, un document intitulé «Le testament biologique : ses enjeux et ses ambiguïtés». Ce document de réflexion permet de saisir le sens de ce phénomène et d'en entrevoir les multiples facettes compte tenu de l'état du droit au Québec et des situations problématiques qui sont pointées.

Pour mourir avec dignité, l'individu doit se réapproprier «sa propre mort». Mourir est un processus important dans la vie et tout être humain a le droit fondamental de vivre ce moment comme il l'entend. Il faut, dans les derniers moments de la vie, respecter chaque individu dans son environnement. Il ne faut pas le retirer de sa niche écologique, c'est-à-dire de son groupe d'insertion, de son lieu d'appartenance, de son milieu de vie où il a appris à grandir, à aimer, à vivre avec ses proches.

Par contre, l'accompagnement concomitant des soins courants et d'une relation de support est nécessaire pour préserver tout ce qui reste de capacités de vie et ceci, jusqu'au seuil de la mort. Comme le dit si bien Marie-Françoise Collière «la vie se retire chaque fois que l'on se préoccupe davantage de ce qui meurt que de ce qui vit».[1]

Promouvoir la mort avec la dignité suppose davantage qu'un simple réaménagement concret de la dernière étape de la vie. Elle suppose un changement d'attitudes et de valeurs dans nos rapports avec les personnes et leur famille, avec nos proches, avec nos collègues de travail. Elle suppose un plus grand respect de l'autonomie des individus dans la prise en charge de leur santé, de leur vie et de leur mort.

Lieu privilégié d'échange, le colloque «Mourir avec dignité» a fourni l'occasion de découvrir la richesse d'idées, d'expériences, de réflexions, de savoir.

En guise de réflexion, je vous livre ce passage du livre de Gabrielle Roy: «La détresse et l'enchantement» où elle décrit la mort de son père.

Un petit chat dont mon père s'était fait aimer à la folie — et qui comprendra jamais pourquoi les chats se lient d'instinct aux êtres mélancoliques! — remontait sans cesse sur l'oreiller, malgré les efforts de maman pour le chasser. Penché de très près sur le visage du mourant, il le scrutait avec une attention avide. Maman ayant dû s'absenter une minute, le petit chat tigré, peut-être en souvenir des caresses que lui avaient prodiguées mon père, avança la langue et se prit à lécher doucement les fins cheveux blancs aux abords des tempes. Je le laissai faire. Il me semblait que notre petit Méphisto témoignait à notre place d'une douce familiarité dont l'approche de la mort nous avait rendus incapables, que lui seul, dans son innocence, traitait encore mon père en ami et ne l'avait pas, comme nous tous déjà, quelque peu abandonné.[2]

1. M.F. Collières, *Promouvoir la vie*, Interéditions, Partis, 1987, p 245.
2. Gabrielle Roy, *La détresse et l'enchantement*, Boréal, 1984, p. 91.

La mort dans la culture

JACQUES DUFRESNE

« Ils ont fondu dans une absence épaisse,
L'argile rouge a bu la blanche espèce,
Le don de vivre a passé dans les fleurs !
Où sont des morts les phrases familières,
L'art personnel, les âmes singulières ? » [1]

L'adorable histoire de Platon sur le chant du cygne, dont l'équivalent existe dans d'autres cultures, nous autorise à penser que l'homme traditionnel possédait une espèce d'instinct de l'immortalité. C'est sans doute parce qu'elle correspondait à cet instinct que la doctrine chrétienne de l'immortalté de l'âme a pu prendre racine aussi rapidement et aussi solidement dans les populations européennes.

La combinaison d'un tel instinct et d'une telle croyance aide à comprendre pourquoi on mourait si facilement autrefois. Voici un récit illustrant ce que fut la mort des chrétiens pendant plus d'un millénaire. «Quand Lancelot, blessé, égaré, s'aperçoit, dans la forêt déserte, qu'il a «perdu jusqu'au pouvoir de son corps », il sait qu'il va mourir. Alors que fait-il ? Des gestes qui lui sont dictés par les anciennes coutumes, des gestes rituels qu'il faut faire quand on va mourir. Il ôte ses armes, se couche sagement sur le sol: il devrait être au lit («gisant au lit malade », répéteront pendant plusieurs siècles les testaments). Il étend ses bras en croix — cela n'est pas habituel. Mais voici l'usage: il est étendu de telle sorte que sa tête soit tournée vers l'Orient, vers Jérusalem ». [2]

---

1. Paul Valéry, le *Cimetière marin*.
2. Ariès Philippe, *Essais sur l'histoire de la mort en Occident du Moyen Âge à nos jours*, Paris, Seuil, 1975, p. 20.

De la mort apprivoisée à la mort interdite

Philippe Ariès, l'historien français à qui nous devons l'une des analyses les plus significatives de l'évolution des attitudes de l'homme occidental devant la mort, utilise l'adjectif apprivoisé pour caractériser une mort à la fois pressentie et consentie comme celle de Sir Lancelot.

Il montre ensuite comment au cours des quelques siècles qui constituent la modernité, on est passé de la mort apprivoisée à la mort interdite. Auparavant l'homme tombait de l'arbre de la vie comme la pomme tombe du pommier : comme un fruit qui est mûr. Cet acte a perdu progressivement son caractère naturel. La mort a commencé à arracher des cris de révolte ; elle a été perçue comme une chose inopportune, puis comme une injustice ou comme une absurdité, voire comme un anachronoisme : on aura bientôt le pénible sentiment de connaître la mort juste avant que la médecine ne triomphe enfin de cette fatalité. D'où l'intérêt que la congélation du cadavre suscitera au XXe siècle. Dans une étape antérieure du processus de dissociation d'avec la mort, on s'était contenté de transférer les restes du sous-sol et du voisinage immédiat de l'église vers un cimetière situé à l'extérieur de la ville ou du village.

Au même moment, la sexualité quittait la place qu'elle occupait tout naturellement au centre de la vie quotidienne pour devenir, en marge de cette dernière, une chose qui de plus en plus tirerait son attrait de son caractère exotique. Ariès n'hésite pas à associer le changement des attitudes devant la mort au changement des attitudes devant la sexualité. «Comme l'acte sexuel, la mort est désormais de plus en plus considérée comme une transgression qui arrache l'homme à sa vie quotidienne, à sa société raisonnable, à son travail monotone, pour le soumettre à un paroxysme et le jeter alors dans un monde irrationnel, violent et cruel. Comme l'acte sexuel chez le marquis de Sade, la mort est une rupture. Or, notons-le bien, cette idée de rupture est tout à fait nouvelle. Dans nos précédents exposés nous avons voulu au contraire insister sur la familiarité avec la mort et avec les morts. Cette familiarité n'avait pas été affectée, même chez les riches et les puissants, par la montée de la conscience individuelle depuis le XIIe siècle. La mort était devenue un événement de plus de conséquence ; il convenait d'y penser plus particulièrement. Mais elle n'était devenue ni effrayante, ni obsédante. Elle restait familière, apprivoisée. Désormais, elle est une rupture ».[1]

La mort démocratique

Pour bien comprendre le changement des attitudes devant la mort dans les temps modernes, il faut aussi tenir compte de l'avènement de la démocratie et plus généralement de l'avènement de la notion de contrat-convention en lieu et place du pacte avec Dieu et avec la nature qui avait été auparavant le fondement des institutions politiques. On voudra un jour maîtriser sa mort comme aura maîtrisé son destin politique.

On identifie généralement la démocratie aux trois grands mots de la révolution française : liberté, égalité, fraternité. Il y a un quatrième mot, plus important que les trois autres, bien qu'on le tienne caché, le mot sécurité.

Les gouverments modernes se sont proposés avant tout d'apporter la sécurité aux hommes. À l'état de nature, nous dit Thomas Hobbes, l'un des fondateurs de la philosophie politique moderne, l'homme est un pervers égoïste et agressif ; il ne peut trouver le bonheur et la sécurité, les seuls biens qui lui importent (puisque l'immortalité de l'âme est une illusion) qu'en renonçant à son pouvoir au profit d'un État qui lui apportera sa protection en retour.

Peu à peu s'accréditera l'idée que ce qui rend l'être humain agressif et asocial ce sont les sentiments et les valeurs qui se rattachent à la haute idée qu'il a de lui-même : ambition, honneur, besoin de reconnaissance, orgueil. La première mission de l'État sera d'empêcher ces sentiments de se développer, le but ultime étant la sécurité, condition du bonheur.

Nous savons tous l'importance de la sécurité dans les sociétés modernes avancées. On en vient parfois à se demander si, à défaut de pouvoir trouver la sécurité en Dieu, les hommes n'ont pas fait de la sécurité une divinité. Or la mort, même pour les croyants, à l'exception de quelques saints, c'est l'insécurité absolue. Faut-il s'étonner qu'en attendant de pouvoir la vaincre on veuille la nier ?

Au moment où s'opérait cette modernisation axée sur la sécurité, la montée de l'égalité dans les sociétés faisait progressivement disparaître

---

1. Ariès Philippe, *op. cit.* p. 47.

la race des maîtres. Au sens que Hegel et Nietzsche donnent à ce terme, le maître est essentiellement celui qui méprise la mort, qui place l'honneur et la dignité au-dessus de sa propre vie. L'esclave par opposition est celui qui tient plus à sa vie qu'à sa dignité.

Il en a été ainsi dans l'histoire. À l'origine, dans l'antiquité, l'esclave c'est le soldat d'une armée vaincue. S'il attache moins d'importance à sa vie qu'à sa dignité et à sa liberté, il peut toujours s'enlever la vie. Beaucoup l'ont fait, parmi les Romains en particulier. Chez les stoïciens, ce suicide par dignité est devenu une règle de vie, si l'on peut dire. Sénèque par exemple n'a pas hésité à s'ouvrir les veines plutôt que de s'exposer à la justice de Néron.

Pendant des siècles, l'élite européenne a été formée au contact d'auteurs comme Plutarque, qui dans *Les Vies en parallèles*, (biographies des hommes illustres de l'antiquité) se propose d'édifier le lecteur en lui montrant des exemples d'une vertu consistant pour l'essentiel à préférer la dignité à la vie.

Ces modèles ont progressivement disparu de l'avant-scène au cours des deux derniers siècles, c'est-à-dire d'une part, au moment où s'achevait la métamorphose des attitudes devant la mort et d'autre part, au moment où l'homme démocratique faisait de la sécurité sa première valeur.

Contemporaine de ces processus, la science aura contribué à l'éloignement de la mort en l'objectivant. Pour Sir Lancelot, la mort est un mystère dans lequel on se laisse glisser. Dans un hôpital moderne elle est un cas que l'on soumet à la discussion avec les collègues ; dans le laboratoire voisin, elle est un problème qu'on analyse.

La mort, problème ou mystère ?

La mort était un mystère. Elle est désormais un problème. N'est-ce pas la façon la plus simple et la plus juste de rendre compte de la mort actuelle, dans les hôpitaux en particulier ? À la lumière de l'interprétation qu'en donne Gabriel Marcel, cette distinction entre le mystère et le problème, nous indique même les gestes à poser et à ne pas poser pour que se crée le climat qui permet de respecter les vœux les plus secrets du mourant. Il est des questions dont les réponses se trouvent dans un climat et non dans des distinctions qui satisfont la raison et le droit. Les questions ultimes entourant la mort sont de celles-là.

«Le problème, écrit Gabriel Marcel, est quelque chose qu'on rencontre, qui barre la route. Il est tout entier devant moi. Au contraire le mystère est quelque chose où je me trouve engagé». Le problème est du côté de l'avoir, du vérifiable, le mystère est du côté de l'être, de l'invérifiable. Comment éviter la transformation du mystère en problème? Comment éviter, par exemple, le passage, qui semble fatal, du mystère de l'amour aux problèmes sexuels?

On peut participer au mystère de l'éveil de l'intelligence d'un enfant. Ce mystère devient un problème dès lors qu'un test révèle, ou plutôt étale le fait que le quotient de l'enfant est au-dessous de la moyenne... ou trop au-dessus.

Le problème est étalé, à la portée de tous les regards, même les moins respectueux. Le propre du mystère est qu'il est voilé et que j'en fais partie.

On aura compris le lien entre le problème et la science. Partout où passe la science, s'accroît le risque qu'un mystère soit réduit à l'état de problème.

La mort est devenue un problème. Et là se trouve précisément le problème. La question éthique fondamentale, dans le débat qui nous intéresse, ce n'est pas celle de l'euthanasie, c'est celle de la dégradation du mystère de la mort en problème.

Tant qu'on reste dans la sphère du mystère, même un geste qui, vu de l'extérieur, apparaîtrait comme de l'euthanasie active, peut être justifié. On peut sentir alors qu'un être a accompli son destin et avoir la certitude qu'on ne le privera de rien en prenant le risque de hâter sa fin pour soulager davantage sa souffrance. L'essentiel en effet n'est pas la durée en tant que succession de minutes, c'est la durée en tant que lieu d'un accomplissement.

Mais quand on descend au niveau du problème, on peut penser que le mal est fait quoiqu'il advienne ensuite. Le grand malade alors n'est plus qu'un cas, qu'une chose. Il se sent exclu du festin de la vie, il se voit comme un fardeau pour son entourage. Son désir le plus profond est d'échapper à cette condition. S'il dit qu'il veut vivre, c'est parce qu'il espère encore être enchanté, illuminé par la présence irradiante et compatissante de la vie à ses côtés. On le trompera si l'on se contente de reporter l'échéance par des prouesses techniques. S'il dit qu'il veut mourir, on le trompera encore si on interprète sa demande littéralement et si on se contente d'y répondre par une aide technique au suicide.

Il faut évidemment faire les lois en partant de l'hypothèse que la mort est plus fréquemment vécue comme problème que comme mystère. C'est pourquoi il ne serait pas sage de légaliser l'enthanasie active. Le flou juridique actuel est un moindre mal dans ce contexte. Il éloigne l'illusion qu'il existe une solution technique impeccable, que la solution se trouve dans une mort juridiquement correcte. Parce que le flou entretient l'incertitude chez les proches et les soignants, il les rapproche du malade qui vit l'incertitude suprême. Il favorise ainsi le retour à l'humanité, au mystère, dans une situation trop objectivée.

Si le climat de mystère est respecté ou recréé, il y a toutes les chances que la volonté authentique du malade soit respectée, car c'est justement ce climat, et lui seul, qui permet à ladite volonté de se manifester dans toute sa vérité. L'essentiel, c'est la compassion qui est alors possible. Il faut tout mettre en œuvre pour en favoriser l'éclosion. En d'autres termes, le but ultime doit toujours être de ramener la situation de l'état de problème à l'état de mystère.

Pourquoi faudrait-il que toutes les situations soient nettes alors que la contradiction est la caractéristique fondamentale de la condition humaine ?

La mort dans la nature

CLAUDE VILLENEUVE[1]

Dans cette conférence je vous proposerai quelques éléments de réflexions sur la nature de la mort et la mort dans la nature.

Quand j'aborde cette question, la même boutade me revient toujours à l'esprit : l'éternité, ça doit être long, surtout vers la fin ! Notre perception du temps est en effet proportionnelle à la durée de notre vie. Si nous étions éternels, nous pourrions en effet, en nous moquant du temps, regretter qu'il soit long, surtout vers la fin, mais dans l'état actuel de notre finitude, plus notre échéance approche, plus le temps nous semble court.

Dire, en se moquant du temps, que l'éternité doit être longue, c'est à bien y penser, une façon de dire qu'aucun vivant n'est immortel, si parfaite que soit l'organisation de ses éléments constitutifs. Certains auteurs vous diront que les bactéries, par exemple, dont la reproduction est asexuée, sont des êtres immortels ou que les cellules cancéreuses en culture continuent de se reproduire indéfiniment. C'est là une vue de l'esprit. La vie certes est apparue sur terre il y plus de 3 milliards d'années, du moins d'après nos modèles actuels ; c'est beaucoup, mais au regard de l'éternité c'est peu. Et de toute façon cette vie finira un jour. La durée de telle espèce est longue, celle de telle autre courte. Il n'en est pas moins vrai que les espèces ont une durée finie comme les individus.

---

1. Biologiste.

100 naissances se terminent par 100 décès

On a beaucoup accru l'espérance de vie chez les humains depuis le siècle dernier mais il demeure toujours que 100 naissances se terminent par 100 décès. On peut poser cette question : la vie ne serait-elle qu'une maladie mortelle transmise sexuellement ?

La vie peut se définir comme un ensemble de processus bioénergétiques qui sont sous la responsabilité du génome. L'arrêt des réactions biochimiques, qui font partie des choses que contrôle le génome, constitue ce qu'on peut appeler la mort. Il y a décès au moment où le matériel génétique n'est plus responsable de l'évolution de la cellule.

Il faut cependant ajouter un petit bémol à cette observation. Vous connaissez peut-être l'expérience qui a été faite il y a environ six ans à partir d'une peau d'un proche parent du zèbre, le couagga, une espèce sud-africaine disparue depuis au-delà de 100 ans. On a repris un morceau de viande séchée sur une peau de cet animal et on a pu isoler des cellules contenant du matériel génétique, reprendre ce matériel, le cloner et le réintroduire à l'intérieur de bactéries. Ces bactéries ont exprimé un ou deux gènes qui étaient présents à l'intérieur des cellules qui n'avaient pas été complètement détruites ou autolysées parce qu'elles avaient séché. Cela nous amène à penser que le matériel génétique pourrait effectivement transcender la mort de l'individu.

La chose se produit en fait régulièrement. Lorsque la nature a inventé la reproduction sexuée, elle a inventé la mort puisque la reproduction sexuée représente une nouvelle combinaison génétique pour l'espèce. Les caractéristiques de la vie sont celles que vous connaissez : adaptabilité, mutabilité, métabolisme, capacité de reproduction, irritabilité. La mort représente l'arrêt des fonctions caractéristiques du vivant. L'individu, dans un monde physique où les lois de la thermodynamique nous amènent vers une entropie maximale, a effectivement pendant un court laps de temps où il est sous la maîtrise du génome, la possibilité de créer de l'organisation. Cela va complètement à l'encontre des lois physiques. La vie est un défi à l'entropie. Et quand la vie se termine on revient à la normale : les molécules qui ont été assemblées sous les directives du génome vont tout simplement se décomposer en molécules plus simples, lesquelles vont resservir à l'intérieur de grands cycles qui permettent en fait à la vie d'exister sur terre. Autrement dit la mort est une étape absolument nécessaire pour la biosphère. Et absolument nécessaire aussi pour l'espèce, en particulier dans le cas des espèces à reproduction sexuée.

Le gène égoïste

La reproduction sexuée implique nécessairement le remplacement des générations. Nos descendants ne sont pas notre re-production. Les seuls individus qui se re-produisent sont ceux qui, par division asexuée, vont tout simplement doubler leur patrimoine génétique et former deux individus indépendants. Les individus à reproduction sexuée sont placés devant le dilemme suivant : 2n + 2n = 2n. Quand un vivant est diploïde, il faut que son bagage héréditaire se divise et se recombine avec le bagage héréditaire d'un autre représentant de l'espèce pour créer une nouvelle combinaison qui va avoir la chance d'être confrontée avec la sélection naturelle. Dans toutes ces espèces, il faut donc que les générations se remplacent.

Ces faits ont amené les socio-biologistes à formuler diverses hypothèses intéressantes. Dans *The Selfish Gene,* Richard Dawkins disait que l'individu n'est au fond qu'un véhicule pour les gènes. Toute sa vie est orientée sur la reproduction, et la reproduction est le passage d'une série de gènes d'une génération à une autre, au plus grand nombre de copies possibles. Le gène serait en quelque sorte le bâton dans une course à relais : on le transporte et on le transmet à un autre coureur. Les socio-biologistes sont même allés jusqu'à soutenir que les gènes nous dirigeraient tellement que même nos comportements altruistes, ou en apparence altruistes, seraient en réalité des comportements destinés à assurer que les gènes qui nous appartiennent, qui sont semblables aux nôtres, soient plus nombreux dans la génération suivante.

L'individu serait donc sacrifié à sa descendance. Comment ne pas être tenté de le croire quand on essaie d'expliquer le comportement maternel ou certains comportements sociaux chez les animaux ? Tout est mis au service de la reproduction, de la production d'une nouvelle génération. Et comme je le disais plus tôt, ce n'est pas une re-production. Pour l'espèce c'est une reproduction, pour l'individu c'est tout simplement un passage de gènes.

La reproduction sexuée et la polyploïdie constituent une méthode de conservation à l'intérieur du processus évolutif. Elles nous permettent de conserver le plus possible une capacité d'adaptation. Dans un milieu changeant, où les conditions écologiques varient beaucoup, il y a des avantages à avoir des générations rapides et à avoir un grand nombre de combinaisons possibles dont quelques-unes vont pouvoir survivre. La durée de vie de toutes les espèces est déterminée. Il y a une longévité potentielle et une longévité moyenne. Selon que le maximum de mortalité se produit chez les jeunes ou qu'elle se produit chez les plus âgés, on a une courbe de type 1, 2 ou 3 comme vous voyez ici.

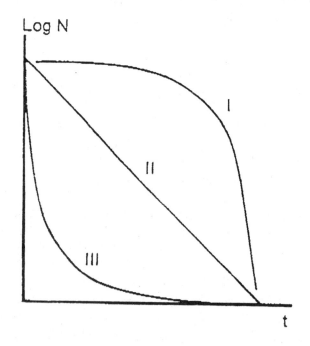

Figure 1. Schéma général représentant les principaux types de courbes de survie (explications dans le texte).
Source: Ramade, F. *Éléments d'écologie*, Écologie fondamentale, McGraw Hill, 1984.

On peut voir que dans l'espèce humaine, espèce très intéressante, la courbe qui était de type 3, c'est-à-dire une espèce de grande longévité avec une forte mortalité infantile est passée progressivement à une courbe de type 1. C'est une des transformations que nous pouvons observer dans le système de la santé parce que notre société, qui perdait auparavant beaucoup d'enfants, beaucoup de gens avant l'âge de 20 ans, est aujourd'hui en mesure d'aller au bout de sa longévité potentielle. Il en résulte des problèmes bien connus.

On note aussi que la longévité est étroitement reliée à la reproduction (**fig. 2**).Voici une courbe qui montre pour la même espèce de lézard la

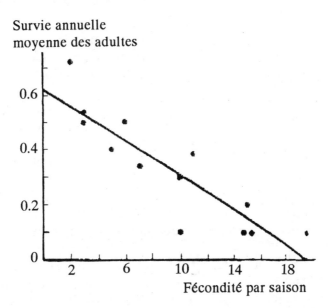

Figure 2. Corrélation entre la longévité (exprimée ici en taux de survie annuelle moyenne des adultes) et la fécondité par saison dans 14 populations de lézards. D'après Tinkle, *in* Barbault, 1976.

relation entre la longévité et la prolificité. Plus les lézards vont avoir de petits, plus ils vont être susceptibles de mourir dans l'année. On connaît également des espèces où la reproduction représente carrément la fin de l'existence. Les saumons de l'Ouest (Oncorhynchus) meurent après la reproduction. Essentiellement tout leur cycle vital s'accomplit à l'intérieur d'une seule reproduction. Les graminées ont souvent des cycles reproductifs comme celui-là. La plante dure une saison, produit des graines et meurt. Ce sont des graines qui reprennent la saison suivante. Cette relation entre la longévité et la survie moyenne est variable selon les espèces. Ce phénomène est très intéressant, il est un moyen de s'adapter aux variations de l'environnement. Les environnements très variables vont généralement sélectionner des espèces qui ont une stratégie «R». La stratégie «R» est une stratégie dans laquelle il y a une grande rapidité de maturité, une vie adulte très brève, une fécondité très élevée. On la retrouve par exemple chez les espèces typiques de l'Arctique ou encore chez des espèces comme les pucerons. Un puceron peut engendrer plusieurs générations dans un été et il a une reproduction à la fois sexuée et asexuée. Quand un individu a trouvé la bonne plante et le bon moyen, il peut se reproduire de façon tout à fait extravagante. La mortalité est naturellement très élevée et la durée de vie n'est pas très longue.

Par contre dans les environnements qui sont stables, c'est-à-dire dans des écosystèmes qui ont évolué sur une longue période, ce sont des espèces de type «K» qui vont être sélectionnées, c'est-à-dire des espèces qui ont une maturité tardive, une fécondité faible et une très longue durée de vie.

Selon la variabilité dans le milieu, on va choisir l'une ou l'autre des stratégies, compte tenu du potentiel génétique et du potentiel reproductif des individus. Voici une courbe qui illustre bien ce phénomène. (**fig. 3, 4**)

On voit par exemple que les insecticides vendus dans le monde ont progressé à une certaine vitesse qui est à peu près celle à laquelle les insectes résistants aux insecticides ont progressé! En empoisonnant le milieu, on opère une variation très rapide de l'environnement. Les espèces qui ont une stratégie «R» vont être favorisées parce qu'elles vont pouvoir recoloniser très rapidement. Et comme les générations sont très rapprochées, les changements sélectifs peuvent avoir une influence très importante dans la population. Ils peuvent permettre à un gène de se répandre très rapidement dans une population parce que ces reproductions en série sont tout à fait capables d'assurer cet aspect.

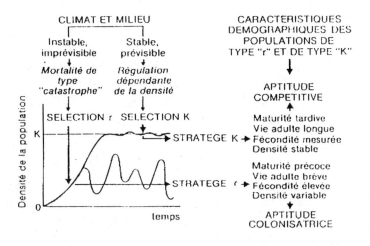

Figure 3. Représentation schématique des conditions d'intervention des modes d'action et des effets des sélections r et k. D'après Barbault, *in* Barbault, Blandin et Meyer, *Recherches d'écologie théorique*, 1980, p.7, Maloine, Paris.

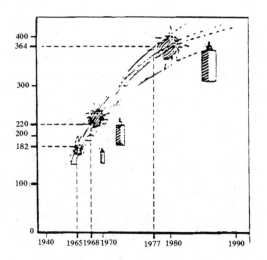

Figure 4. Nombre d'insectes et d'acariens résistants aux pesticides. Il faudrait entreprendre des travaux de recherche sur la lutte aménagée contre les ravageurs et sur d'autres méthodes pour résoudre ce problème.
Source: Le stratégie mondiale de la conservation, I.V.C.N., W.W.F. B.N.V.E. Gland, Suisse, 1980.

Le vieillissement, un luxe

On ne peut parler de la mort sans parler du processus qui mène à la mort, c'est-à-dire le vieillissement. Le vieillissement est quelque chose que l'on voit très peu dans la nature. Vous remarquerez que toutes les populations d'animaux que vous voyez sont généralement jeunes et en santé. Dans la nature, le vieillissement est quelque chose qui n'a pas vraiment le temps de se produire. À mesure qu'un organisme commence à perdre de sa capacité d'adaptation, à mesure que ses organes et ses systèmes d'intégration deviennent moins fonctionnels, il est la proie des prédateurs. La nature est donc constamment nettoyée.

Quand on écoute des émissions comme celles du commandant Cousteau ou de la Mutuelle d'Omaha qui nous montrent de belles bêtes en pleine nature, on a toujours l'impression que la nature est bien faite, qu'elle est parfaite, qu'il doit y avoir un créateur derrière tant de perfection. Mais en réalité c'est que tous ceux qui avaient des petits défauts ont été éliminés. Ils ne sont pas là pour témoigner de la variabilité génétique.

Le vieillissement peut être observé dans les espèces comme la nôtre parce que nous sommes protégés contre les prédateurs, et chez les espèces domestiques que nous protégeons contre les prédateurs. Il en résulte une série de dégénérescences qui sont très bien connues et avec lesquelles nous devons vivre.

Comme la longévité est une donnée génétiquement programmée, on peut théoriquement mourir en santé; mais quand on est devenu trop vieux, même si on est en santé, les systèmes ne sont plus capables de s'auto-soutenir. On sait par exemple que les cellules ont une limite de reproduction. On sait qu'il y a des cellules qui ne se remplacent pas comme les neurones par exemple, et d'autres qui se remplacent tranquillement comme les hépatocytes. Mais plus le temps passe, moins notre capacité de régénération et de réparation est disponible. Et puis à la fin c'est le système immunitaire qui commence à se détériorer. Commence alors un processus où notre organisme va être envahi par d'autres organismes. Notre génome perd alors le contrôle de nos molécules.

J'évoque à peine quelques caractéristiques du vieillissement. Certaines cellules ont un nombre de divisions définies. Certaines cessent de se diviser dès la naissance comme les neurones, d'autres accumulent des problèmes avec le temps. Chaque fois qu'on est soumis à des radiations, à des stress de l'environnement, chaque fois qu'on boit du café, qu'on absorbe de l'alcool, des petites mutations, de petites morts cellulaires se produisent en nous. Il arrive aussi que des cellules font des erreurs de programmation, généralement dans les mécanismes de réparation de l'ADN. L'ADN a des mécanismes pour se recopier et éliminer les erreurs. Ces mécanismes sont toutefois sous contrôle génétique eux aussi. Le jour où il y a des problèmes dans les gènes qui codent les mécanismes pour surveiller les erreurs, on commence à laisser passer des erreurs. D'une erreur à l'autre, on a des cellules qui décident de faire à leur tête. C'est ce qui se produit dans le cas du cancer.

Finalement, le vieillissement se traduit par l'usure des organes et la diminution de la masse musculaire. Même si M. Ben Johnson avait continué à prendre des « stéroïdes anabolisants » pendant toute sa vie, sa masse musculaire aurait fini par diminuer. Le vieillissement entraîne aussi une sclérose de l'appareil circulatoire, une diminution de l'efficacité du rein, une perte de sensibilité des récepteurs sensoriels et finalement la détérioration du système immunitaire. Naturellement à partir du moment où le système immunitaire se détériore, vous êtes envahis par les prédateurs microscopiques.

Leur mort est ma vie

En fait la vie est fondée sur une série quasi-illimitée d'assassinats inter-spécifiques. C'est une façon de dire les choses. On peut aussi dire que les petits sont mangés par les moyens qui sont mangés par les gros. Dans les écosystèmes les réseaux alimentaires se complètent grâce aux perpétuels échanges de molécules à valeur énergétique et structurale entre les divers niveaux trophiques. Tout ceci pour dire finalement que c'est en *désorganisant* le voisin qu'on finit par *s'organiser* soi-même.

Cela nous amène à voir que les proies et les prédateurs sont très inter-adaptés. À la limite on est amené à dire qu'il est nécessaire pour la santé des proies qu'il y ait des prédateurs. Et effectivement, dans les écosystèmes, on se rend compte que les fluctuations des variations des populations de proies sont très étroitement suivies par des fluctuations des variations des populations de prédateurs. Et un prédateur dépend d'autant plus d'une proie qu'il ne consomme que cette proie. Considérez par exemple les variations des cycles du lièvre et du lynx, un thème classique en écologie. Il y a des montées de lièvres extraordinaires suivies par des montées de lynx, suivies par des descentes de lièvres, suivies par des descentes de lynx, parce que 70% de l'alimentation du lynx est composée de lièvres. Une espèce comme la nôtre est très opportuniste. Nous avons des proies très variées et nous faisons en sorte qu'aucun autre prédateur ne vienne chasser sur nos terres.

Ce qui n'empêche pas qu'il y ait des famines de temps à autre. Au fur et à mesure que nous avons évolué, nous avons toutefois échappé aux fluctuations de la nourriture fournie par la nature en transformant nos écosystèmes pour qu'ils produisent les proies dont nous avons besoin.

Il y a une autre raison pour laquelle la mort est absolument importante et nécessaire. Il n'y a de réorganisation possible que s'il y a désorganisation. Les molécules circulent dans des grands cycles bio-géo-chimiques. Prenons l'exemple du cycle du carbone. Dans un écosystème l'énergie est fournie par le soleil. Les plantes qui possèdent un génome approprié ont une molécule appelée la chlorophylle qui leur permet de transformer l'énergie lumineuse du soleil en énergie chimique qui est ensuite *stockée* sous la forme de polymères construits à partir du carbone tiré du CO^2 présent dans l'atmosphère. Cette énergie est rendue disponible pour tous les autres organismes à partir de ce mécanisme qui est génétiquement contrôlé. Il faut donc qu'à un moment ou l'autre du cycle, nous mangions un être vivant pour être capable de dégrader les molécules de carbone qui composent les polymères de carbone ; de les dégrader par la digestion pour en retirer l'énergie qui nous permettra de former d'autres combinaisons correspondant à notre génome. Nous nous *organisons* à partir de tous les autres êtres vivants qui s'étaient *organisés* avant nous.

C'est un aspect fondamental. Pour qu'un cycle puisse être fonctionnel, il faut que les plantes puissent retrouver les éléments simples qui sont nécessaires pour composer les éléments complexes qui vont nous servir de nourriture. Pour cela, il faut qu'il y ait minéralisation. Et la minéralisation se fait par la décomposition. En fait, si on veut résumer cette situation, tant qu'il y a de la nourriture dans la nature, il se trouve quelqu'un qui a intérêt à l'absorber. Au fur et à mesure que telle molécule va se dégrader, il y aura passage à des formes de vie de plus en plus simples, jusqu'à ce qu'on en arrive aux éléments minéraux qui eux vont être réabsorbés par les plantes. La décomposition, qui assure le recyclage, est donc une chose très importante. Nous sommes tous formés de molécules qui ont un jour été décomposées et sont passées par un tube digestif...

Lorsqu'un individu cesse d'être sous la dépendance de son génome, les choses se passent selon un scénario connu. Il y a d'abord la catalyse des cellules par les enzymes cellulaires. Ensuite les détritivores s'emparent des cadavres, puis vient le moment de la putréfaction par les bactéries et les champignons.

Ma mort est leur vie

La décomposition chez un métazoaire comme l'homme se traduit d'abord par un arrêt de la circulation. L'arrêt de la circulation provoque un manque d'oxygène au niveau des cellules. Les cellules passent immédiatement en mode anaérobie. Ce phénomène produit de l'acide lactique occasionnant un raidissement musculaire, le fameux *rigor mortis*. Ensuite, quand elles n'ont plus de carburant cellulaire pour fonctionner en anaérobie, survient l'autolyse des cellules. On observe aussi une dégradation bactérienne à partir du contenu intestinal. Le système immunitaire n'est plus là pour empêcher les bactéries, les acariens qui vivent sur notre peau de traverser les membranes, de passer à l'intérieur. Le cadavre est alors colonisé par des insectes, des acariens, différents détritivores qui vont très rapidement opérer la lyse des membranes cellulaires.

Le cadavre, s'il est à l'abri, naturellement, va se dessécher. L'eau constituante va s'échapper avec les molécules hydrosolubles. Il va y avoir une dégradation complète. Les protéines vont se transformer en acides aminés liquides ou gazeux, en ammoniac, et en nitrates. Les nitrates et l'ammoniac vont être récupérés dans le sol soit par les plantes dans le cas des nitrates, où encore dans le cas de l'ammoniac par les bactéries dénitrifiantes ou les bactéries nitrifiantes qui vont les transformer en NO^3 ou les retransformer en azote atmosphérique. Les graisses vont être saponifiées avec les réactions ammoniacales. À ce moment-là, elles deviennent hydrosolubles. Elles vont aussi passer dans le sol et être dégradées par d'autres organismes. Les glucides vont former des alcools, des cétones, des acides organiques et toutes sortes de belles molécules volatiles qui, avec l'ammoniac, nous donnent des odeurs putrides! Ces produits sont ensuite entraînés dans le sol avec l'eau constituante du corps et lavés par l'eau de pluie ou encore émis dans l'atmosphère sous forme gazeuse. Ils sont finalement transformés et récupérés pour recommencer les différents cycles. Et si les précipitations sont un petit peu acide, les os vont se décalcifier et le calcium va retourner dans le cycle du calcium.

À l'intérieur de la biosphère, il y a un lien entre toutes les morts et toutes les vies. Cela nous oblige à réfléchir sur la place et le rôle de l'humanité dans cette biosphère. En augmentant à la fois l'espérance de vie des enfants et le nombre de naissances par femmes, on a accéléré de façon très importante la croissance de la population humaine. Vous connaissez le diagramme classique qu'on trouve dans tous les bons ouvrages sur la démographie; on y trouve la courbe d'explosion démographique qui se produit à l'heure actuelle. Cette courbe indique qu'au cours des dernières décennies il y a eu accélération de la croissance du nombre de téléspectateurs qui désirent devenir des riches et célèbres! Cette croissance a un impact important sur la biosphère. Au rythme de 170 nouveaux individus à la minute, on atteint vite une limite quelconque.

Cela m'amène à parler de ce qui, du point de vue biologique pur, constitue la vraie mort. La mort de l'individu est simplement, dans l'évolution de l'espèce, un processus tout à fait normal. La vraie mort est la disparition des espèces. Lorsque l'ensemble d'un groupe génétique s'éteint, une richesse considérable est perdue. On parle à l'heure actuelle de la vitesse d'extinction des espèces. Tant qu'il reste quelques individus d'une espèce, on peut récupérer une partie du génome qui est original et qui traduit finalement l'histoire de l'adaptation de l'espèce à un environnement particulier. Lorsqu'une espèce disparaît, on perd complètement cette richesse. Cette perte est grave car nous sommes maintenant en mesure d'extraire du génome des autres espèces des molécules qui peuvent nous être utiles pour améliorer notre qualité de vie.

Considérons la vitesse à laquelle le taux annuel d'extinction des espèces s'est accru depuis 300 ans. Au rythme naturel, il y a disparition d'une espèce tous les 21 mois. Au cours du dernier million d'années, 900,000 espèces environ sont disparues. Au rythme actuel, il semble que plus de 1,000 espèces disparaissent chaque année, trois espèces par jour. Compte tenu de la destruction des forêts tropicales à l'heure actuelle, on estime que la vitesse de disparition des espèces sera de l'ordre de 15,000 espèces par année en l'an 2010. L'échelle est logarithmique. Si on considère la courbe d'apparition des espèces par rapport à la courbe de disparition, pour une ordonnée d'apparition des espèces de 10 cm, on aurait une abscisse de disparition des espèces de 100 kilomètres.

Depuis son apparition, l'Homme a modifié les conditions nécessaires au maintien de la vie sur terre. Il a provoqué la disparition de plusieurs espèces en les surexploitant ou en modifiant leur habitat de façon telle qu'elles ne pouvaient survivre. Acutellement, les modifications de la biosphère attribuables à la civilisation industrielle nous entraînent vers une remise en question de notre développement. À l'image d'un organisme qui termine sa croissance tout en continuant son développement ou d'une population qui se stabilise dans son environnement, nous devons saisir les signaux que nous donnent les espèces qui disparaissent pour nous adapter aux limites de la capacité de charge de la planète. Ces espèces sont comme le canari qu'on plaçait dans les mines de charbon pour prévenir les coups de grisou. Leur disparition préfigurait la nôtre.

La mort de chaque espèce est inéluctable, mais il vaudra toujours mieux parler de la mort *dans* la Nature que de la mort *de* la Nature.

La mort au fil des siècles et de notre temps

HÉLÈNE LABERGE

«Aucun vivant n'a vraiment le droit de par-
ler de la mort. Et ceux qui l'ont vue de près
moins que tout autre: car ils finissent par
croire qu'elle ressemble à ce qu'ils ont
connu et qui, forcément, n'a rien d'elle.»[1]

Ce mot de Cesbron rejoint une réflexion du Dr Marcel Boisvert, l'un des conférenciers du colloque: «Je vous mets en garde contre un colloque de trois jours où les principaux acteurs, les mourants, sont absents.» Pourtant nous parlerons de la mort parce que l'être humain a depuis toujours tenté de l'exorciser; par le rituel dans les cultures primitives, par la réflexion et l'écriture dans les sociétés plus évoluées. C'est Platon qui a enseigné à l'Occident que *philosopher, c'est appren-dre à mourir.*

En préparant le colloque, nous avons demandé aux conférenciers de nous faire connaître les textes sur la mort qui inspiraient leur vie et leur action. Ce sont ces pensées, ces vers, ces témoignages que nous vous présentons. Nous les avons complétés avec ceux que nous avons nous-même puisés dans le patrimoine universel. En ce qui a trait à la mort, les mêmes préoccupations relient entre eux, comme un fil jamais brisé, tous les êtres humains de toutes les époques et de toutes les langues. Elles sont leur vérité. Une vérité approximative? Par la force même des

---

1. Gilbert Cesbron, *La regarder en face*, Robert Laffont, 1985.

choses! C'est le sens de la pensée de Cesbron...De même qu'en musique le silence est le sommet d'une phrase musicale, de même le silence de ceux qui ont traversé le fleuve de la mort... «La mort, ce peu profond ruisseau, calomnié» disait Mallarmé.

Nous avons parfois mis côte à côte des textes complètement contradictoires ou, au contraire, relevant de la même inspiration. Certains se passent de commentaires. D'autres appellent une explication ou une explicitation. Tous témoignent des ramifications infinies que la mort a fait pousser, continue de faire pousser sur l'arbre de la connaissance, de la science et de la vie.

Néant ou immortalité

Ces rameaux peuvent être ramenés à deux branches principales: le néant ou l'immortalité, ce «pressentiment extraordinaire que quelque chose ne peut pas être détruit.»[1] Cette immortalité, nous la rêvons aussi comme un prolongement indéfini de la vie. Dans *Zardoz*, le cinéaste J. Boorman présente cette immortalité comme une chose acquise. Nous n'avons pas vu ce film. C'est le Dr Marzouki qui nous l'a fait découvrir dans son livre *La mort apprivoisée*,[2] dont nous parlerons plus loin.

Voici le scénario tel que Marzouki le présente: Un jour «des savants immortels s'enfermèrent dans une cité où tout était possible. Hors de l'enceinte sacrée, les autres hommes retournèrent à l'état de nature. La cité sacrée régna sur eux, en maîtresse, par l'entremise d'un Dieu qu'elle manipulait et que les hommes de nature appelaient Zardoz. Durant un temps infini, la cité des dieux résista à tous les assauts, puissante et éternelle.» Comme on l'imagine, les hommes de nature réussirent un jour à prendre d'assaut la cité interdite. Scénario relativement classique jusqu'à maintenant. On s'attend bien évidemment à une scène de carnage avec fuite des immortels si brutalement jetés devant la mort. Or, au contraire, se déroule une «scène étrange, hallucinante, contraire au bon sens, mais point fort autour duquel va basculer une

1. Marie de Hennezel, *Le mythe de la mort parfaite: le nouveau sens de la mort dans le contexte du sida*. Cette conférence a été prononcée à *Caring together/entraide*, à Ottawa, en mars 1990. Se reporter également pour mieux connaître la pensée de Mme Hennezel au livre publié en collaboration avec Johanne de Montigny, *L'amour ultime*, Éditions Stanké, Montréal 1990.
2. Moncef Marzouki, *La mort apprivoisée*, Éditions du Méridien, Montréal 1990, p. 103 et ss.

certaine idée de la mort. [...] Au lieu de fuir, les immortels se jettent sur les chasseurs ou plus exactement sur leurs armes : ils se font tuer avec une joie, une boulimie extraordinaires. [...] les connotations habituelles de peur, d'angoisse et de douleur...sont gommées. Tout se passe comme si les signes étaient soudain inversés. [...] On est pris de vertige, comme à chaque fois que les repères immuables et solides de la culture craquent d'un coup, laissant entrevoir leur relativité. [...] En fait, il s'agit bien d'une véritable orgie, mais d'une orgie où le désir qui s'étanche n'est plus celui de vivre mais de mourir. [...] Alors un vieillard (qui a survécu au massacre) s'avance...pour expliquer l'incompréhensible».

«Quand nous eûmes refermé sur nous les portes de cette colonie soustraite à l'effet corrosif du temps, nous ne savions pas que nous fermions sur nous les portes de notre prison. On s'était dit : "Enfin nous avons réalisé le rêve de tous les âges, libres et affranchis du temps, nous allons pouvoir nous adonner à la vie totale, sans entraves et sans limitations." Au départ, cette liberté totale fut quelque chose de merveilleux. Débarrassés du poids du passé et de la peur de l'avenir, nous expérimentions ce dont les hommes ont toujours rêvé : l'instant éternel. La science, le plaisir, l'art, tout cela fut goûlument consommé jusqu'à satiété. Toutes les voies furent explorées, toutes les techniques furent essayées et toutes les possibilités épuisées. Puis vint la nausée. En fait nous avions oublié, dans notre orgueil forcené du savoir et du pouvoir, que tout existe par son contraire. [...] très tôt notre monde fut un non-sens : plaisirs sans joie car sans peine, désirs piégés car sans frustrations et sans limites, science sans objet puisque nous savions tout ou presque, art dégénéré car sans contexte et sans contestation, même la musique sonnait faux car nous n'avions plus rien à pleurer, plus rien à chanter, plus rien à espérer.» [...] Mais tu ne saurais comprendre, toi qui connais l'alternance et donc la vérité et la plénitude des choses contraires.»

Et le vieillard pose ici une question, la seule question qui nous concerne tous : «Nous avions voulu la vie totale, mais la vie sans mort serait-elle une absurdité logique ?»

Et voici sa réponse : «Oui, la vie pour être ce qu'elle est ne peut qu'être finie. La vouloir sans la mort, c'est vouloir la gauche sans la droite, le haut sans le bas qui fait qu'il est le haut. Et le prix du péché contre le bon sens fut exorbitant. Ce fut comme un cauchemar gris, insipide, gélatineux, indéfiniment renouvelé, sans possibilité de fin ou de réveil.»

Et le vieillard, dernier survivant des immortels demande aussi à mourir d'un coup de poignard enfoncé *doucement* dans sa poitrine pour être «pleinement conscient des ténèbres envahissant mon esprit, promesse sûre d'un repos salvateur et durable». Et effectivement il mourut, «comme on s'abandonne après l'orgasme».[1]

Ainsi donc, Boorman, comme tant de poètes et de penseurs, croit que le bonheur apporté par la conquête de la mort serait l'équivalent, pour reprendre ses mots, d'un cauchemar indéfiniment renouvelé, sans possibilité de fin ou de réveil. Son film est l'illustration de cette pensée de Thibon: «C'est l'ombre de la mort qui donne un prix infini à toutes les choses de la vie.[...]»[2]

Impossible de ne pas évoquer *Vous serez comme des dieux* où l'on retrouve aussi ce thème de l'immortalité terrestre. Avec cette différence que les immortels sont enivrés de leur pouvoir, qu'ils ont réussi à maîtriser aussi bien l'espace que le temps et qu'ils connaissent, sans en être rassasiés, toutes les délices de la vie. Tous sont satisfaits de leur sort sauf Amanda, l'héroïne qui pourtant aime et est aimée. Que lui manque-t-il donc? Ou plutôt, quelle peur secrète demeure tapie en elle? «J'ai peur, dit-elle, de cette obéissance infinie des choses, de ce destin asservi qui ne sait plus dire non.[...] nos aïeux tremblaient devant le danger; moi, j'ai peur de la certitude...de tout ce qui va infailliblement à son but...»[3]

On devine le reste...Amanda est envahie progressivement par une connaturalité avec le passé des hommes mortels qui l'arrache à l'immortalité. «En supprimant tous les risques, vous avez étranglé toutes les chances...Quel démon vous a tout donné en échange de votre âme?» Elle réclame la mort: «Je vous en supplie, rendez-moi aux morts. Ils m'appellent...dans le ciel...ou dans l'abîme...je ne sais pas...là où votre science ne peut pas aller...Soyez bon, débarrassez-moi de mon corps: mon âme ira toute seule...» Amanda finira par mourir, considérée comme une ratée de la science de l'immortalité par Weber, le savant qui l'a mise au point. Les êtres qui l'aiment réclameront à leur tour la

1. Moncef Marzouki, *La mort apprivoisée*, Méridien, Montréal 1990, p. 103 et ss.
2. Gustave Thibon, *Le Voile et le Masque*, Fayard, 1985 p. 161.
3. Gustave Thibon, *Vous serez comme des dieux*, Fayard, 1985.

mort, qui leur sera accordée, car il faut, dit Weber, «tuer la contagion dans l'œuf.»

Mais pour une Amanda attirée par la mort comme par le lieu de la vérité, il y a nous tous qui l'oublions dans la frénésie de la vie. Dans le livre du Dr Marzouki, *La mort apprivoisée*, on trouve sur la mort le point de vue le plus franc, le plus férocement lucide peut-être jamais donné par un médecin. Quand l'intelligence orientale (l'auteur est Tunisien) s'allie à la raison occidentale, beaucoup de mensonges, de demi-vérités volent en éclats. Il reprend la distinction que de plus en plus de médecins font entre la mort et le mal mourir. Mais ce mal mourir, le Dr Marzouki l'associe ouvertement aux interventions de la médecine actuelle: «L'horreur de la mort hospitalière ne provient pas de la mort elle-même mais de nos interventions intempestives. Laissé à lui-même...le corps s'abandonne sans trop souffrir.»

Marzouki exprime tout à fait bien nos réactions devant la mort. «La mort, j'y pense comme tout un chacun, puis trop occupé à vivre, je l'oublie. Re-appel, à l'occasion du décès de la mère, des graves brûlures d'un ami cher, re-oubli. Je sais certes qu'il faut mourir, mais cela me paraît n'arriver qu'aux autres. À l'instar de ce roi de Norvège qui, écrivant son testament remplaça «quand je mourrai» par «si je meurs», j'envisage moi aussi ma mort comme une hypothèse d'école.» [1]

Ou comme un événement éloigné dans le temps. C'est aussi l'expérience de Jacques Languirand. Dans son livre *Prévenir le burn-out*, il parle de ces gens — plus nombreux qu'on croit — qui sont encore à 15 ou 20 ans de leur retraite mais qui, d'une part, préfèrent la petite mort d'un travail qu'ils détestent au risque d'en changer et d'autre part, concentrent sur la retraite à venir tout le bonheur dont ils sont privés. Nihil novi...Sénèque dénonçait cette attitude au deuxième siècle après J.-C.

«Tu entendras dire par la plupart des gens: à cinquante ans je me retirerai pour vivre en repos; à soixante ans, je me démettrai de mes charges. Et qu'est-ce qui te répond que ta vie sera aussi longue? Qui admettra que tout aille comme tu l'arranges? N'as-tu pas honte de mettre en réserve le reste de ta vie et de consacrer à la sagesse le seul temps qui ne puisse être employé à rien? Il est bien tard de commencer à vivre alors qu'il faut cesser de vivre. Quel absurde oubli de ta

---

1. Moncef Marzouki, *op. cit.*, p. 11.

condition mortelle que de différer jusqu'à cinquante ou soixante ans les sages projets, et de vouloir commencer sa vie à un âge où bien peu parviennent!»[1]

Pour Sénèque, le temps est la chose la plus précieuse qui soit. En cela, il est très proche de tous ces malades et handicapés devant qui on se demande: comment peuvent-ils encore être heureux? Et qui le sont parce que, fidèles à l'adage des Stoïciens, ils vivent littéralement chaque instant *comme si c'était le dernier*. Ecoutons encore Sénèque dénoncer la légèreté avec laquelle nous jouons avec le temps.

«On demande (le temps) comme si ce n'était rien, on l'accorde comme si ce n'était rien; on joue avec la chose la plus précieuse qui soit. Ce qui trompe, c'est que cette chose est incorporelle, et qu'elle ne tombe pas sous les regards; aussi paraît-elle de très peu de valeur, et même absolument sans valeur.[2]»

Time is Money; c'est la réponse de notre siècle à la dilapidation du temps que déplorait Sénèque. Mais l'usage que nous faisons du temps diffère: certains plus sérieux enferment le temps dans les prisons de leurs agendas. D'autres plus légers ou disposant de plus de loisirs le dilapident dans les horaires de la télévision. Entre ces avares et ces prodigues, quelle différence? La mort, patiente comme le loup devant les ébats de la chèvre de monsieur Séguin, nous croquera. *Et au petit matin le loup la croqua.* «C'est pourquoi à la rapidité du temps il faut opposer notre promptitude à en tirer parti; ainsi quand on puise à une chute d'eau rapide mais qui ne coulera pas toujours, il faut se hâter de puiser.»[3]

Tenir la mort éloignée, brûler le temps pour ne pas y penser. Réflexes vitaux, humains, instinct de vie s'opposant à l'instinct de mort où nous nous retrouvons tous. Voici pourtant un poème *Je meurs de ne pas mourir* écrit au XVIᵉ siècle (en 1571) qui exprime absolument le contraire.

> Je vis sans vivre en moi-même,
> Dans mon espoir sans limites,
> Je meurs de ne pas mourir

1. Les Stoïciens, Sénèque, *De la brièveté de la vie*, Pléiade, 1962, p. 698.
2. *Ibid.*, p. 703.
3. *Ibid.*, p. 705.

[...]
Dans la seule confiance
De mourir un jour, je vis,
Car c'est vivre que mourir,
M'affirme mon espérance;

Mort qui nous donne la vie,
Ne tarde point, je t'attends,
Je meurs de ne pas mourir.[1]

Notre sensibilité contemporaine est déconcertée par ce cri. Ne l'interprétons pas toutefois trop rapidement à travers la grille de la psychologie. L'histoire des mentalités serait plus éclairante. Celle, personnelle, de Thérèse d'Avila également. Si son désir de mourir était fort, il était tempéré par une vitalité qui s'est maintenue à travers des maladies, des épreuves de toutes sortes et l'horreur du suicide considéré comme un viol du temps imparti à chaque être par le destin. La mort que désire Thérèse d'Avila est le moyen, la condition pour rencontrer l'être aimé, Dieu. Elle n'est pas comme dans le suicide, une échappatoire à la vie...

Dans *La cérémonie des adieux*, Simone de Beauvoir raconte une toute autre forme de mort: la lente entrée de Sartre dans la maladie qui allait l'emporter, et qui allait durer dix ans. Nous nous sommes intéressée à cette mort parce qu'elle contient l'essence de la mort moderne. Sartre a eu une première attaque, dix ans avant sa mort, qui a été maîtrisée par la médecine. Puis au fil des ans, divers symptômes sont apparus, parfois très graves, mais suivis de longues périodes de rémission.
   «Fin juin, (1971) Sartre s'est mis à avoir cruellement mal à la langue. Il ne pouvait ni manger ni parler sans souffrir. Je lui ai dit: C'est quand même une sale année: tout le temps vous avez eu des ennuis. — Oh! ça ne fait rien, m'a-t-il répondu. Quand on est vieux, ça n'a plus d'importance. — Comment çà? — On sait que ça ne durera pas longtemps. — Vous voulez dire parce qu'on va mourir? — Oui. C'est normal qu'on s'abîme petit à petit. Quand on est jeune, c'est différent. Le ton dont il

---

1. Thérèse d'Avila, *Poèmes et Pensées,* Desclée de Brouwer, 1976.

a dit ça m'a bouleversée : il semblait déjà de l'autre côté de la vie. Tout le monde d'ailleurs remarquait ce détachement ; il paraissait indifférent à beaucoup de choses, sans doute parce qu'il se désintéressait de son propre sort. Souvent il était sinon triste, du moins absent. Je ne le voyais vraiment gai que pendant nos soirées avec Sylvie. En juin, nous avons fêté chez elle le soixante-sizième anniversaire de Sartre, et il était rayonnant.»[1] ...

Plusieurs mois se passent et Sartre fait de petites attaques cérébrales dont il se remet. Il continue à travailler. Il est lucide sur ce qui lui arrive : «— J'ai épuisé mon capital santé, dit-il un soir à sa compagne. Je ne dépasserai pas soixante-dix ans.» Ce qui, dans une autre circonstance, ne l'empêche pas d'espérer : «Oh ! Je compte bien être encore là dans dix ans.»

Commentaire de Simone de Beauvoir : «Ce qu'il y a eu d'extraordinaire chez Sartre et de déconcertant pour son entourage, c'est que, du fond des abîmes où on le croyait à jamais enlisé, -il resurgissait, allègre, intact. ...Il y avait en lui un fonds de santé physique et morale qui a résisté, jusqu'à ses dernières heures, à toutes les atteintes.» Pendant toutes ces années, S. de Beauvoir note avec une lucide sollicitude les progrès de la maladie de Sartre. Elle va même jusqu'à écrire que : «le drame de ses dernières années est la conséquence de sa vie tout entière.» On sait que Sartre ne s'économisait pas, pour reprendre l'expression des Méridionaux : nuits blanches, cigarettes et whisky. «C'est à lui qu'on peut appliquer le mot de Rilke : Chacun porte sa mort en soi comme le fruit son noyau. Sartre a eu le déclin et la mort qu'appelait sa vie. Et c'est pourquoi, peut-être, il les a si calmement acceptés.» [2]

Et Simone de Beauvoir conclut, stoïque : «Sa mort nous sépare. Ma mort ne nous réunira pas. C'est ainsi ; il est déjà beau que nos vies aient pu si longtemps s'accorder.» Sensiblement à la même époque, un autre philosophe existentialiste, Gabriel Marcel, écrivait : «Aimer un être, c'est lui dire : Toi tu ne mourras pas.» Opposition entre deux conceptions de la mort : l'anéantissement, *ma mort ne nous réunira pas* ; l'appel vers une survie : l'être aimé ne *peut* pas mourir.

---

1. Simone de Beauvoir, *op. cit.*, Gallimard, 1981.
2. *Ibid.*, p. 133.

Peut-être est-ce davantage par sa mort que par sa pensée que Sartre passera à l'histoire: son courage, sa curiosité intellectuelle, les liens étroits qu'il a maintenus jusqu'à la fin avec sa compagne et ses divers amis, l'amour qu'il a suscité... Ce n'est pas là la moindre des contradictions de cet homme dont le mot *L'enfer, c'est les autres* alimentait nos fragiles désespoirs d'adolescents!

Sartre a vécu la lente et progressive montée de la maladie, un interminable jeu du chat, la mort, avec la souris, lui, nous. C'est l'un des visages modernes de la mort. Sous l'ancien régime, la mort frappait généralement dur et vite.

Voici comment le duc de St-Simon décrit la mort de Santeuil, chanoine régulier de Saint-Victor. Mais d'abord, qui était Santeuil: «C'était le plus grand poète latin qui ait paru depuis plusieurs siècles; plein d'esprit, de feu, de caprices les plus plaisants, qui le rendaient d'excellente compagnie; bon convive surtout aimant le vin et la bonne chère, mais sans débauche, quoique cela fût fort déplacé dans un homme de son état, et qui, avec un esprit et des talents aussi peu propres au cloître, était pourtant au fond aussi bon religieux qu'avec un tel esprit il pouvait l'être.» Un grand de ce monde s'enticha de lui au point de l'attacher à sa table. «C'étaient, nous dit Saint-Simon, tous les soirs des soupers que M. le Duc donnait ou recevait, et toujours Santeuil à sa suite qui faisait tout le plaisir de la table. Un soir que M. le Duc soupait chez lui, il se divertit à pousser Santeuil de vin de Champagne; et de gaieté en gaieté, il trouva plaisant de verser sa tabatière pleine de tabac d'Espagne dans un grand verre de vin, et de le faire boire à Santeuil pour voir ce qui en arriverait. Il ne fut pas long à en être éclairci. Les vomissements et la fièvre le prirent, et en deux fois vingt-quatre heures, le malheureux mourut dans des douleurs de damné, mais dans les sentiments d'une grande pénitence, avec lesquels il reçut les sacrements et édifia autant qu'il fut regretté d'une compagnie peu portée à l'édification, mais qui détesta une si cruelle expérience.»[1]

On notera que le médecin est absent du récit, mais que Saint-Simon, qui ne peut pas être suspecté de bigoterie, mentionne tout naturellement que le malade mourut *dans les sentiments d'une grande pénitence*. Philippe Ariès a étudié de façon définitive les us et coutumes de la mort sous l'Ancien Régime. Nous y reportons le lecteur; pour plusieurs

---

1. St-Simon, *La Cour de Louis XIV*, Nelson, Éditeurs Paris, p. 92.

conférenciers, *La mort en Occident* est un point de référence constant dont Jacques Dufresne traite ailleurs dans ce livre. On mourait donc jadis avec les secours de la religion. Au Québec, cette façon de mourir s'est prolongée jusqu'à la seconde guerre et au-delà. Voici à cet égard un extrait de la mort du Père Didace dans *Marie-Didace* de Germaine Guèvremont.

Didace se sentant frappé à mort fait dire à son voisin, Pierre-Côme Provençal, d'aller chercher le curé. À la campagne, un voisin ne meurt pas anonymement. « Au passage du cortège, des hommes aux récoltes, çà et là dans les champs, s'immobilisèrent, dressés comme des cierges sur quelque immense autel. Pénétrés à la fois du regret de voir l'un des leurs sur le point de mourir et pénétrés de la secrète satisfaction de ne pas être encore, eux, le choix de la mort... Dans la paroisse, on savait déjà que Didace, fils de Didace, recevait une dernière fois la visite du prêtre. »[1]

Un prêtre qui était aussi un ami, un compagnon de chasse. « La gorge nouée de chagrin, le curé Lebrun se taisait. Lui et Didace avaient souvent fait le coup de feu ensemble. Un passé de plus de trente ans remontait mélancoliquement à sa mémoire [...] » Le récit se poursuit. Didace comprend pourquoi le curé est là. Aucun signe de frayeur : « L'œil bas sous ses gros sourcils, Didace trouva le tour de sourire [...] Le curé fit signe aux femmes de se retirer. Il alla fermer la fenêtre. — Le temps de vous confesser, expliqua-t-il à Didace. Puis il revint s'asseoir et demanda au malade : — Avez-vous quelque chose qui vous reproche ? — Ah ! fit le vieux simplement, je sais pas trop comment j'm'en vas accoster de l'autre bord. » Le premier péché dont il s'accuse porte sur les lois humaines. « J'ai, dit-il, souvent dégraissé mon fusil avant le temps et çà me forçait pas de chasser avec des appelants en tout temps. » Suivent ensuite les péchés de jeunesse : « ...quand j'étais jeune, je buvais comme un trou...je me battais, un vrai yâble ![...] Je sacrais comme un démon [...] J'allais voir les femmes des autres... » La confession terminée, « le curé se recueillit avant de représenter Dieu, la vérité éternelle, auprès de l'homme simple qui se mourait, son ami. Il chercha au plus profond de sa foi et de son amitié les mots avisés afin de toucher ce cœur franc, mais pas facile d'accès. Les paroles coulèrent paisibles et fortes[...] Didace ne sentait plus son mal. D'abord ramassé sur

1. Germaine Guèvremont, *Marie-Didace*, Fides, 1974, p. 171.

lui-même, il écouta. Peu à peu un baume purificateur se répandit en lui, l'allégeant du poids de ses fautes.» [1]

Ce qui suit concerne les images que Didace se fait de Dieu et du Paradis, des images naïves, très proches du bonheur terrestre. Dieu lui apparaît sous la forme d'«un divin garde-chasse qui lui (permettrait) ...de donner quelque rafale aux oiseaux dans les mares célestes.» Ici aussi le médecin est absent. Par contre la famille est omniprésente avec ses maladresses, ses anxiétés et les inévitables drôleries. Tout le récit de la mort mérite d'être lu ; une mort qui nous semble idyllique. Une mort qui a disparu de nos horizons culturels comme ont pratiquement disparu les conditions sociales qui la rendaient possible.

Cette mort était aussi celle que Soljénitsyne avait observée chez les paysans russes : «Et voilà que maintenant, en allant et venant dans la salle d'hôpital, il se remémorait la façon qu'ils avaient de mourir, ces vieux, dans leur coin, là-bas, sur la rivière Korma [...] Sans fanfaronnade, sans faire d'histoires, sans se vanter qu'ils ne mourraient pas, tous ils admettaient la mort *paisiblement* (souligné par l'auteur). Non seulement ils ne retardaient pas le moment des comptes, mais ils s'y préparaient tout doucement et à l'avance, désignaient à qui irait la jument, à qui le poulain, à qui le sarrau, à qui les bottes, et ils s'éteignaient avec une sorte de soulagement, comme s'ils devaient simplement changer d'isba.» [2]

Sous cette image primitive, il y a le pressentiment de l'éternité. «S'il y a de l'indestructible, toute destruction ne peut être que purification.» [3]

Nous en sommes réduits, nous dont la mort est constamment différée par les interventions de toutes sortes, à chercher des voies d'évitement de la souffrance et de l'attente. «Les Grecs connaissaient à côté de Kronos, le dieu du temps qui dévore, écrit Hennezel, un certain Kairos, le dieu du moment juste, du moment opportun. Kairos gouverne tous ces moments où justement on a l'impression que le temps est suspendu! La souffrance liée à l'attente, au sentiment insupportable de ne pas contrôler le temps, ne peut trouver son apaisement que dans la découverte de ces moments hors du temps.» [4]

---

1. Germaine Guèvremont, *op. cit.* p. 175 ss.
2. Cité par Philippe Ariès, *in op. cit.*
3. Ernst Jünger.
4. Marie de Hennezel, *op. cit.*

Encore heureux ceux qui sont disposés de telle sorte qu'ils connaissent *ces moments hors du temps*. D'autres en sont réduits à droguer leurs souffrances et leur horreur de la solitude et de la mort. L'accompagnement est né du besoin de pallier la solitude des mourants, de combler l'absence de convivialité qui est le propre de la vie contemporaine. Hennezel décrit ce que doit être l'accompagnement: «Accompagner, faut-il le rappeler, ce n'est pas guider en fonction de telle ou telle représentation de la mort; c'est suivre pas à pas celui qui va mourir en lui permettant d'accéder à ce qui, pour lui, est le mieux. Avec la confiance absolue que sa manière de mourir est la bonne pour lui, puisque c'est la sienne.» [1]

D'un côté l'accompagnement, qui s'est développé pour combler dans la société industrielle la disparition de la convivialité propre aux communautés rurales, phénomène qu'Ivan Illich a été l'un des premiers à analyser. De l'autre, le débat sur l'euthanasie, un débat que Philippe Ariès avait prédit dès 1977.

«Il existe, [...] une faille dans l'enceinte médicalisée, écrivait-il, par où la vie et la mort, si soigneusement séparées, pourraient bien se rejoindre dans un flot de tempête populaire: c'est la question de l'euthanasie et du pouvoir d'arrêter ou de prolonger les soins. Aujourd'hui personne ne se sent encore vraiment concerné par sa propre mort. Mais l'image d'Epinal du mourant hérissé de tubes, respirant artificiellement, commence à percer la cuirasse des interdits et à ébranler une sensibilité longtemps paralysée. Il se pourrait que l'opinion s'émût, qu'elle s'emparât alors du sujet avec la passion qu'elle a montrée dans d'autres combats de la vie, notamment concernant l'avortement.» Ariès cite ensuite Claudine Herzlich: «Nous savons aujourd'hui que, dans certains cas du moins, les hommes meurent [ou non] parce que l'on a décidé [à l'hôpital] qu'il était temps pour eux. Vont-ils exiger de mourir quand ils voudront mourir?» Suit le commentaire prophétique d'Ariès: «Le modèle le plus récent de la mort est lié à la médicalisation de la société, c'est-à-dire à l'un des secteurs de la société industrielle où le pouvoir de la technique a été le mieux accueilli et est encore le moins contesté. Pour la première fois, on a douté de la bienfaisance inconditionnelle de

---

1. Marie de Hennezel, *op. cit.*

ce pouvoir. C'est à cet endroit de la conscience collective qu'*un chan-gement pourrait bien intervenir dans les attitudes contemporaines.* »[1]

Cela nous amène au débat actuel sur l'euthanasie. Nous ne repren-drons pas les arguments mis en avant par les infirmières, les médecins et les éthiciens. On en retrouvera beaucoup d'éléments dans les textes des conférences résumés dans ce livre. Nous demanderons plutôt à Sénèque son très sage avis sur la question :

Il commence d'abord par nous mettre en garde sur les solutions toutes faites : «Il n'est...pas possible, dit-il, de donner une règle générale pour tous les cas où l'on peut être, du dehors, menacé d'une mort violente, et de dire s'il faut la prévenir ou l'attendre : *il y a beaucoup à dire dans les deux sens.* Si, d'une part, la chose se résout par des tortures et que, de l'autre, elle soit simple et facile, pourquoi ne pas prendre la seconde ? [...] De plus, si la vie la plus longue n'est pas toujours la meilleure, la mort la plus longue est toujours la plus mauvaise. Dans la mort, plus que dans toute autre affaire, nous devons suivre notre goût. [...] Nous devons pour vivre chercher l'approbation d'autrui ; pour mourir, la nôtre suffit. La mort la meilleure est celle qui nous plaît. »[2]

Celle qui nous plaît... Par ces simples mots, Sénèque rejoint tous ceux qui réclament le respect de la liberté du mourant et qui, pour l'étayer, proposent que soit rédigé un testament contenant clairement ses volontés.

La mort et le médecin

Du mourant, passons à celui qui règne sur la mort, moins par sa personne que par la technologie : le médecin. C'est à des médecins que nous laissons le soin de décrire leur rôle : «Ainsi la première tâche du médecin me paraît être de dresser le bilan d'une vie. Autrefois, à cause même de mon zèle à aider les hommmes dans leurs difficultés, je me préoccupais surtout de ce que je devais leur dire. Pendant qu'ils me parlaient, je m'inquiétais de savoir que répondre aux problèmes de leur vie. Aujourd'hui, j'ai compris que les écouter avec intérêt est plus important que méditer ma réponse. Et cet intérêt n'est pas factice : il n'est rien de plus passionnant que de comprendre une vie. Et j'ai eu bien souvent le sentiment qu'écouter ainsi avec patience et intérêt ces récits

1. Ariès, *op. cit.* p. 587.
2. Sénèque, *Lettres à Lucilius*, Classiques Garnier, 1955, p. 45.

constituait déjà un traitement; beaucoup de malades, avant même que je leur eusse rien dit, voyaient déjà clair en eux-mêmes et dans ce qui devait être réformé dans leur vie, par le seul fait qu'ils avaient dû, une bonne fois, la considérer dans son ensemble, la repasser dans leur esprit, comme une grande fresque. Tant de gens sont entraînés dans le tourbillon d'une vie trépidante, sans jamais avoir le temps, ni le courage de se regarder en face.» [1]

Ce texte a été écrit il y a déjà plus de quarante ans. L'approche qu'il décrit demeure essentielle. Un autre médecin de la même période insiste sur les effets curatifs de la bonté: «La bonté, d'ailleurs, possède par elle-même un pouvoir curatif. Dans les maladies non désespérées, elle aide au retour de la guérison. Appartenant à cet ordre de vibrations qui agissent sur le domaine de la sensibilité, elle peut favoriser le fonctionnement de ces sécrétions profondes qui rétablissent les équilibres compromis et ramènent la santé. Un médecin qui ne s'intéresse pas aux préoccupations de son malade et ne le considère qu'à la façon d'un numéro, fiché dans les compartiments d'un casier, ne tirera jamais de cet être vivant, réduit à un rôle de figurant inerte, toutes les provisions d'énergie dont ce dernier dispose et qui, si elles étaient déposées sur le chantier, feraient des merveilles de bon et fructueux travail.» [2]

Certaines de ces réflexions pourraient être signées par les tenants des médecines douces: entre autres celle qui concerne *les vibrations qui agissent sur le domaine de la sensibilité.* L'humanisme qui est maintenant à la base des thérapies alternatives était une part intégrante de la formation du médecin au début de ce siècle. Il y aurait une thèse passionnante à faire où seraient comparés les écrits médicaux des années 1900 à 1950 et ceux des années cinquante à nos jours. On constaterait sans doute la résorption progressive de l'humanisme médical dans la science médicale. Dans tous les textes recueillis par Louis Barjon dans *Le Médecin* (1948), c'est toujours l'intérêt pour le malade qui domine; le traitement n'apparaît que comme support à la relation entre le médecin et son patient.

---

1. Paul Tournier cité in *Le Médecin,* Louis Barjon, Xavier Mappus, éditeur 1948, p. 134.
2. Dr Charles Fiessinger in *op. cit.*, p. 138.

Pourtant, l'humanité du médecin n'a pas pour autant disparu. Ce qui préoccupe le Dr Marzouki n'aurait pas été désavoué par les collègues qui l'ont précédé au cours de ce siècle: «[...] le problème n'est pas la mort, écrit-il, mais le mal mourir».[1] Et il poursuit: «La médecine n'aime pas la mort et s'en désintéresse. Pourtant, qu'on le veuille ou non, les médecins sont appelés aujourd'hui à jouer de bien curieux rôles, auxquels leur formation ne les a pas préparés. Il y a certes les beaux diagnostics et les techniques rutilantes. Mais ce n'est là que l'arbre qui cache la forêt, et cette forêt c'est la détresse devant la vie et la mort qu'on vous jette au visage. C'est donc l'école de la vie, et non la faculté, qui va initier le médecin à des pans entiers de son métier négligés par les programmes, probablement parce que ces choses-là ne s'enseignent pas, ou si difficilement. »

Apprendre à mourir

«La préparation à la mort exige une marge de santé, de tranquillité, de sécurité. La pente douce invite à méditer sur les horizons invisibles, la pente abrupte les voile. Ce qui tue ne prépare pas à mourir. »[2] D'où la nécessité de penser à la mort avant qu'elle n'ait raison de nous. Mais au fait à quoi donc nous sert cette méditation? Pour une essayiste contemporaine, Françoise Chauvin, *Apprendre à mourir ne sert pas à bien mourir, mais à vivre moins mal.* «Certes, le but de l'intelligence, c'est la vérité — et donc la mort, puisque la vérité est du côté de la mort. Mais son effet immédiat, c'est d'aider à vivre...Comme le but de la sexualité est la procréation, mais son effet immédiat le plaisir! Dans les deux cas, on poursuit d'autant mieux le but qu'on jouit plus de l'effet! Et même, hélas! on ne croit poursuivre le but que parce qu'on recherche l'effet... »[3]

Voici ce que dit de la vie un jeune journaliste qui a échappé à la mort. Témoignage de Roger Auque, détenu comme otage au Liban pendant 10 mois dans un cachot sans lumière naturelle: «Quant à la peur, (de la mort) elle est là, toujours. Le courage consiste à la maîtriser. Parce qu'on doit lutter pour ne pas mourir et que cette mort en sursis devient

---

1. Moncef Marzouki, *op. cit.*
2. Gustave Thibon, *Le Voile et le Masque* p. 152.
3. Françoise Chauvin, *L'autre côté du rêve,* Éd. de l'Agora, 1990, p. 50.

une compagne qui nous contraint à demeurer forts. Mais à demeurer seul durant des mois, on ouvre des portes sur un monde spirituel inconnu. Maintenant je sais qu'il y a un Dieu et que la vie est fragile. »[1]

Et pourtant, nous dit Sénèque, la vie ne vaut pas d'être achetée à n'importe quel prix ! « C'est pourquoi le sage vit, non autant qu'il peut vivre, mais autant qu'il le doit. Il verra où il doit vivre, avec qui, comment, pourquoi : son unique pensée, c'est la valeur, non la durée de son existence. [...] Mourir tôt ou tard, peu importe ; ce qui importe, c'est de bien ou mal mourir. Or bien mourir, c'est échapper au danger de mal vivre. [...] la vie ne vaut pas d'être achetée à n'importe quel prix. »[2]

Voilà un texte sans équivoque sur l'euthanasie ! Mais le même Sénèque poursuit : « Parfois cependant, même si le sage est menacé d'une mort certaine et n'ignore pas le supplice qu'on lui réserve, il n'y prêtera pas lui-même la main. C'est sottise de mourir par crainte de la mort. Celui qui doit te tuer arrive : attends-le ! pourquoi le devancer, pourquoi te charger d'une cruelle mission qui est l'affaire d'un autre] [...] Socrate pouvait ne pas toucher à sa nourriture, plutôt que d'attendre le poison ; et pourtant, il resta trente jours dans sa prison à attendre la mort. Certes, il ne se disait pas que tout peut arriver et qu'un si long temps permet toutes les espérances ; mais il voulait se soumettre aux lois et permettre à ses amis de jouir de ses derniers jours. »[3]

Par-delà les siècles un philosophe contemporain rejoint Sénèque : « N'est digne de mourir que celui qui assume l'épreuve de vivre. La mort est un sacrement : ceux qui le refusent et ceux qui sont trop impatients de le recevoir commettent également un sacrilège. C'est sans doute le sens de la prière de Rilke : Seigneur, donne à chacun sa propre mort... »[4]

La mort de Socrate

Cette mort a fasciné les vivants de toutes les époques. On sait que Socrate a été emprisonné et condamné à mort parce que sa philosophie, soutenaient ses ennemis, troublait l'ordre de la cité. Dans l'*Apologie de Socrate*, où Platon a décrit son procès, on voit Socrate attendant serei-

---

1. *Le Devoir*, 31 octobre.
2. Sénèque, *Lettres à Lucilius, op. cit.*, p. 43.
3. *Ibid.*, p. 43.
4. G. Thibon, *Le voile et le masque*, p. 151.

nement de boire la ciguë et expliquant à ses juges son attitude devant la mort : « Craindre la mort, ce n'est rien d'autre que de passer pour sage alors qu'on ne l'est point, que de passer en effet pour savoir ce que l'on ne sait pas. Car de la mort, nul n'a de savoir, pas même celui de savoir si c'est là précisément pour l'homme le plus grand des biens ; mais on la craint, comme si on savait parfaitement qu'il n'y a pas de plus grand mal ! Comment ne pas voir là une ignorance justement qui est répréhensible, celle qui consiste à s'imaginer savoir ce que l'on ne sait pas ? »

On trouve le récit des derniers moments de Socrate dans le *Phédon*. Ces textes sont célèbres et contiennent la pensée de Platon, ce disciple de Socrate qui a approfondi pendant toute sa vie (il avait 28 ans quand Socrate est mort), la doctrine de son maître bien-aimé, sur la purification, la destinée des âmes après la mort, sur l'immortalité (qu'il fonde sur la théorie des contraires) etc. Nous citerons ici un passage du Phédon où un disciple de Socrate, Criton, lui suggère d'attendre pour boire le poison : « Mais, je crois bien, Socrate, pour ma part, que le soleil est encore sur les montagnes et qu'il n'est pas encore couché. (Les condamnés doivent mourir au coucher du soleil) Et, tout ensemble, je n'ignore pas non plus qu'il y en a d'autres qui ont bu le poison longtemps après qu'on le leur eut enjoint, et non sans avoir bien mangé et bien bu, quelques-uns même après avoir eu commerce avec les personnes dont ils avaient d'aventure envie. Allons ! Ne te presse pas, puisqu'il te reste encore du temps ! »[1]

Dernière tentation de la vie, ultimes plaisirs des sens proposés à quelqu'un qui avait enseigné que *philosopher, c'est apprendre à mourir !* Socrate succombera-t-il à ces attraits ? Et s'il y succombait, qui pourrait lui en faire reproche ? — « En vérité, Criton, repartit Socrate, ils ont bien raison, les gens dont tu parles, de faire ce que tu dis, car ils pensent qu'ils gagneront à le faire ! Quant à moi, c'est aussi avec raison que je ne le ferai pas, car je ne crois pas que j'y gagne, en buvant un peu plus tard le poison, sinon de me prêter à rire de moi-même, en m'englobant ainsi dans la vie et en l'économisant alors qu'il n'en reste presque plus ! Allons ! Allons ! obéis-moi, dit-il, et cesse de me contrarier. »[2]

---

1. Platon, *Oeuvres complètes,* La Pléiade, 1950, p. 853.
2. *Ibidem*, p. 854.

Socrate mettait héroïquement en pratique ce qu'il avait défendu au cours de son procès. «Nul homme, disait-il à ses juges, ni moi, ni aucun autre, soit devant un tribunal, soit à la guerre, *ne doit chercher à se soustraire à la mort par tous les moyens*. Souvent, dans les combats, il est manifeste que l'on aurait plus de chances de vivre en jetant ses armes, en demandant grâce à l'ennemi qui vous presse. Et de même, dans tous les autres dangers, il y a bien des moyens d'échapper à la mort, si l'on est décidé à tout faire, à tout dire. Seulement prenez garde à ceci, juges, que le difficile n'est pas d'éviter la mort, mais bien plutôt d'éviter de mal faire. Le mal, voyez-vous, court après nous plus vite que la mort.»[1].

La question de l'immortalité est essentielle dans l'enseignement de Socrate: «Car, dit-il, de deux choses, l'une: ou bien celui qui est mort n'est plus rien, et, en ce cas, il n'a plus aucun sentiment de quoi que ce soit; ou bien, conformément à ce qui se dit, la mort est un départ, un passage de l'âme, de ce lieu dans un autre.» Apologie, p. 171. Et dans le Phédon, après un long raisonnement, Platon fera dire à Socrate: «[...] lorsque la mort approche de l'homme, c'est, semble-t-il bien, ce qu'il y a en lui de mortel qui meurt, tandis que ce qui est non-mortel, sauvegardé et indestructible, s'en va et s'éloigne, cédant la place à la mort. [...] Concluons donc...que l'âme est au suprême degré chose non-mortelle et impérissable, et que nos âmes auront chez Hadès une existence réelle.»[2]

De Socrate au Christ, il y a peu de distance. Cet homme, qui se disait l'incarnation sur terre du Fils de Dieu, dérangeait comme Socrate l'ordre de la cité. Ses propos aussi étaient et sont demeurés scandaleux. Ce qu'il proposait aux hommes, c'était de vivre en conformité avec ce qui contrarie absolument leurs besoins et leurs désirs; le détachement à l'égard de l'argent, du pouvoir, des plaisirs. Sa mort, qu'il avait pourtant cent fois prédite à ses amis, les a d'abord fortement ébranlés. Et pourtant, même les êtres extérieurs à la religion qui s'est greffée sur le Christ au cours des âges, reconnaissent sa présence dans l'histoire. Nous sommes dans la mil neuf cent quatre-vingt-onzième année après J.-C. On peut croire ou ne pas croire pas à sa résurrection. Mais on ne peut pas nier qu'il a concentré dans sa vie et dans les quelques paroles

---

1. Platon, *Apologie de Socrate*, Les Belles Lettres, 1969, p. 169.
2. Phédon, *op. cit.* p. 839.

qui sont demeurées de lui toutes les interrogations, toutes les contradictions liées à la destinée humaine. Ce qui faisait dire à Augustin : « L'immortalité de l'âme est une chose qui nous importe si fort et qui nous touche de si près qu'il faut avoir perdu tout sentiment pour être dans l'indifférence de savoir ce qui en est. »

Et à un philosophe contemporain : « Tout ce qu'il y a d'humain en nous tremble devant la mort comme devant l'expulsion hors de notre patrie, tout ce qu'il y a de divin appelle la mort comme la fin de notre exil. » [1]

Un des conférenciers du colloque, Doris Lussier, s'est prononcé avec ferveur sur cette question de l'immortalité : « Il me semble impensable que la vie, une fois commencée, s'achève bêtement par une triste dissolution dans la matière, et que l'Ame, comme une splendeur éphémère sombre dans le rien après avoir inutilement été le lien spirituel et sensible de si prodigieuses clartés, de si riches espérances et de si douces affections. Il répugne à la raison que l'existence ne soit que temporelle et qu'un être humain n'ait pas plus de valeur qu'un caillou. »

Gilbert Cesbron voit dans la mort le secret de Dieu : « Lorsque les chercheurs des temps à venir auront démonté tous les mécanismes de la Création, il restera cet ultime secret de Dieu. Les génies eux-mêmes abordent la mort comme des enfants qui viennent de naître, tout nus. » Comment ne pas citer également Simone Weil ? : « Le secret de notre parenté avec Dieu doit être cherché dans notre mortalité. »[2]

« [...] La mort doit rester vierge pour chacun d'entre nous. Le rideau se lèvera d'un coup, et nous serons suffoqués, comme nous l'aurons été parfois, du temps de la terre, devant quelque spectacle inspiré. La Beauté et la Mort communiquent : l'une et l'autre relèvent aussi mystérieusement de Dieu. [...][3] »

Le mythe du paradis terrestre

Dans une broderie, le fil suit aux doigts de la brodeuse un parcours en apparence capricieux mais dont la raison d'être apparaît une fois l'ouvrage terminé. C'est pourquoi nous n'hésitons pas à passer des

1. G. Thibon, *L'ignorance étoilée*, Boréal Express, 1984, p. 157.
2. G. Thibon, *La pesanteur et la grâce*, Plon, 1960, p. 103.
3. Gilbert Cesbron, *op. cit.*

philosophes aux moralistes et à citer ce texte très particulier de La Rochefoucauld sur l'origine des maladies.

«Si on examine la nature des maladies, on trouvera qu'elles tirent leur origine des passions et des peines de l'esprit. L'âge d'or, qui en était exempt, était exempt de maladies. L'âge d'argent, qui le suivit, conserva encore sa pureté. L'âge d'airain donna la naissance aux passions et aux peines de l'esprit; elles commencèrent à se former, et elles avaient encore la faiblesse de l'enfance et sa légèreté. Mais elles parurent avec toute leur force et leur malignité dans l'âge de fer, et répandirent dans le monde, par la suite de leur corruption, les diverses maladies qui ont affligé les hommes depuis tant de siècles.»

«L'ambition a produit les fièvres aigues et frénétiques; l'envie a produit la jaunisse et l'insomnie; c'est de la paresse que viennent les léthargies, les paralysies et les langueurs; la colère a fait les étouffements, les ébullitions de sang, et les inflammations de poitrine; la peur a fait les abattements de cœur et les syncopes; la vanité a fait les folies; l'avarice, la teigne et la gale; la tristesse a fait le scorbut; la cruauté, la pierre; la calomnie et les faux rapports ont répandu la rougeole et la petite vérole, et le pourpre, et on doit à la jalousie la gangrène, la peste et la rage.»

«Les disgrâces imprévues ont fait l'apoplexie; les procès ont fait la migraine et le transport au cerveau; les dettes ont fait les fièvres étiques; l'ennui du mariage a produit la fièvre quarte, et la lassitude des amants qui n'osent se quitter a causé les vapeurs. L'amour, lui seul, a fait plus de maux que tout le reste ensemble, et personne ne doit entreprendre de les exprimer; mais comme il fait aussi les plus grands biens de la vie, au lieu de médire de lui, on doit se taire; on doit le craindre et le respecter toujours.»[1]

Ce texte fait d'abord sourire en raison des découvertes médicales survenues depuis le XVIIe siècle. Que la rougeole et la petite vérole puissent, par exemple, être produites par la calomnie! À ce compte, l'humanité aurait disparu depuis longtemps et La Rochefoucauld luimême n'aurait pas été là pour discourir sur les causes de notre mort! Par contre, certains des rapports qu'il établit nous semblent justes: ceux entre la peur et les syncopes, l'envie et la jaunisse, la colère et les

---

1. La Rochefoucault, *Maximes*, Garnier-Flammarion, 1977, p. 125.

étouffements. Le langage populaire rend compte des mêmes phénomènes : mourir de peur, être jaune d'envie, rouge de colère, etc.

Mais par-delà ces observations, ce qui nous frappe, c'est la relation
que La Rochefoucauld établit entre la vertu et la santé, la référence à
un âge d'or où les vivants étaient exempts de maladie. Mythe constant
dans l'histoire des rapports de l'homme avec la maladie et la mort, rêve
d'un état antérieur, d'un Paradis terrestre, d'un Eden *où tout était un.*
Adam était l'agneau et l'agneau était l'homme, la fleur était le pré, le
fruit était l'orage, la douleur était joie[1]. La rupture d'avec cet état
originel de bonheur est symbolisée dans l'Ancien Testament par l'histoire d'Adam et Eve. C'est en goûtant le fruit de la terre qu'ils ont rompu
leur alliance avec la vie immortelle et ont été condamnés à mourir.
Mythe inépuisable sur le destin de l'homme...

Les Babyloniens, par exemple, considéraient la maladie comme une
conséquence du péché : dans leur culture, la médecine et la religion ne
faisaient qu'un. Le mal physique était indissociable du mal moral et la
maladie apparaissait comme un châtiment pour les péchés commis ou
comme une vengence inexplicable des dieux.

C'est dans la Grèce classique que, pour la première fois dans l'histoire de l'humanité, la maladie a été dissociée du mal moral, la souffrance de la vengeance des dieux et qu'on lui a attribué des causes
naturelles.

En fait foi ce texte où Platon nous livre des observations étonnantes
sur la façon d'administrer les médicaments. Texte à méditer par les
gobeurs d'aspirine que nous sommes tous.

«...il ne faut pas irriter les maladies par des remèdes, quand elles
n'offrent pas de grands dangers. En effet, la composition des maladies
ressemble, en un certain sens, à la nature du vivant. Or la composition
de l'être vivant comporte, pour chaque espèce, certains délais de vie
définis. Chaque vivant naît, avec en soi une certaine durée d'existence
assignée par le destin, les accidents dus à la nécessité mis à part...»

«Il en va de même pour la composition des maladies. Si, par l'action
de drogues, on met fin à la maladie avant le terme fixé, de maladies
légères naissent alors, d'ordinaire, des maladies plus graves, et, de
maladies en petit nombre, des maladies plus nombreuses. C'est pourquoi toutes les choses de ce genre doivent être gouvernées par le régime,

---

1. Françoise Chauvin, *op. cit.*, p. 61.

dans la mesure où l'on en a le loisir, mais il ne faut pas, en se droguant, irriter un mal capricieux.»[1]

Les découvertes médicales des derniers siècles, celles particulièrement des récentes décennies, ont semblé autoriser à un certain moment jusqu'à l'espoir de l'immortalité. Depuis quelques années, les limites qu'on croyait pouvoir reculer à l'infini se sont faites sentir : impuissance devant le cancer et le sida ; gravité de certaines intolérances médicamenteuses ; abus de la technologie avec comme conséquence la cruauté de l'agonie, etc. Schwartzenberg jette un regard lucide sur les progrès de la médecine :

«Pour la médecine, le fol espoir du début des années cinquante, dû en particulier aux découvertes foudroyantes de la biologie, de la biochimie et de la génétique, a débouché sur une déception cruellement ressentie à la fin des années soixante. Tout n'était pas allé, à beaucoup près, aussi vite, aussi loin qu'on l'avait un peu imprudemment prédit. Il restait davantage de réponses à trouver qu'on n'avait résolu de questions. Même des doutes, des interrogations, des obscurités nouvelles avaient surgi dans des domaines où l'on avait cru pourtant toucher au but. À l'inverse des catastrophes et des fléaux, la marche vers le bonheur et le progrès est toujours plus lente et plus difficile qu'on ne l'attend et l'espère. L'illusion que l'homme approchait enfin du grand secret de la vie, qu'il touchait presque au but, qu'il allait acquérir les moyens de connaître l'harmonie, le bien-être et l'équilibre, qu'il ne lui resterait plus qu'à accéder à la sagesse, l'attente d'un nouvel âge d'or, tout cela n'était donc que faux-semblants ? Cette confiance était certes généreuse mais naïve et elle s'est dissipée. *Il n'y a pas de grand secret, pas d'arrivée au bout du voyage, mais simplement d'autres énigmes derrière chaque mystère éclairci, toujours d'autres carrefours au débouché du chemin.*[2]

Tout autre est le point de vue d'Alphonse Crespo : «Magie réservée aux sorciers ou aux prêtres, puis art pratiqué par des hommes attachés à soulager leur prochain, la médecine devient une science capable de reculer les frontières de la vie.» Suit la liste des victoires médicales : augmentation de la longévité humaine, guérison de maladies jadis

---

1. *Le Médecin*, *op. cit.*, p. 48.
2. Léon Schwartzenberg, Pierre Viansson-Ponté, *Changer la mort*, Albin Michel, Paris 1977, p. 97.

mortelles, greffes d'organes, réanimation et retour à la vie de comas autrefois dépassés. Où est donc le problème de la médecine actuelle ? Dans la perte de la liberté : dans « le passage de la médecine libérale vers la médecine social-faciste » avec le consentement tacite du corps social. L'auteur désigne sous ce nom (trop ?) évocateur la médecine issue du principe de l'universalité des soins de santé et qu'il décrit comme « une médecine sans médecins (aux) couloirs peuplés d'agents de soins, de fonctionnaires, de juristes, de gestionnaires, d'économistes, de sociologues, de ministres... »[1] Une médecine où le malade « n'est plus perçu comme un individu qui souffre mais comme un gêneur susceptible de compromettre la prospérité générale ou comme un prétexte permettant de rançonner la société civile. » Ce processus pervertit pourtant la finalité du progrès médical et remet fondamentalement en question le rôle du médecin dans la société. La médecine n'a pu s'épanouir que dans le respect de l'individu et dans la liberté. [...] La démoralisation de médecins à la fois boucs émissaires et agents rationneurs de systèmes en faillite, l'érosion de leur éthique, la tentation euthanasique sont des signes qui ne trompent pas. »[2]

Mais après avoir montré que tous ces symptômes ne sont pas les seules explications de la maladie de la médecine actuelle, l'auteur conclut : La médecine moderne console de moins en moins et guérit de plus en plus. *Voilà l'origine de sa chute.* Ce sont paradoxalement les progrès d'une science capable de réussir des entreprises thérapeutiques de plus en plus hardies que la majorité des bien-portants refuse de cautionner. [...] On retrouve le mythe primitif. Esculape foudroyé par les Cyclopes...Pour avoir défié la mort. »[3]

Point de vue du médecin praticien, point de vue du philosophe qui, lui, s'interroge sur ce que devient une civilisation obsédée par le souci d'échapper à la mort...

« Ne pas mourir est une chose. Vivre en est une autre. Nous entrons dans une ère où l'homme cultive et multiplie tous les moyens de ne pas mourir (médecine, confort, assurances, distractions) — tout ce qui permet d'étirer ou de supporter l'existence dans le temps, mais non pas

1. Alphonse Crespo, *Esculape foudroyé*, Les Belles Lettres, 1991, p. 23.

2. *Ibidem*, p. 165.

3. *Ibidem*, p. 168.

de vivre, car l'unique source de la vraie vie réside au-delà du temps et contient aussi la mort dans son unité. Nous voyons poindre l'aurore douteuse et bâtarde d'une civilisation où le souci stérilisant d'échapper à la mort conduira les hommes à l'oubli de la vie. »[1]

Le point de vue du malade

Les médecins ont souvent été eux-mêmes les critiques les plus avisés de leur profession. Le point de vue des malades est moins fréquent. En voici un que nous avons retenu, non pas tellement en raison de la notoriété de l'auteur mais à cause de la maladie qui l'a accompagné tout au long de sa vie. C'est le Dr Ellenberger, psychiâtre et historien (il a écrit entre autres une histoire de la psychiatrie aussi éclairante que l'histoire de la mort d'Ariès) qui établit une relation entre certaines maladies et le pouvoir créateur. D'où l'expression *maladie créatrice*. Proust souffrait d'un asthme, dont il est mort d'ailleurs, qui non seulement n'a pas détruit son génie mais l'a mystérieusement soutenu et nourri. Dans le texte choisi, Proust montre le pouvoir des images sur l'équilibre physique. C'est aussi lui qui a donné cette extraordinaire définition de la fatigue : *La fatigue est la réalisation organique d'une idée préconçue.*

«Nous avons tous eu, au cours d'une indisposition, notre petite crise d'albumine (de nos jours on dirait de cholestérol) que notre médecin s'est empressé de rendre durable en nous la signalant. Pour une affection que les médecins guérissent avec des médicaments (on assure du moins, que cela est arrivé quelquefois), ils en produisent dix chez les sujets bien portants, en leur inoculant cet agent pathogène, plus virulent mille fois que tous les microbes, l'idée qu'on est malade. Une telle croyance, puissante sur le tempérament de tous, agit avec une efficacité particulière chez les nerveux. [...] Vous vous croyiez malade, dangereusement malade peut-être. Dieu sait de quelle affection vous croyiez découvrir en vous les symptômes. Et vous ne vous trompiez pas : vous les aviez. *Le nervosisme est un pasticheur de génie.* [2]

Et qu'arrive-t-il lorsque c'est le médecin qui est malade ? Dans le texte qui suit, le malade, tout médecin qu'il soit, apparaît dans sa touchante fragilité : se sachant atteint d'une maladie mortelle, ce méde-

---

1. G. Thibon, *Notre regard qui manque à la lumière*, Fayard 1970, p. 73.

2. *Le Médecin, op. cit.*, p. 285.

cin est soigné par un collègue qui appuie son diagnostic sur les recherches antérieures de son patient...Voici sa réaction: «J'éprouve
seulement une sorte de vertige à voir mon sort jugé selon des théories
que j'ai émises étant jeune. Je me demande comment j'ai pu avoir assez
d'autorité pour qu'il en soit maintenant référé à mes vues de ce genre,
quand il s'agit du grand problème de vivre ou de mourir. C'est comme
si un livre où j'ai mis tout mon cœur et toute ma bonne foi, mais que je
sens comme le faible enfant de ma grande ignorance, devenait une sorte
de bible où soit inscrit mon destin.»[1]

Les textes suivants que nous soumettons à votre attention se passent
de commentaires. Ou bien ils éveillent en nous une résonance, ou bien
ils nous sont étrangers. Dans l'un et l'autre cas ils méritent le respect.
Ils témoignent d'une expérience personnelle.

«Dans la souffrance, tout ce qui est habituellement actif en nous
devient passif, mais ce qui est habituellement inerte, au contraire,
s'éveille et commence dès ici-bas le travail qui nous attend après la
mort. Le même phénomène se produit dans la méditation.»[2]

«Certaines souffrances sont la révélation physique de notre âme»[3]

«Je crois que l'agonie, avec le dépouillement, le déchirement qu'elle
comporte, permet de vivre de véritables états mystiques.»[4].

«*Apprendre à mourir* ne sert pas à bien mourir, mais à vivre moins
mal.»[5]

«Il n'y a rien après la mort. Il y a quelque chose au-delà de la mort,
comme au-delà de la vie — la même chose, aussi difficile à atteindre
mort que vivant.»[6]

Et les morts?

On parle constamment de la mort et peu des morts, sinon pour
évoquer des souvenirs, des traits, des paroles. Le philosophe Alain nous
invite au respect de ce qui reste d'eux. Ne pas dévoiler, et on sait avec
quelle frénésie les médias le font, le côté le plus anonyme qui est

---

1. Dr René Allendy in *Le Médecin, op. cit.*, p. 245.
2. Françoise Chauvin, *op. cit.* p. 40.
3. Françoise Chauvin, *op. cit.*, p. 14.
4. Olivier Clément, in *Horizons interculturels*, mars 1991, no 23, p. 10.
5. Françoise Chauvin, *op. cit.* p. 14.
6. Françoise Chauvin, *op. cit.* p. 12.

souvent le côté le plus tumultueux et le plus sombre de leur vie... «(Les morts) écrit Alain, ne sont point en situation de se démentir, de se diminuer ni de vieillir : il ne reste d'eux, par le respect, que ce qui mérite respect ; aussi leurs maximes valent mieux qu'eux-mêmes...Contre quoi travaillent les historiens qui en viennent tous à dire qu'Homère n'a pas existé ; mais aucun Homère n'a existé ; aucun mort ne fut digne de ses œuvres ; et c'est pourquoi la publication des lettres intimes et de médiocres aventures sont proprement impies...Il faut laisser aux morts ce qui a mérité de mourir.»[1]

Pensée à compléter par celle-ci, inspirée à quelqu'un par la mort d'un être aimé : «Ce qui nous éloigne des morts, ce n'est pas le fait que nous soyons des vivants, mais le fait que la vie temporelle nous exile à la surface de l'Etre.»

Les Invités à l'attention

Au moment de conclure, nous tombons sur ce texte du poète Paul Claudel. On y trouve une conception de la souffrance que notre époque a tendance à rejeter parce qu'elle l'a liée à une autre conception : celle d'un Dieu vengeur, distribuant la souffrance et la maladie comme des billets de loterie.

«Chers amis de tous côtés gisants, privés de tout excepté de cette force essentielle et tenace qui vous retient à la vie, et qui peut-être est nécessaire pour maintenir bien d'autres fils tendus qui s'accrochent à vous sans que vous le sachiez, vous êtes de ceux qu'on a fait entrer de force comme les Invités de la Parabole. Vous êtes pour toujours ou pour quelque temps les Invités à l'attention. Tous ces gens debout et bougeants et agissants que vous enviez, êtes-vous sûrs qu'ils vivent autant que vous ? Est-ce que la vie pour eux n'est pas un rêve où l'engrenage de l'idée et de l'acte, de l'habitude et du geste, s'opère pour ainsi dire de lui-même et presque sans aucune intervention de la pensée ? Mais vous, Dieu vous a fait un amer loisir. Est-ce que le goût d'une poignée de cerises par exemple n'est pas différent pour le convive repu qui les picore distraitement à la fin d'un bon dîner, ou pour le voyageur altéré et affamé qui les savoure non seulement dela bouche et du palais, mais du plus profond de son cœur et de son estomac ? [...] Dans le premier

---

1. Alain cité par G. Thibon, in *L'ignorance étoilée*, p. 156.

cas, il y a eu simple effleurement rapide...l'esclave n'a pas le droit de s'arrêter une seconde, il faut qu'il aille à sa tâche. Dans le second cas, il y a communion...»[1]

D'une façon plus concise, Marc-Aurèle dans ses *Pensées pour moi-même*, retrouvées après sa mort, avait exprimé la même chose. Ce sera la dernière boucle du fil que nous avons fait courir au gré des siècles et de notre temps: *Tout est fruit pour moi de ce que m'apportent tes saisons, ô Nature!*

---

1. *Le Médecin, op. cit.*, p. 145.

Reconquérir sa mort au Québec: réflexions pratiques

MONIQUE PLAMONDON[1]

*Les richesses qui ne sont pas dans l'âme
ne nous appartiennent pas.*
Démocrite (460-370 avant J.-C.)

En note liminaire, sous le titre de *Reconquérir sa mort au Québec;
réflexions pratiques*, et sous l'exergue de la citation de Démocrite,
posons que la dignité de la mort nous est souvent, assez curieusement
d'ailleurs, redonnée par ceux et celles qui œuvrent dans les institutions
et les groupements s'occupant des malades en phase terminale. C'est
en s'occupant si bellement, en accompagnant si magnifiquement la mort
des autres que le Québécois commence à revenir tout doucement à ce
fait inéluctable: sa mort à soi, car nous mourrons tous. Chacune des
parties de cet exposé sera coiffée d'une citation d'un grand écrivain:
Démocrite, Montaigne, Jules César et Goethe.

Qu'en est-il de la mort personnelle et collective au Québec en 1991?
La mort quotidienne a presque disparu de nos vies. Les progrès de la
science médicale a tellement diminué la mortalité infantile au Québec
que celle-ci est devenue quasi exceptionnelle, alors qu'il n'y a pas si
longtemps, rares étaient les femmes ou les fratries qui n'avaient pas
perdu au moins un enfant en bas âge. Tant de maladies, hier mortelles,

---

1. Membre de l'Ordre du Canada, première secrétaire de l'Association québécoise de
   suicidologie (1987-1989), fondatrice de la revue FORCES (1967).

ont été vaincues (tuberculose, diphtérie, etc.), tant d'autres traversent actuellement la frontière fragile de l'endémie à l'épidémie (sida) tandis que d'autres se développent sur l'avenue royale de nos choix, de nos indolences et de nos insouciances (cancer). Elles sont souvent reliées directement à notre style de vie et à notre incapacité d'y faire face, d'assumer les conséquences de nos actes, de nous adapter rapidement, de reconnaître les solutions que nous portons en nous-même et de prendre les moyens de notre survie individuelle et collective : axés sur l'avoir et le paraître, nous ne prenons plus le temps d'être. Fascinés par les progrès techniques, nous oublions de retourner aux valeurs qui aident à vivre.

Sortons des milieux professionnels de la santé, et regardons autour de nous. Comment traitons-nous la mort dans nos familles ? Par une négation ? On refuse tellement la mort qu'on la cache aux enfants. D'ailleurs, en voyons-nous des enfants dans nos hôpitaux, au chevet des mourants, aux salons funéraires ? Les adultes transmettent fatalement aux enfants leur grande peur de la faucheuse, et sa négation. Son halo d'inconnu effare. Beaucoup de médecins, habiles dans les techniques de prolongement de la vie et dans le support aux proches de leurs malades, disparaissent étrangement lorsque leur patient décède, et leur absence, souvent remarquée, hante les familles qu'ils ont si bien connues. On les voit plus dans les salons funéraires ou aux funérailles. Peut-être bien que, pour eux, la réalité de la mort est le plus souvent perçue comme un échec professionnel personnel dont ils se protègent. De la négation de la réalité, évidente, à l'injustice, le pas est vite franchi : la mort est « injuste », quand il semble souvent que c'est plutôt la vie que nous nous faisons qui, elle, l'est.

On expédie le corps, à la terre ou à la crémation, sans avoir pris, ou sans s'être donné le temps de le toucher. Sans avoir touché ce corps ami ou aimé, pour prendre la mesure de la certitude du départ, le toucher étant par excellence le sens de la certitude. Or, je propose qu'un temps d'exposition du corps est nécessaire à l'acquisition de la connaissance de la mort, à son expérimentation et à notre réconciliation avec elle.

Afin de mieux faire saisir le fond de ma pensée, je puiserai abondamment dans mon livre à paraître, *Souches Bédard-Plamondon, une généalogie du comportement conscient et inconscient,* dans ma démarche personnelle et dans ma vie, ma réflexion sur le sujet.

Bien sûr,

le temps d'exposition d'un corps aimé dans un salon funéraire constitue, pour la famille, une épreuve de force. Mais, je suis persuadée que nous en avons besoin.

(...) Nous avons besoin de ce temps pour nous familiariser avec la dure réalité, pour en emmagasiner le souvenir, pour apprivoiser la mort de l'être aimé et sa propre fin. Et, comme le sens du toucher est le sens de la certitude, pour ma part, il me fallait toucher cette mort, constater avec mes sens à moi, et non sur la foi de témoignages pourtant dignes de crédibilité, que c'était bien fini. Autrement, un espoir vain et épuisant s'installerait si je n'avais pas vu moi-même l'enveloppe souvent méconnaissable, les ravages de la maladie et de la mort fixés dans la rigidité et le froid cadavériques.

J'avais aussi besoin de ce temps, au salon funéraire, pour apprendre l'expression saine des sentiments d'affliction. Au lieu de refouler tout bêtement ma peine, comme toujours, apprendre à ne pas combattre la vague mais plutôt à se servir de son élan pour dépasser son chagrin. Parvenir enfin, sans heurts et sans masochisme, à ce que la foi soit plus forte que la peine, l'assume et l'intègre.

J'ai toujours été fort mal à l'aise dans les divers salons funéraires où des départs précipités ou attendus m'ont amenée. On ne sait pas quoi dire, les mots sont impuissants à consoler. Il n'y a rien à dire devant la mort. Et quand on souffre, on ne veut surtout pas de mots. Mais on accepte les gestes de tendresse, les caresses de réconfort, la chaleur d'une autre vie. Quand on souffre, on retrouve les gestes de l'enfance : lorsqu'on se faisait mal, on courait vite se réfugier dans les bras de Maman, et le mal disparaissait comme par magie. Du moins, était-ce mon vécu personnel.

Je remarquai l'embarras des premiers arrivés à nous témoigner leur sympathie. Je le remarquai et le partageai. Je ne savais toutefois pas quoi faire pour dégeler cette relation comme figée par la mort. Tout à coup, il m'apparut certain que je devais moi-même aider mes amis et mes connaissances à me témoigner leur sincère affection, dans ces moments pénibles qui entourent la mort d'un être cher. Et je résolus de tenter d'aller chercher moi-même, sur le prochain arrivant, la caresse de réconfort qui dépasse les mots.

C'était le docteur Florian Trempe, que je n'avais pas vu depuis plus de 30 ans. Je le reconnus aussitôt : il n'avait pas changé de taille, ses cheveux toujours coupés en brosse drue. J'allai vers lui et lui fit une bonne grosse accolade. Surpris, il me dit : « Tu me connais ? » — « Bien certainement » lui dis-je, « et voici votre épouse Madame Trempe ». Alors, il reprit l'accolade à sa façon, de lui-même. Nous en fûmes tous comme soulagés. J'embrassai ensuite Madame. Et recommença la version mille fois répétée des derniers moments, des qualités de Maman, de ses petits travers amusants. Souvent, j'avais peine à contrôler mes larmes. Je décidai de ne pas les combattre, de ne pas les retenir. C'est normal de pleurer, il n'y a pas de honte à cela. Et les vagues de larmes nous viennent sans avertir, sans crier gare : un souvenir, une intonation de voix, l'éclair d'un instant nous rappelle l'être cher. Pourquoi cacher sa peine ? pourquoi vouloir la mâter ? vouloir l'étouffer ? J'en ai fait l'expérience : cela peut prendre de 15 à 30 secondes pour retrouver son équilibre émotif, et je ne connais personne qui, dans ces conditions, ne les accorde pas volontiers à son interlocuteur. Au lieu de me jeter à l'eau, de maîtriser de force mon dragon intérieur, de crâner, yeux secs et cœur en lambeaux, j'ai réussi à rester bien assise dans mon canot, bien rivée à mon aviron, et à prendre la vague : le contrôle de soi vient alors tout naturellement à qui est par ailleurs habitué à se maîtriser.

Une anecdote, un pas, un rire souvent nous remet en mémoire le souvenir de la personne disparue...

(...) Ainsi donc, c'était bien vrai. J'avais appris, toute indépendante de caractère que je fus, à demander, à aller chercher ce dont j'avais besoin. Et on m'accordait ce que je demandais sans aucune difficulté. Absolument incroyable. J'avais sans doute appris depuis peu l'art de satisfaire des besoins essentiels qu'une forte discipline m'avait pourtant entraînée à refouler, croyant ainsi, à tort, les maîtriser. »

Au Québec, on a tellement aseptisé la mort humaine qu'elle ne nous touche plus : on compatit davantage à la mort des chiens ou des phoques. On ne prend plus le temps d'apprivoiser la mort, de faire évoluer ses propres perceptions du défunt, on reste souvent figé dans ses conflits, dans ses images anciennes, dépassées, désuètes. Pourtant, nous sommes encore bien portant, et pourtant, la vie, c'est le changement en avant. En 36 ou 48 heures de salon funéraire auprès de proches parents, j'ai appris tant de choses qui m'ont aidé à passer les diverses phases du deuil (telles que décrites parle Dr Elizabeth Kübler-Ross) que je trouve incroyable et infiniment triste de se priver de cette aide que nous avons tous à la portée de la main.

Ceux d'entre vous qui sont de ma génération, des « grands crus » des années 30, ont tous une « tante Florence » dans leur entourage : religieuse, disciplinée, austère, exigeante. Une femme forte, mais difficile à aimer, lorsqu'on a encore l'intransigeance de la jeunesse. Laissez-moi vous raconter ma « tante Florence » à moi, toujours à partir de mon expérience personnelle relatée dans *Souches*, un livre que j'ai porté pendant 30 ans et que j'ai mis 10 ans à écrire. Posons, en exergue, cette réflexion du grand Montaigne :

Composer nos mœurs est notre office,
non pas composer des livres, et gagner,
non pas des batailles et provinces,
mais l'ordre et la tranquilité de notre conduite.
Notre grand et glorieux chef-d'œuvre, c'est vivre à propos.
Michel Eyquem de Montaigne (1533-1592)
Essais, Livre III, ch. 13

Cela convient bien à ce que j'ai à raconter de ma tante Florence, de notre tante Florence à tous, de cette même tante Florence que tout un chacun tutoyait à l'hôpital et à qui la toilette intime était faite par un infirmier jeune et sans doute gauche avec cette vierge de 91 ans... Une femme forte mais difficile à aimer, ai-je écrit dans *Souches*.

Et tante Florence ? Vint la redoutable épreuve du feu qui rasa complètement son Couvent de Jésus-Marie de Sillery d'où, sourde et n'ayant rien entendu de la commotion qui secouait tout le couvent, elle fut la dernière religieuse à sortir du brasier. Le lendemain de l'incendie, le 15 mai 1983, alors que je tentais de réparer ses pertes de photos de famille et de documents divers, elle me déclara :

— Commencerais-tu donc à m'aimer ?

— Et vous, tante Florence ?

— Oh, moi, ça fait bien longtemps que je t'aime !

(SILENCE)

— Faut croire, tante Florence, que nous avons vécu toutes ces années sur un terrible malentendu !

Plus tard, à la fin de l'été 1983, âgée de 89 ans bien comptés, hospitalisée et très souffrante, elle me déclarait :

— Monique, me pardonneras-tu tout le mal que je t'ai fait, souvent sans le vouloir ? Me pardonneras-tu mon amertume, mes exigences, ma sévérité ? Je te voulais si parfaite !

— Bien sûr, tante Florence. Je vous ai pardonné depuis fort longtemps. Malgré cela, j'ai du mal à oublier.

— Ton pardon me suffit. Je sais bien que l'oubli n'est pas possible.

(SILENCE)

— Tante Florence, saviez-vous que je vous aime ?

— Embrasse-moi bien fort ! Moi aussi je t'aime, Monique.

(SILENCE)

Je lui donnai plusieurs bons baisers affectueux. Pauvre tante Florence ! Que de souffrances pour avoir refoulé toute sa vie sa détresse affective ! Et il m'aura fallu près de 50 ans pour le comprendre et l'accepter.

Depuis quelques secondes, son visage s'était illuminé. Elle à qui j'avais toujours vu un petit bec pincé et des yeux en mitraillettes, tante Florence que j'avais toujours connue sèche et autoritaire, esquissait un vrai sourire, une douceur et une sérénité que je ne lui avais jamais vues. Elle était extraordinairement belle et se rapprochait des photos prises dans la candeur de sa prime jeunesse, au tout début du siècle. Elle paraissait soulagée d'un poids énorme, comme libérée. Moi aussi.

— Vous voyez bien que vous pouvez rattraper le temps perdu et me dire que vous m'aimez de manière à ce que je vous comprenne.

— Tu crois que l'on peut ainsi effacer le passé ?

— Non, pas l'effacer, mais le corriger en le revivant. Et cesser d'en souffrir. Vous voyez comme c'est simple !

— Je te remercie d'alléger ainsi mes vieux jours.

— J'allège aussi les miens, tante Florence. La recette est facile : elle est dans l'amour retrouvé.

Quand vendredi, le 16 août 1985, à l'âge de 91 ans 1 mois, tante Florence décédera, à l'infirmerie des Religieuses de Jésus-Marie de Sillery, dans le couvent nouvellement reconstruit, Roland et moi devions apprendre beaucoup sur elle par notre présence attentive à sa chapelle ardente les jours qui suivirent. En effet, quelques compagnes et anciennes élèves ont levé le voile sur tout un pan, magnifique, de sa vie. Ce fut bouleversant.

Tante Florence avait été disciplinée, rigoureuse, circonspecte et un excellent professeur d'anglais, de botanique et de sciences naturelles, ça, nous le savions bien. Mais stoïque ? À cause de la position sociale de son père et de ses frères, elle avait dû subir, en communauté, bien des pointes, des humiliations, des rivalités et des jalousies douloureuses. Douée, ayant fait de grandes études pour une femme, à l'époque, et jusqu'en Europe, elle fut écartée des postes de responsabilité à Québec et passa toute sa vie active dans les couvents éloignés de Saint-Gervais, de Gosford aux États-Unis, où elle fit partie de l'équipe des fondatrices, de Lauzon et de Beauceville. Jamais ne l'ai-je entendue se plaindre de quoi que ce soit et jamais n'ai-je entendu dire qu'elle s'était plainte. Je n'ai donc jamais soupçonné de telles souffrances.

Des témoins nous ont aussi confié qu'elle avait un flair remarquable pour détecter la détresse dans le silence des enfants et nous ont raconté combien sa sollicitude, sa compréhension, sa bonté étaient grandes pour les pensionnaires dans le besoin affectif. Les petites orphelines ou les fillettes dont les parents étaient malades, recevaient une attention extraordinairement tendre et maternelle. Dans des établissements à la discipline stricte de l'époque, Tante Florence les gâtaient un brin, laissant à l'occasion dans leur pupitre des petits billets de félicitations et d'encouragement, jamais de blâme ou de reproches, signés au nom de leur maman maintenant au ciel, qui les aimait et leur faisait savoir par l'entremise affectueuse de leur «mère» de classe ou de division. Cette image, riche et fréquente, cadrait mal avec ce que j'avais toujours connu d'elle, moi, dont les parents étaient bien vivants et affectueux. Elle me voulait si parfaite, pauvre tante Florence, qu'elle pratiquait plutôt inlassablement le «qui aime bien, châtie bien». Ses trésors de tendresse, elle les avaient réservés à celles de ses élèves qui traversaient les épreuves de la souffrance et du deuil. Le lundi 19 août 1985, à l'absoute des funérailles de Mère Jean-Marie-Vianney (Florence Plamondon 1894-1985), en la chapelle des Religieuses de Jésus-Marie, je réclamai l'honneur de prononcer son homélie.

«Tante Florence, vous êtes arrivée à Sillery, à titre d'élève pensionnaire, un beau matin de septembre 1903, vous aviez tout juste neuf ans. Dix ans et demi plus tard, le samedi, 17 janvier 1914, vous entriez ici, en communauté, pour y faire profession le mardi, 15 février 1916.

«Tante Florence, votre vie nous apparaît, à nous de votre famille par le sang, toute tendue, comme un arc, vers le conseil évangélique : "Soyez parfaits comme votre père céleste est parfait." C'est ce chemin-là que, toute votre vie de femme forte, selon les Saintes Écritures, vous nous avez exhortés à prendre, sans toutefois que nous en comprenions toujours la portée spirituelle.

«Le samedi, 21 novembre 1981, en la chapelle des Sœurs de la Charité, rue Richelieu, Québec, au 100e anniversaire du mariage de vos parents Sara Archambault et Apollinaire Plamondon, unis devant Dieu et les hommes dans cette même Chapelle le 21 novembre 1881, votre compétence indéniable et votre exigence ont trouvé à s'exprimer magnifiquement dans la prière-hommage que vous avez lue vous-même devant nous tous, pendant la Sainte Messe célébrée aussi par des prêtres Plamondon, après l'avoir composée à ma demande expresse. Cette prière-hommage représente le tribu de reconnaissance de votre génération à cette fête émouvante, sereine et pleine de symboles.»

Je lus ensuite la prière-hommage où tante Florence proclamait, à mon grand étonnement car elle et moi la partagions sans nous l'avoir jamais confié, sa dévotion à la Sainte Trinité. Oui, vraiment, tante Florence avait prit, pour moi, dès lors, une dimension héroïque et exemplaire.

Enfin et surtout, je pouvais maintenant me permettre de la voir, elle et tous les autres membres de mes deux souches familiales, sans m'encombrer des conflits habituels et hérités, et de mes perceptions maintenant corrigées. La vérité commençait à se révéler, à se rétablir, enfin...»

Regardons maintenant autour de nous, observons ce qui entoure la mort et sa célébration. Nos croyances ont changé plus vite que nos rites, et nos liturgies, croyantes ou agnostiques, restent à réinventer. On dispose souvent des corps humains à la manière dont on dispose de celui des animaux : au plus vite dans le trou. L'abandon de la pratique religieuse signifie hélas quelquefois l'abandon de la foi en un dieu. Il coïncide avec le désir de camoufler, d'évacuer la mort de notre culture. On ne rend plus hommage aux défunts, à leur esprit, à leur âme, à la seule enveloppe que l'on a pu connaître d'eux, leur corps, en acceptant et partageant leurs défauts et qualités comme nos contemporains et nos descendants sauront accepter et partager les nôtres lorsque notre temps sera venu de mourir et d'aller rejoindre nos ancêtres. Et, parallèlement, on n'a pas su développer des rites civils ou s'approprier les anciens rites religieux. Dans combien de funérailles, autres que pour des personnages officiels (comme celles, récentes, de l'épouse du Gouverneur général, Madame Pauline Archer-Vanier), retrouve-t-on des choix de textes propres à nous rappeler les qualités du défunt, ses essais, ses espoirs, ses luttes ? Pourtant la Bible est pleine de tout ce qui est humain et pas un style de vie ne lui échappe, fut-il le plus moderne. Combien de communautés chrétiennes, que l'on nommait autrefois paroisses, annoncent en chaire les services anniversaires de leurs membres partis rejoindre la communion des saints ? En perdant le sens de Dieu, n'aurions-nous pas, curieusement, perdu le respect de l'homme, de sa lignée, de la « suite du monde » ?

Et après la mise en urne ou en terre, qu'arrive-t-il des objets, des souvenirs, des notes et de la correspondance des défunts ? On a hâte de se débarrasser de tout, on ne conserve rien, ce qui mène à la quasi absence de littérature personnelle au Québec. D'autre part, on donne les vêtements, on en jette d'autres qui pourraient se retrouver avantageusement dans les collections de certains musées du costume ou de la civilisation. Que de trésors ainsi jetés aux ordures, perdus pour la mémoire collective de nos enfants et de leurs arrière-petits-enfants. Et je ne parle pas seulement des lettrés, des instruits, mais de tout notre peuple d'humbles artisans ou ouvriers. Un raffinement de l'âme se perd qui pourrait être si utile à la consolidation de la fierté de ce que nous sommes. Un exemple? Cette mienne belle-maman qui, lors du décès de l'un de mes parents, m'envoyait, de son village natal éloigné, une lettre admirable. Consciente qu'elle écrivait au son, elle termine par un très émouvant: «Considère chacune de mes fautes de français comme autant de baisers».

Il me semble que l'on peut aussi apprendre à mieux vivre et à mieux préparer sa mort, si l'on règle ses conflits familiaux (qui n'en a pas?) sur son lit de vie et non pas sur son lit de mort. J'ai vu avec beaucoup de tristesse tant de personnes souffrant de la maladie d'Alzeimer, coupées du réel, du quotidien actuel, se souvenir avec une troublante acuité, de leurs conflits d'enfance avec leurs collatéraux, frères et sœurs... Elles n'avaient sans doute pas su intégrer dans leur vie toutes leurs morts quotidiennes, toutes leurs expériences de dépouillement personnel qui sont autant d'actes nous préparant au grand dépouillement final. La vie m'a appris que l'on peut corriger rapidement les perceptions létales des conflits personnels qui perdurent au fil des jours, mais ceci dépasse largement le cadre de ce propos et pourrait faire le sujet d'une autre étude..

C'est un truisme de dire que l'on se prépare à la mort dès l'instant où l'on naît. En fait, seul le corps s'y prépare sans arrêt: il vieillit graduellement. *Mais il vieillit en se développant.* Et c'est cela qui est frappant. Le corps renouvelle ses cellules et se sert du temps pour préparer sa fin. Seulement, l'esprit ne le suit pas toujours. L'esprit nie, camoufle et cache la fin du corps. Tout se passe comme si l'esprit devenait matière, périssable comme la matière dont nous sommes faits.

Or, je propose que ce n'est ni étrange ni morbide de préparer sa mort, si l'on a la chance de la voir venir. De la préparer maintenant, de son vivant, en santé. C'est plutôt pratique. Comment fait-on? Il y a plusieurs manières, comme il y a plusieurs styles de vie et plusieurs croyances. Toujours tiré de mon livre à paraître, je vous propose celle de Viger, mon père, qui a préparé sa mort longtemps avant qu'elle n'arrive. Dans les huit dernières semaines de sa vie, Viger avait plusieurs deuils à faire.

Moi, un seul. Et chacun de nous a perdu un Viger différent. J'ai dû, pour ma part, lui donner la permission de mourir quinze jours avant sa mort, à ce professionnel de la santé, toujours actif et pratiquant son art à 87 ans.

Ce faisant, j'aurai grand besoin de votre indulgence, car l'émotion attend toujours, tapie au fond du texte (il n'y pas d'âge pour perdre ses parents car on est toujours le petit de quelqu'un), amplifiée par d'autres morts, mes deuils non encore assumés et terminés, mes morts quotidiennes et mes espoirs déçus, qui s'empilent pêle-mêle les uns sur les autres, comme autant de villes de Troie, à découvrir, à assiéger, à délivrer.

Un grand homme d'État, stratège excellent et bon écrivain de surcroît, nous ouvre un passage en parlant de son prisonnier âgé de 20 ans, Vercingétorix :

« *Tantis subito difficultatibus objectis,*
ab animi virtute auxilium petendum videbat. »

que je traduis librement par

« *En voyant tout à coup surgir devant lui de si grandes difficultés,*
il ne crut devoir chercher de secours que dans la force de son âme. »

Jules César (101-44 Avant J.-C.)
Commentaires sur la Guerre des Gaules, Livre VII, verset LIX.

Toujours est-il que ce jeudi, 5 août, je me levai parfaitement décidée à risquer la grande conversation avec mon père, à lui reposer mes grandes questions fondamentales et à lui parler franchement de notre fin commune à tous. Je me rendis à l'hôpital de grand matin. Je trouvai Papa plus affectueux que de coutume, plus rieur et plus enjoué que les jours précédents. Il partageait sa chambre avec un homme qui le connaissait et qui, pour l'avant-midi, devait recevoir des traitements dans un service situé à un autre étage que leur chambre commune. J'allais donc pouvoir être seule avec Papa. Il faisait un soleil radieux. Tout concordait, pensai-je, à la réussite de mon entreprise. C'est alors que j'annonçai mes couleurs :

— Papa, je suis venue pour vous parler sérieusement.

— Sérieusement ?

— Oui. Je veux vous parler de ce qui me tracasse depuis plusieurs années.

— Qu'est-ce qui te tracasse comme cela ?

— Depuis la dernière maladie de Maman, son hospitalisation, sa mort, je suis toujours très inquiète de vous. Je crains toujours, lorsque je vous téléphone à la maison, que vous ne soyez évanoui, ou bien mort, et que l'on vous trouve les pieds dépassant l'embrasure d'une porte de chambre. J'ai peur que vous ne partiez seul... Je ne voudrais pas que vous mourriez seul, Papa.

— Je sais ton inquiétude.

(Pause).

Tu le sais bien, je vois tout, ou presque, et je ne dis rien. J'ai vu ton inquiétude. Mais, vois-tu, Monique, je ne souhaite pas que tu sois présente lorsque mon heure sera venue. Non pas que je te défende d'être présente, mais tu ne pourrais m'être d'aucun se cours.

(Pause).

On est seul pour naître, comme on est seul pour mourir.

(Pause).

Tu vois, malgré ta vaste expérience de la vie, tu n'as pas celle qu'il me faut, celle de la mort. Ce dont j'aurais besoin, c'est que ceux qui sont passés par là avant moi m'accompagnent. J'aurais besoin de Maman, de Papa, de mes frères et de mes amis aujourd'hui disparus. J'aurais besoin qu'ils me disent comment et quoi faire. Malgré toute ta bonne volonté, tu ne peux pas me dire cela, toi, Monique.

(Pause).

Et puis, il y a autre chose. Quatre mois avant de me marier, j'ai assisté à la mort de ma mère. Ce fut extrêmement dur, extrêmement difficile. C'est une expérience qu'il n'est pas nécessaire de vivre. Cela dit, je ne protesterai pas si tu es présente à mes derniers moments. Je dis seulement que la mort faisant partie de la vie, Dieu trouvera bien un moyen de respecter ce que je veux et ce que tu veux. Faut Lui faire confiance.

(Pause).

Mais laisse-moi te raconter mon expérience de la mort de Maman.

Et Papa de me raconter, par le menu détail, les derniers mois et les derniers moments de sa mère, Sara Archambault, totalement paralysée pendant dix-neuf mois (du 11 juillet 1928 au 14 février 1930), consciente jusqu'à la fin de sa vie (sauf les soixante-quinze dernières heures passées dans le coma) et privée de l'usage de la parole. Ce récit le fatiguait visiblement mais, en même temps, le soulageait. Si son souffle se faisait de plus en plus court et haletant, ses yeux brillaient d'un éclat nouveau, à la suite du partage d'un secret qui pesait bien lourd et depuis fort longtemps. Je découvrirai, une quinzaine de jours après, dans ses lettres d'amour à sa fiancée, ma mère, les détails de la mort de ma grand-mère. Les lettres et son récit, cinquante-deux ans plus tard, étaient en tous points parfaitement identiques.

Tout naturellement, la conversation glissa sur le sens de la vie, le sens de la mort, le sens de sa mort, pour Viger. J'appris que pour lui, toute souffrance finissait avec la mort, mais que si l'enveloppe, le temple, périssait, l'esprit, siège de la vie, continuait. Il me confirma que le sens de sa vie avait été dans le service de ses frères humains, que sa devise *SEDARE DOLOREM OPUS DIVINUM EST* (soulager la douleur est une œuvre divine) n'était pas un vain mot. Il vivait, il avait pleinement vécu sa devise toute sa vie. Et lui revenait aussi en mémoire la devise du journal des étudiants de l'université de Montréal : *BIEN FAIRE ET LAISSER BRAIRE*, qu'il affectionnait particulièrement. Car les jugements de ses semblables lui avaient peu importé, en vérité. Viger avait agi de son mieux et selon sa conscience.

Pendant qu'il parlait, Papa se levait de temps à autre, allait chercher une grappe de raisins qu'il croquait, revenait s'asseoir tout près de moi, me prenait les mains et me regardait tout droit dans les yeux lorsque ce qu'il disait revêtait, pour lui, une importance capitale. Il faisait toujours un temps radieux et les rayons de soleil nous rejoignaient peu à peu au fur et à mesure que le matin vieillissait. C'est alors que je choisis le moment de sortir de mon sac les feuillets sur lesquels j'avais soigneusement recopié les passages de l'Ancien et du Nouveau Testament qui me paraissaient convenir le plus au caractère, à la vie et à l'œuvre de mon père.

— Lors du décès de Pierre Wibaut (1931-1981), en janvier de l'an dernier, j'en avais profité pour commencer à relire la Bible en pensant à vos funérailles. Comme cela ne fait pas mourir que d'en parler, je préférerais que vous jetiez un coup d'œil sur tout cela et que vous m'indiquiez vos préférences. Vous savez, je ne voudrais pas recommencer, dans les larmes, la corrida de la préparation des funérailles de Maman. C'est trop dur, et on n'a pas l'esprit à cela.

— Tu as bien raison. Montre-moi ce que tu as choisi.

— Très bien. Mais, avant cela, je veux vous dire que j'ai aussi écrit une prière à votre mémoire, une sorte de psaume bien québécois. Tant qu'à y être, on devrait aussi parler de tout l'aspect musical de la cérémonie...

— Et du choix du célébrant. Tu sais, je connais pas mal de curés et il y en a que je ne veux pas voir, ni dans le chœur, ni dans la nef.

— Soyez assuré que tout sera fait, le temps venu, comme vous l'aurez voulu.

— Bon, bien. Procédons par ordre.

— Par où voulez-vous commencer?

— Par le commencement.

— Par le commencement?

— Par le commencement. Le célébrant. Pour ta mère, tu avais obtenu la venue à Québec d'un moine de l'Abbaye de Saint-Benoit-du-Lac. C'était une «fichue» bonne idée. Cela avait même réussi, grâce au respect de la liturgie, à la dignité, au recueillement de la cérémonie et à l'homélie du Père Dom Martin Chamberlain, à calmer ma peine, à me redonner la paix et la sérénité. Cela m'a rapproché de Dieu. Crois-tu que le Père Abbé autoriserait la venue d'un moine pour une seconde fois?

— Certainement.

— Tu le crois vraiment?

— Oui. D'ailleurs, m'avez-vous jamais vue manquer mon coup lorsque je me prépare à l'avance?

— À vrai dire, non, Monique.

— Alors?

— Alors, je te fais confiance, le moment venu.

— Après le célébrant, les concélébrants?

— Oui. Les deux Pères Plamondon, Paul et Marcel, qui étaient présents au Tricentenaire.

— L'Oblat et le Sainte-Croix?.

— Justement. Puis quelques Pères de Saint-Vincent-de-Paul, à ta convenance. Puis, voyons..., un Franciscain, celui qui fut ton professeur à la Fac de philosophie et qui ne passe jamais devant chez moi sans venir piquer un brin de jasette sur la galerie.

— Le Père Gaudron?

— Oui, c'est bien cela, le Père Gaudron. Puis, le curé de ma paroisse, Notre-Dame-du-Chemin, puis des Pères Blancs missionnaires d'Afrique, l'aumônier de cet hôpital où je viens maintenant depuis bientôt 30 ans, et Monseigneur Gédéon Petit, si sa santé le lui permet, avec le Père Pontbriand s.v., si sa santé le lui permet, lui aussi.

— Vous en voulez d'autres?

— Ce sera à toi de décider, le moment venu. Mais que ce ne soit que des amis.

— Ne craignez rien.

— Bon, voilà une bonne chose de faite. (Pause).

— Les textes, maintenant?

— Oui, les textes. À ce que je vois, tu en as apporté plus que moins! De toute manière, ceux que je ne retiendrai pas, tu pourras les remettre à celui qui fera l'homélie, cela lui fera quelque chose d'intelligent à raconter!

— Vous croyez ?

— Tu sais bien que, de nos jours, on a peu souvent l'occasion d'avoir de la doctrine dans les sermons. Alors, cela leur fera les pieds !

— Papa !

— Tu ne penses pas comme moi ?

— Si, bien sûr ! Et pire encore...

— Moi aussi. Seulement, je ne l'ai jamais dit !

— Je gage que vous êtes comme moi : pas de misère avec le Christ, mais beaucoup de misère avec les papes !

— C'est bien cela. Le bon Dieu, ce n'est pas un fou. Les hommes, eux, sont fous : ils sont plus catholiques que le pape !

— Si nous revenions aux textes ?

— D'accord.

— Je vais me taire, et vous allez les lire. Cela vous va ?

— Je préférerais que tu me les lises.

Je commençai alors par les textes de l'Ecclésiaste, puis de l'Ecclésiastique, de saint Paul, de saint Mathieu et de saint Jean parmi lesquels il serait facile de choisir la première lecture, l'Épître, et l'Évangile des funérailles de Viger.

«Il y a un temps pour tout, il y a un moment pour chaque chose sous les cieux ;
Il y a un temps pour naître et un temps pour mourir ;
Un temps pour planter, et un temps pour arracher ce qui est planté ;
Un temps pour tuer et un temps pour soigner ;
Un temps pour démolir et un temps pour bâtir ;
Un temps pour pleurer, et un temps pour rire ;
Un temps pour gémir, et un temps pour danser ;
Un temps pour jeter des pierres, et un temps pour les ramasser ;
Un temps pour embrasser, et un temps pour se quitter ;
Un temps pour chercher, et un temps pour perdre ;
Un temps pour garder, et un temps pour jeter ;
Un temps pour déchirer, et un temps pour recoudre ;
Un temps pour se taire, et un temps pour parler ;
Un temps pour aimer, et un temps pour haïr ;
Un temps pour la guerre, et un temps pour la paix. »

Ecclésiaste 3, 1-8
La Sainte Bible
Éditions Maredsous, Namur, Belgique, 1952

«Celui qui n'a point été éprouvé, que sait-il ?
L'homme de grande expérience a de nombreuses idées ;
Celui qui a beaucoup appris parle avec sagesse.
Celui qui n'est pas expérimenté connaît peu de choses,

Mais celui qui a été mêlé à beaucoup d'affaires développe sa prudence.
Celui qui n'a point été éprouvé, que sait-il ?
   Celui qui a été trompé abondera en sagacité.
J'ai vu bien des choses en mes voyages,
   Et bien des coutumes différentes.
Je m'y suis vu quelquefois en danger de mort,
   Mais la grâce de Dieu m'a délivré. »

Ecclésiastique 34, 9-13
La Sainte Bible
Éditions Maredsous, Namur, Belgique, 1952

— Ce texte me rappelle Papa, Maman et ma Première Guerre mondiale de 1914-1918.

— Cela veut donc dire que le texte vous convient ?

— Oui, mais peut être pas pour mes funérailles. Je le verrais plutôt à une messe d'anniversaire quelconque. (Pause). Continue.

« Mon fils, si tu es malade, ne te néglige pas toi-même,
   Mais prie le Seigneur, qui te guérira.
Détourne-toi du péché, redresse tes mains,
   Et purifie ton cœur de tout péché.
Offre un encens suave, et un souvenir de fleur de farine,
   Fais l'oblation d'une grasse victime,
Puis, fais place au médecin, car c'est le Seigneur qui l'a créé ;
Un temps viendra où tu tomberas entre leurs mains,
   Et ils prieront eux-mêmes le Seigneur afin qu'il les conduise
À cause de leur genre de vie, au soulagement et à la santé du malade. »

Ecclésiastique 38, 9-14
La Sainte Bible
Éditions Maredsous, Namur, Belgique, 1952

Depuis « Offre un encens suave », Papa, les yeux fermés, récitait les versets de mémoire. J'avais peine à contenir mon émotion. Quoi, il savait donc aussi cela par cœur ?

— Tu vois, j'y suis « entre leurs mains ».

(Pause)

Maman savait ce passage par cœur et nous le récitait à René, à Gérard et à moi, à l'occasion, pour nous rappeler à la fois nos devoirs et notre fin, comme elle disait joyeusement.

(Pause)

Continue.

— Nous sommes rendus à l'Épître.

— Alors, avant d'y entrer, il faut choisir la première Lecture.

— Si vous le voulez. On peut aussi attendre d'avoir tout lu.

— Non. Je veux la Lecture de l'Ecclésiaste, «Un temps pour chaque chose», lue par une femme. Tu crois que Lili, la femme du notaire Deraspe, accepterait?

— Il me semble bien que oui.

— Tu le lui demanderas toi-même?

— Oui.

— Tu ne crois pas que ce sera trop dur pour une femme qui a perdu un fils de 17 ans, l'année de la mort d'Adrienne?

— Elle le fera pour vous, et pour elle aussi, vous savez.

— (Pause).

Bon. Continue.

«Lors de l'avènement du Seigneur, nous, les vivants qui restons encore, nous ne devancerons pas les morts. Au signal donné, à la voix d'un archange, au son de la trompette de Dieu, le Seigneur descendra du ciel, et ceux qui sont morts dans le Christ ressusciteront les premiers. Ensuite, nous, les vivants, qui sommes encore sur la terre, nous serons enlevés ensemble avec eux sur les nuées, à la rencontre du Seigneur dans les airs. Ainsi, pour toujours, nous serons avec le Seigneur. Que ces paroles soient donc notre mutuel réconfort.»

Saint Paul
1ère Épître aux Thessaloniciens 4, 15-18
La Sainte Bible
Éditions Maredsous, Namur, Belgique, 1952

— C'est beau, réconfortant. J'aime cela, ça parle aux vivants.

(Pause).

Continue.

«Voici maintenant que je vous révèle un mystère: nous ne mourrons pas tous, mais tous, nous serons changés, en un instant, en un clin d'œil, au son de la dernière trompette (car la trompette sonnera). Les morts ressusciteront incorruptibles, et nous, nous seront changés. Il faut que ce corps corruptible revête l'incorruptibilité, et que ce corps mortel revête l'immortalité.

«Quand ce corps corruptible aura revêtu l'incorruptibilité, et que ce corps mortel aura revêtu l'immortalité, alors s'accomplira cet oracle de l'Écriture: "La mort a été engloutie dans la victoire."

«Mort, où est ta victoire? Mort, où est ton aiguillon? Or, l'aiguillon de la mort, c'est le péché; la puissance du péché, c'est la Loi. Mais grâces soient rendues à Dieu qui nous donne la victoire par notre Seigneur Jésus-Christ!»

Saint Paul
1ère Épître aux Corinthiens 15, 54-56
La Sainte Bible
Éditions Maredsous, Namur, Belgique, 1952

— C'est l'un des plus beaux passages de saint Paul! «Mort, où est ta victoire!» Voilà l'Épître de mes funérailles. (Pause).

— On continue?

— Oui. Tu vas me lire l'Évangile?

— J'avais pensé au récit de saint Jean sur la résurrection de Lazare.

— Il est un peu long, mais il conviendrait tout de même.

— J'avais aussi pensé à celui de la parabole des talents qui vous décrit si bien!

— Tu l'avais choisi pour le centenaire du mariage de Papa et de Maman, l'automne dernier. Tu pourras l'employer pour une autre occasion. Continue.

«À la vue de ces foules, Jésus gravit la montagne. Il s'assit, et ses disciples s'approchèrent de lui. Alors il ouvrit la bouche et leur donna ces enseignements:

Heureux ceux qui ont un cœur de pauvre, car le royaume des cieux est à eux!

Heureux ceux qui pleurent, car ils seront consolés!

Heureux ceux qui sont doux, car ils posséderont la terre!

Heureux les miséricordieux, car ils obtiendront miséricorde!

Heureux les cœurs purs, car ils verront Dieu!

Heureux les pacifiques, car ils seront appelés fils de Dieu!

Heureux ceux qui seront persécutés pour la justice, car le royaume des cieux est à eux!

Heureux serez-vous quand on vous maudira, quand on vous persécutera et qu'on dira faussement de vous toute sorte de mal à cause de moi.

Réjouissez-vous et soyez dans l'allégresse, parce que votre récompense sera grande dans les cieux. Car c'est ainsi qu'on a persécuté les prophètes qui ont été avant vous.»

Évangile de saint Mathieu 5, 1-12
La Sainte Bible
Éditions Maredsous, Namur, Belgique, 1952

— C'est très beau, mais je me demande...

— Si cela convient tout à fait?

— Justement.

(Pause)

Lis-moi donc la résurrection de Lazare dans saint Jean?

À Béthanie, d'où étaient Marie et sa sœur Marthe, Lazare tomba malade. Marie est celle qui oignit le Seigneur d'une huile parfumée et qui lui essuya les pieds avec ses cheveux. Et Lazare, qui était malade, était son frère. Ses sœurs donc envoyèrent dire à Jésus: «Seigneur, celui que vous aimez est malade». À ces mots, Jésus répondit: «Cette maladie ne causera pas la mort; elle a comme raison la gloire de Dieu. Par elle, le Fils de Dieu doit être glorifié».

Or Jésus aimait Marthe et sa sœur, et Lazare. Et quoiqu'il le sût malade, il resta encore deux jours là. Il dit ensuite à ses disciples: «Retournons en Judée». — «Maître, lui répondirent-ils, il n'y a pas longtemps, les Juifs cherchaient à vous lapider, et vous retournez au milieu d'eux?» Jésus reprit: «N'y a-t-il pas douze heures dans la journée? Si l'on marche durant le jour, on ne trébuche pas, parce qu'on voit la lumière de ce monde. Mais si l'on marche dans la nuit, on se heurte, parce qu'on manque de lumière.» Après ces paroles, il ajouta: «Notre ami Lazare dort; mais je vais le réveiller.» Ses disciples lui dirent: «Seigneur, s'il dort, il guérira.» Or Jésus avait parlé de sa mort, tandis qu'ils l'avaient compris du sommeil ordinaire. Jésus leur dit: «Lazare est mort. Et je suis heureux pour vous, que je n'y aie point été, afin que vous croyiez. Mais allons près de lui.» Sur quoi, Thomas que l'on nomme Didyme, dit aux autres disciples: «Allons-y, nous aussi, et nous mourrons avec lui.»

À l'arrivée de Jésus, il y avait quatre jours déjà que Lazare était dans le tombeau. (Or, Béthanie n'était éloignée de Jérusalem que de quinze stades environ.) De nombreux Juifs étaient venus auprès de Marthe et de Marie présenter leurs condoléances pour la mort de leur frère. Quand Marthe apprit que Jésus arrivait, elle partit à sa rencontre tandis que Marie restait assise à la maison. Marthe dit à Jésus: «Seigneur, si vous aviez été ici, mon frère ne serait pas mort! Mais maintenant même, je sais que tout ce que vous demanderez à Dieu, il vous l'accordera.» Jésus lui dit: «Ton frère ressuscitera.» — «Je sais, répondit-elle, qu'il ressuscitera à la résurrection du dernier jour.» Jésus lui dit: «Je suis la résurrection et la vie; celui qui croit en moi, revivra, fût-il mort. Et tout homme qui vit et croit en moi ne mourra jamais. Crois-tu cela?» Elle répondit: «Oui, Seigneur, je crois que vous êtes le Christ, le Fils de Dieu, celui qui devait venir dans le monde.»

Sur ces paroles, elle s'en alla quérir sa sœur Marie en lui disant tout bas: «Le Maître est là, qui t'appelle.» À ces mots, Marie se lève précipitamment et court à sa rencontre. (Jésus en effet n'était pas encore arrivé au village, mais se trouvait encore là où Marthe l'avait rencontré.) Les Juifs qui étaient chez elles à la maison, en visite de condoléances, la virent ainsi se lever brusquement et sortir. Ils la suivirent, croyant qu'elle allait pleurer au tombeau.

Marie arriva près de Jésus, et, dès qu'elle le vit, elle se jeta à ses pieds en disant: «Seigneur, si vous aviez été ici, mon frère ne serait pas mort!» À la voir pleurer, ainsi que tous les Juifs qui l'accompagnaient, Jésus frémit en son esprit; et sous l'empire d'une profonde émotion, il dit: «Où l'avez-vous mis?» — «Seigneur, répondirent-ils, venez voir.» Jésus se mit à pleurer. Et les Juifs de dire: «Voyez combien il l'aimait!» Mais quelques-uns d'entre eux dirent: «Lui, qui a ouvert les yeux d'un aveugle-né, ne pouvait-il pas faire que celui-ci ne mourût pas?»

Jésus frémit une seconde fois en lui-même et se rendit au tombeau. C'était un caveau recouvert d'une dalle. Jésus dit: «Enlevez la dalle.» Marthe, la sœur du défunt, lui dit: «Seigneur, il sent; voilà quatre jours qu'il est là...» — «Ne t'ai-je pas dit, répond Jésus, que si tu as la foi, tu verras la gloire de Dieu?» Ils enlevèrent donc la dalle. Alors Jésus leva les yeux en haut et dit: «Père, je vous rends grâces de m'avoir exaucé. Je sais que vous m'exaucez toujours, mais c'est à cause de cette foule que je parle ainsi, afin qu'ils croient que vous m'avez envoyé.» Après ces paroles, il cria d'une voix forte: «Lazare, sors!» Et le mort sortit, les pieds et les mains liés de bandelettes, et le visage couvert d'un suaire. Jésus dit alors: «Déliez-le et laissez-le aller.»

Évangile de saint Jean II, 1-44
La Sainte Bible
Éditions Maredsous, Namur, Belgique, 1952

— C'est plein d'enseignement et d'espoir, mais c'est un peu long! Faudrait certainement couper! Tu verras ce qu'il conviendra de faire, le temps venu.

(Pause).

Maintenant que la liturgie officielle est décidée, passons à ton texte.

— Mon texte?

— Oui, ta prière, ta «sorte de psaume québécois», comme tu disais il y a un moment! Le texte que tu as écrit en pensant à moi, après la mort de Pierre W.? Lis-le moi.

— Oh, Papa, j'ai peur de ne pouvoir le lire sans contrôler mes larmes. Ce que vous me demandez là est trop dur. Je préférerais que vous le lisiez vous-même. Et s'il s'y trouve un passage que vous n'aimez pas, un mot, une virgule qui ne vous conviennent pas, je changerai tout ça. Seulement, il faudra que vous me disiez vraiment le fonds de votre pensée sur ce texte. D'accord?

— D'accord. Passe-moi mes lunettes.

— Les voici, et voici aussi mon texte.

Et Papa se mit à lire très attentivement ce que j'avais écrit tout spécialement pour lui, le 10 janvier 1981:

Par les splendeurs de toute votre création, Seigneur, nous Vous glorifions.
Par notre fleuve Saint-Laurent, par son golfe, par les rivages de Morel, des Trois-Pistoles, de l'Île-aux-Basques, de l'Île-aux-Pommes, des Razades et du cap Marteau, par la faune et la flore de ce pays qui est le nôtre et que notre frère VIGER connaissait si bien et aimait tant, nous Vous glorifions, Seigneur.
Par les bourrasques, la neige, la pluie et la grosse mer, par les phoques, les loups-marins, les grandes oies blanches, par les canards, les outardes, les sarcelles et les bécassines, par les huards, les chevreuils, les orignaux, les loups et les ours, par les saumons, les épaulards et les globycéphales, les truites et les loutres du Québec, par tout ce qui vit ici et que notre frère Viger nommait par son nom, nous Vous glorifions, Seigneur.
Par nos forêts, nos lacs et nos rivières, nous vous glorifions, Seigneur.

Par les montagnes et les levers de soleil de Charlevoix, par le lac Simon et tout le comté de Portneuf que notre frère VIGER a tant parcouru, par les goélands et les couchers de soleil de Saint-Jean-Port-Joli, nous Vous rendons grâce, Seigneur.

Pour l'amour du travail et le partage des connaissances, pour ce don qu'avait notre frère VIGER de transmettre ce qu'il savait, nous Vous remercions, Seigneur.

Pour l'amitié sans distinction de race, de nationalité, de religion, de sexe et d'âge, par ce respect de l'être humain dont notre frère VIGER a témoigné, pour son humour communicatif, pour sa foi en l'homme, debout et fier, nous Vous remercions, Seigneur.

Par le sens du devoir et de la discipline dont a fait preuve notre frère VIGER, par toute sa vie consacrée à soulager la douleur des autres — sa devise n'était-elle pas SEDARE DOLOREM OPUS DIVINUM EST (soulager la douleur est une œuvre divine) — donnez-nous, Seigneur, cet indomptable courage de vivre dans toutes les épreuves de la vie.

Pour toute la lignée des Plamondon d'Amérique du Nord, issus d'une même souche depuis plus de 300 ans, et plus particulièrement pour la filiation de notre frère VIGER (8e génération du nom) et d'Adrienne Bédard : VIGER, fils d'Apollinaire (7e génération) et de Sara Archambault ; de Joseph Jean (6e génération) et d'Élisabeth Lirette ; de Jean-Baptiste (5e génération) et d'Angélique Girard ; de Jean-Baptiste (4e génération) et de Louise Robitaille ; d'Antoine (3e génération) et de Marie Maret dit Lépine ; de Pierre (2e génération) et de Charlotte Hamel ; et, finalement, de Philippe (1ère génération), né vers 1641 à Lapeyrouse, près de Clermont-Ferrand, en Auvergne, et de Marguerite Clément, nous chantons Vos louanges, Seigneur. »

Monique Plamondon, Québec, le 10 janvier 1981.

S I L E N C E

— C'est une bien belle prière que tu as composée là, Monique. Je voudrais l'avoir signée !

— Quand voulez-vous qu'on la lise ?

— C'est une magnifique Action de grâces, tu sais.

(Pause)

Tu vois, je ne suis pas aussi mécréant qu'on le croit, je sais distinguer une Action de grâces d'une offrande ou d'une prière de demandes ! Il faudra qu'elle soit lue par un de tes amis croyants, après la Communion. Ça va ?

— Et si nous revenions à la cérémonie ?

— Bien volontiers.

— La musique...

— Du chant grégorien, par la chorale qui chanta pour ta mère.

— Entendu.

— Du Bach, à l'entrée et à la sortie.

— La *Toccata* de la grande *Toccata et fugue en ré mineur* ?

— Pour la sortie ? C'est plus joyeux. Pour l'entrée, un Prélude.

— Le *Prélude en mi mineur*?

— Je ne saurais dire, mais je puis te le fredonner.

Et Papa se mit à fredonner l'air du *Prélude en mi mineur*.

— C'est bien le *Prélude en mi mineur*. Je voudrais aussi, avec votre permission, faire une entorse à la liturgie?

— Laquelle?

— Celle de faire jouer un solo de trompette, en souvenir et en mémoire de vos années de guerre 1914-1918: *L'appel aux morts sur les champs de bataille*.

— « *The Last Post?* »

— Oui, justement, Papa.

— Accompagné à l'orgue?

— Non, en solo, tout seul.

— C'est impressionnant!

— Peut être, mais ce sera beau, et ce sera un hommage posthume.

— C'est difficile à jouer correctement.

— Je le sais.

— Alors?

— Alors, j'aurai le premier trompettiste de l'Orchestre symphonique de Québec.

— Tu n'y vas pas de main morte!

— Non.

— Dieu veuille que tout cela ne se passe pas en été, car tu auras du mal à trouver tout ton monde!

— Dieu s'occupe bien des petits oiseaux? Il peut aussi s'occuper des gros, non?

— Bien sûr, Dieu y pourvoira.

S I L E N C E

— Avez-vous peur de mourir, Papa?

— Non. Tu sais, à mon âge, il y en a beaucoup plus de fait qu'il n'en reste à faire! On compte plutôt par mois que par année! Dieu est bon, il me donnera la force, le moment venu. Il y a un temps pour chaque chose, tu sais!

— Mais, après la mort?

— Plus rien. Le corps est dans un grand trou noir.

— Et l'âme?

— (Pause) L'âme est dans la lumière.

— Dans la lumière?

Il y eut un long silence. Papa me tenait les mains et m'enveloppait d'un profond regard. Toute la chambre était effectivement remplie de lumière et de paix. (...)

— Vous savez, je voyais cette conversation, pourtant nécessaire, comme un Himalaya ! ! !...

— La montagne était en toi, Monique ! Tu vois comme c'est simple et facile. Notre mort fait partie de notre vie, mais ce n'en est qu'une étape. Je trouve que cette conversation a été bien pratique et j'en suis content. Mais le plus important, c'est que nous nous soyons parlés aussi franchement et que nous nous comprenions si bien...(...)

Sortant de la chambre, je rencontrai le docteur Y.T. et lui demandai :

— Le pronostic, docteur ?

— Sombre, Monique. Monsieur votre père est un homme bien usé.

Je savais dès lors que mon intuition ne m'avait pas trompée. Nous nous acheminions tout doucement vers la lumière. Si l'heure nous en était inconnue, son imminence, en ce début d'août, ne pouvait nous échapper. Papa avait déjà commencé son agonie, seul, assis dans son fauteuil, près de la fenêtre de sa chambre d'hôpital. Mais comment l'accompagner dans ce chemin, comment le faire tout en respectant sa volonté d'entreprendre seul cette dernière route sur la terre ?. (...)

Je vivais ces jours intensément. (...) Je ne parvenais pas à retrouver dans le travail, dans la lecture, dans la musique, dans l'écriture, dans les activités physiques et culturelles, de même que dans l'amitié partagée, l'aide familière des temps de crise. Bien plus, il m'apparaissait difficile de résister à la tristesse profonde dans laquelle nous entraîne la fin d'un être cher. C'étaient bien là pensées égoïstes. Car enfin, si je perdais un très gros morceau, je n'en perdais qu'un seul. Et Papa, lui, devait faire, en toute lucidité, son deuil de tout un chacun de nous, de chaque être qu'il aimait. Le détachement, le dépouillement progressif qui nous sera demandé à tous, il le vivait sous mes yeux, je pouvais pour ainsi dire le toucher du doigt. Emporte-t-on dans la tombe le souvenir de ceux qui nous ont aimés ? On part de cette vie comme on y est entré : seul et nu. Nu surtout. Sans objet, sans artifice aucun, sans même l'identification de son nom sur son propre squelette !, mais je ne crois pas que ce soit sans souvenirs. Seulement, je ne suis pas parvenue à déceler à quoi ces souvenirs pouvaient bien nous servir au ciel. Notre imaginaire de l'au-delà est si limité ! Il ne peut rien contenir d'autre que ce que nos sens nous ont apporté, nous ont fait connaître ; bien plus, il ne peut nous renvoyer que l'image embellie de notre vie terrestre.

Toute l'imagination du monde reste impuissante devant la vie future ou, pour reprendre un mot à la mode, devant « la vie après la vie ».

(...) Notre deuil se fit d'une façon bien particulière et bien sereine (...) [Nous avons pris] le temps nécessaire à faire progressivement notre deuil, à calmer notre peine et surtout à continuer à vivre pleinement. C'était à nous maintenant à prendre la relève du courage et de la détermination dans le respect d'autrui. Tout un programme.

Mais, ce qui devint de plus en plus évident à mes yeux, ce fut de constater ce qui changeait en moi.

Bien sûr, on dit souvent que l'on ne voit plus la vie de la même façon après la mort de ses parents. C'est vrai. On se sent aussi coupable, un certain temps, de n'avoir pas tout compris de leur comportement, alors que leurs messages étaient souvent confus ou codés, alors qu'ils étaient eux-mêmes pris dans leurs propres perceptions ou dans celles héritées de leurs familles. Personne dans mon entourage, à mon souvenir, n'avait osé me faire douter de ce que je pensais. Et si d'aventure on avait osé, je ne sais pas si je me serais permis de l'entendre et de le comprendre. Une sorte de surdité et d'aveuglement à voir le réel, une sorte de confiance inébranlable dans ses propres perceptions. (...) Passons-nous donc toute notre vie à apprendre à voir, à apprendre à entendre, à apprendre à écouter, à apprendre à vivre ? À apprendre à vérifier et à corriger sans cesse nos perceptions, à nous méfier sans cesse de nos « interprétations » ? Est-ce bien cela, apprendre à vivre ? Et comment rattraper tout ce temps perdu ? Impossible, sinon en rattrapant le temps présent, c'est-à-dire en corrigeant aujourd'hui, maintenant et à chaque jour qui passe, nos vieilles habitudes désuètes et dangereuses. Autrement, c'est la sclérose de l'âme.

Au fur et à mesure du temps qui s'écoule maintenant, je me rends compte de la perte irréparable que j'ai subie : l'accès au puits de science et d'expérience que constituait Viger. J'ai pu m'abreuver à cette source toute ma vie et j'ai utilisé ce privilège, consciemment le plus souvent, au cours des vingt-cinq dernières années. Maintenant, Papa a emporté avec lui, dans la tombe, tout ce qu'il savait, ses connaissances et son expérience. On n'emporte donc dans la mort que ce que l'on est devenu ? Viger disait souvent que la science est la seule chose, avec l'amour, qu'on ne peut perdre en la donnant. Il m'a indiqué le chemin, je n'ai eu qu'à me mettre en route.

Quelques années ont passé maintenant sur cette douleur de la séparation et sur tout ce qu'elle m'a apporté. Et je suis devenue de plus en plus convaincue que nous avons besoin de nos morts pour grandir, pour croître. J'ai toujours considéré mes parents comme des chênes. Maintenant qu'ils reposent tous deux dans la paix, le chêne, c'est moi. Mes parents ont basculé du côté des ancêtres qui me nourrissent, à la manière des racines de l'arbre que je suis devenue. Nous avons le redoutable devoir de découvrir que le départ de nos parents nous est nécessaire : c'est commun, mais jamais banal. C'est sans doute ce devoir-là qui nous confronte si bellement avec notre fin, avec notre mort, avec notre pénultième mission, celle du perfectionnement sur cette terre, que nous avons tant de difficulté à accepter. Tendre toujours de plus en plus vers la plus grande perfection, vers le plus grand bien, n'est-ce pas là l'essence du message que Viger m'écrivait pour mes cinquante ans ? Corriger ses perceptions, prendre le temps d'aller au fond des choses et ensuite, comme un bon plongeur, remonter à la surface avec vigueur, n'est-ce pas là le gain le plus évident de toute ma reconstitution familiale ? Partager ma démarche lente et douloureuse, mes découvertes et mes apprentissages laborieux, révéler mes efforts et mes erreurs, sans crainte et sans fausse honte, accepter de déboucher enfin sur la joie, voilà qui m'est devenu un devoir en même temps qu'un besoin impérieux. »

Conclusion

Le temps est venu de conclure cet exposé, et un grand écrivain nous indique une voie de courage, d'intégration et d'espérance :

Quoi que tu rêves d'entreprendre, commence-le.
L'audace a du génie, du pouvoir, de la magie.
                    Goethe (1749-1832)

Plus que la mort des autres à intégrer, c'est sa mort à soi qu'il faut apprivoiser aujourd'hui, car le temps presse, et actuellement, maintenant, préparer soi-même son propre passage, son plus grand voyage. Car notre espèce n'est immortelle que par l'esprit. Préparer sa propre mort ? Et comment ? En établissant ses propres chemins de lumière et de paix. *Premièrement* : en réglant ses conflits familiaux latents, larvés, avec parents et fratrie. *Deuxièmement* : en osant parler et en parler. *Troisièmement* : en établissant soi-même sa propre liturgie de passage et de célébration de l'après-mort : disposition de son propre corps (loin de « l'avoir », sans crainte du « paraître », axé sur l'être qui a été et qui continue d'être dans un ailleurs encore inconnu), son exposition communautaire, ses funérailles, son souvenir mortuaire, sa célébration d'anniversaire de mort, etc.

Humaniser sa mort? Oui, mais aussi faire évoluer le mourir au Québec en commençant par soi, par son propre mourir. Si chacun évolue, les institutions suivront. Il faut refaire confiance à la vie, dont la mort fait partie.

Ce n'est certes pas en reniant la réalité, si dure fut-elle, que nos ancêtres nous ont forgé et légué ce pays si difficile à naître. Mais ce n'est pas non plus en nous rendant perméables à un autre mode de vie, plus dans le «paraître» que dans l'«être» ou plus états-uniens qu'autrement, que nous réussirons à nous réapproprier notre mort, à reconquérir nos traditions funéraires dans ce qu'elles ont de plus admirables ou à en établir de nouvelles qui colleront davantage à notre vie, à nos racines, à nos souches, à notre courage d'être nous-mêmes. Ne sommes-nous pas, après tout, ce peuple qui va de l'avant en connaissant mieux son passé; un peuple qui a compris qu'il ne peut avoir d'avenir que s'il connaît et honore son passé? Ne partageons-nous pas, avec le peuple juif, ce miracle de survie malgré tous les avatars de l'Histoire, comme l'écrivait si justement le grand historien britannique Toynbee (1889-1975)? Ne sommes-nous pas ce peuple qui a pour devise *JE ME SOUVIENS*?

Québec et Mont-Orford, le 30 avril 1991

Les enjeux fondamentaux

La mort vivante

Mort, angoisse, communication

Au-delà des opiacés

La mort vivante

DORIS LUSSIER

Paradoxe, croyez-vous.

Pourquoi pas vérité?

En tout cas une chose est certaine — c'est même la plus certaine de toutes les choses — la mort fait partie de la vie. Et c'est justement pour ça que, de même qu'il est sage de se préoccuper de faire une bonne vie, il est aussi impérieux de penser à faire une bonne mort. C'est le sens étymologique du mot *euthanasie* qui vient de deux mots grecs: *eu* qui veut dire bonne et *thanatos* qui veut dire mort.

Qu'est-ce que ça veut dire, concrètement, faire une bonne mort? Ça veut dire, comme le suggère si justement le thème de ce colloque, mourir dans la dignité.

Les philosophes, les théologiens, les médecins et tous ceux qui se sont penchés sur le problème de l'euthanasie oublient quelquefois une chose: que celui qui a le droit absolu d'avoir le dernier mot là-dessus, c'est le mourant.

Je respecte toutes les opinions émises sur l'euthanasie — parce que je n'ai pas la prétention d'être seul en possession tranquille de la vérité — mais je soutiens que le dernier acte humain de la vie terrestre relève exclusivement de la conscience de celui qui meurt. De même que c'est la raison qui doit présider aux actes de la vie, c'est encore elle qui doit régler l'acte de la mort.

Or que dit la raison au sujet de la mort? La même chose qu'elle me suggère au sujet de la vie: de faire en sorte qu'elle soit aussi digne que possible. Qu'elle soit aussi la plus gratifiante et la moins pénible possible. Que s'il est raisonnable dans ma vie de chercher à faire ce qui me semble bien et d'éviter ce qui me semble mal, ça l'est autant dans ma mort.

Or le mal à éviter quand vient le temps de mourir, comme ce l'était au temps de vivre, c'est *la souffrance*. La souffrance physique, bien sûr, puisqu'elle est la négation du bien-être auquel tout être vivant aspire, mais aussi la souffrance morale de constater que tout est fini, que notre corps usé, perclus, ne peut plus répondre aux volontés de notre âme qui n'y voit plus qu'un habitacle désaffecté indigne de sa qualité spirituelle. Car dans le processus de dégénérescence fatale qu'est la phase terminale d'une maladie, il vient un moment où l'être humain n'est pratiquement plus un être humain, mais un pauvre animal qui n'a plus de raison, voire un simple végétal.

Quand un être humain n'est plus personne, quand il n'a plus rien de ce qui en fait une personne, ni raison, ni sentiment, ni sensation, ni conscience de qui ou quoi que ce soit, quand il est totalement décérébré, quand il n'est plus qu'un végétal désensibilisé, la plus élémentaire logique et la plus grande charité ne nous commandent-elles pas de la rendre à son destin de la façon la plus humaine qui soit, c'est-à-dire d'aider à ce que s'accomplisse dignement le dernier moment de sa vie? L'euthanasie, dans ce cas, n'est pas seulement le geste le plus raisonnable qui soit, c'est le plus beau geste d'amour. Prolonger la souffrance sous quelque prétexte que ce soit, religieux ou autre, c'est du pieux sadisme, rien d'autre. Quand on administre des mesures d'acharnement thérapeutique à un pauvre moribond en phase terminale, ce n'est pas sa vie qu'on prolonge, c'est sa mort.

Pour les bonnes âmes dont le souci d'orthodoxie religieuse est plus grand que celui de la simple charité, voici un témoignage susceptible de dédouaner les plus délicates consciences. Il est du père Marcel Marcotte, jésuite (*Relations*, janv. 1974, p. 23), et il se lit comme suit: «...au voisinage de la mort, le patient a le droit d'exiger, et le médecin le devoir d'accorder, tous les traitements analgésiques proportionnés aux souffrances à soulager, y compris ceux qui ont pour effet de précipiter, ou qui risquent même de provoquer la mort du patient.» Il s'agit là, fondamentalement, d'un enseignement traditionnel de la morale médicale chrétienne. Pie XII, en 1957, l'a formulé (en rapport avec la théorie classique du «volontaire indirecte» et de «l'acte à double effet») en termes soigneusement mesurés:

> «...et si l'administration actuelle des drogues produit deux effets distincts, l'allègement de la souffrance d'une part, et l'abrègement de la vie d'autre part, — cette action est légitime».

Je crois, moi, que la raison droite nous permet même d'aller plus loin que ça dans certains cas. Si, consciente de l'imminence de sa mort, et pour éviter le mal physique et moral qu'elle entraîne, une personne décide, lucidement et délibérément, de quitter une vie qui n'est plus une vie humaine, n'est-ce pas là le geste objectivement et subjectivement le plus raisonnable qu'elle puisse poser? Quand les raisons d'être n'existent plus, il est raisonnable de ne plus être. C'est d'autant plus raisonnable qu'il y a une forte chance, nous dit-on depuis plusieurs millénaires, que ce que nous appelons la mort ne soit qu'une porte noire qui s'ouvre sur une autre vie de notre âme. Que la mort, au fond, ne soit que re-naissance.

Alors? Alors quoi qu'il en soit de notre destin, il reste que comme il faut savoir vivre, il faut savoir mourir. La qualité de la mort ça fait partie de la qualité de la vie. J'ai lu sous la plume d'un artiste philosophe aussi lucide que sage le texte suivant que j'offre à votre méditation:

> «Quand mon âme et mon corps ne seront plus d'accord que sur la rupture, comme le chante Brassens...quand j'aurai assez longtemps cohabité pacifiquement avec l'aimable cancer qui me chatouille les entrailles depuis six mois, pensez-vous que je vais le laisser bousiller ma mort? Jamais de la vie! Quand j'aurai la certitude clinique que mon voyage est terminé, et quand ça commencera à me faire trop mal, j'espère que j'aurai l'intelligence — et le temps — de m'en aller comme un grand garçon. Je ne veux absolument pas imposer à ceux que j'aime le spectacle disgracieux d'une agonie inutile qui ne finit plus et qui embête tout le monde y compris la société à qui ça coûterait un prix fou pour m'entretenir comme un légume pendant des mois. Je ne veux pas non plus penser cent fois par jour qu'ils se disent sans le dire: «Pauvre vieux, s'il pouvait donc mourir!». Non. Quand mon heure sera venue, je demanderai à mon petit cousin qui est médecin de me fournir le viatique qu'il faut pour accompagner doucement mon voyage derrière les étoiles. Autrement j'aurais honte d'arriver devant Dieu le Père avec des facultés spirituelles affaiblies!...Moi, j'appelle ça mourir en état de grâce...».

Je vais vous faire une confidence. J'aimerais mourir comme j'ai vécu : avec humour. L'humour, c'est l'état de grâce de l'intelligence. C'est la conscience de la relativité des choses humaines. C'est le premier mot de la culture et le dernier de la sagesse. Humour, humus, humilité, humain : quatre mots qui ont la même racine parce qu'ils signifient des réalités qui sont de même famille. L'humour, c'est le frère laïque de l'humilité. Et souvent le fils de la charité.

Grâce à l'humour, je me suis habitué à voir ma mort dans une perspective de sérénité amusée. Comme les vieux philosophes stoïques de l'Antiquité. Je suis même allé, l'autre jour, faire graver mon épitaphe chez un monumenteur de ma paroisse. Si, si...c'est vrai. L'épitaphe étant la dernière vanité de l'homme, j'ai fait inscrire sur ma pierre tombale les mots suivants : Doris Lussier, 1918 — (j'ai laissé l'autre date en blanc, pour ne pas provoquer la Providence) et j'ai fait écrire : «Je suis allé voir si mon âme est immortelle !».

Non, mais c'est vrai. Il ne faut pas faire un drame avec un fait divers. Le jour où je mourrai, qu'est-ce qui va se passer ? Mon ami Bernard Derome va prendre 14 secondes de son Téléjournal de dix heures pour annoncer au monde qu'un bon diable est rendu chez le bon Dieu. Et ce sera tout. Après, c'est les nouvelles du sport. Et si par hasard ce soir-là, les Canadiens remportent la coupe Stanley, mon maigre souvenir sera tout de suite enseveli sous le triomphe des Glorieux et les Québécois vibreront bien plus au rappel des exploits de la Sainte Flanelle qu'à la nouvelle du départ définitif du superbe cabotin que j'aurai pourtant été...*Sic transit gloria mundi !*

J'ai été un bon vivant, je veux être un bon mourant. Si bien que la mort ne me fait plus peur du tout. Dire qu'elle m'effrayait tellement quand dans ma jeunesse les prédicateurs rédemptoristes faisaient résonner à mes oreilles affolées le bruit affreux des chaînes que Belzébuth brasse dans son enfer, le grésillement des flammes de la Géhenne léchant nos chairs tordues de douleur et le tic-tac lugubre de la grande horloge — vous vous rappelez — qui répétait le fameux TOUJOURS-JAMAIS...toujours souffrir, jamais sortir ! Eh bien non, ce n'est plus ça du tout. Au contraire, la mort est devenue une compagne avec qui je converse quotidiennement avec amitié le long de mon cheminement terrestre. Comme François d'Assise je l'appelle *ma petite sœur.* Je l'ai apprivoisée, j'ai même appris à l'aimer. Car je sais qu'un jour, c'est elle qui va me délivrer quand mon mal de vivre sera plus grand que ma capacité de l'endurer.

D'ailleurs permettez-moi de vous en faire l'aveu dans ma candeur naïve, je pressens que j'aurai d'autant moins de peine à m'absenter de la vie terrestre que j'ai le bonheur de croire à l'immortalité de mon âme. Je pense, comme le défunt Victor Hugo, que «si l'âme n'est pas immortelle, Dieu n'est pas un honnête homme», ce que je ne puis admettre.

Je sais bien que là-dessus *scinduntur doctores* — les opinions sont fendues, comme disait l'autre —, mais moi, je crois. Je ne dis pas je sais, je dis je crois. Croire n'est pas savoir. Je saurai quand je verrai, comme vous autres. Si j'ai à voir...

Et puis après tout, comme je le disais un jour à un ami qui est incroyant: «Tu sais, nos opinions respectives sur les mystères n'ont pas grande importance. Que nous croyions ou que nous ne croyions pas, ça ne change absolument rien à la vérité de la réalité: ce qui est est, un point, c'est tout. Et il faudra bien nous en accommoder». Mais moi, je suis comme saint Voltaire:

«L'univers m'embarrasse et je ne puis penser
Que cette horloge existe et n'ait point d'horloger».

Je n'ai qu'une petite foi naturelle, fragile, vacillante, bougonneuse et toujours inquiète. Une foi qui ressemble bien plus à une espérance qu'à une certitude. Mais, voyez-vous, à la courte lumière de ma faible raison, il m'apparaît irrationnel, absurde, illogique, injuste, contradictoire et intellectuellement impensable que la vie humaine ne soit qu'un insignifiant passage de quelques centaines de jours sur cette terre ingrate et somptueuse. Il me semble impensable que la vie, une fois commencée, se termine bêtement par une triste dissolution dans la matière, et que l'âme, comme une splendeur éphémère, sombre dans le néant après avoir inutilement été le lieu spirituel et sensible de si prodigieuses clartés, de si riches espérances et de si douces affections. Il me paraît répugner à la raison de l'homme autant qu'à la providence de Dieu que l'existence ne soit que temporelle et qu'un être humain n'ait pas plus de valeur et d'autre destin qu'un caillou.

Ce qui est beau dans le destin humain malgré son apparente cruauté, c'est que mourir, ce n'est pas finir, c'est continuer autrement. Un être humain qui s'éteint, ce n'est pas un mortel qui finit, c'est un immortel qui commence. La tombe est un berceau. Et le dernier soir de notre vie temporelle est le premier matin de notre éternité. «O mort si fraîche, disait Bernanos, ô seul matin!». Car la mort, ce n'est pas une chute dans le noir, c'est une montée dans la lumière. Quand on a la vie, ce ne peut être que pour toujours. Comme dit le poète — parce que ce sont toujours les poètes qui voient le mieux le fond des choses:

«Ouverts à quelqu'immense aurore
De l'autre côté des tombeaux,
Les yeux qu'on ferme voient encore».

La mort ne peut pas tuer ce qui ne meurt pas. Or notre âme est immortelle. Il n'y a qu'une chose qui puisse justifier la mort...c'est l'immortalité.

Mourir, au fond, c'est peut-être aussi beau que naître. Est-ce que le soleil couchant n'est pas aussi beau que le soleil levant? Un bateau qui arrive à bon port, n'est-ce pas un heureux événement? Et si naître n'est qu'une manière douloureuse d'accéder au bonheur de la vie, pourquoi mourir ne serait-il pas qu'une façon douloureuse de devenir heureux?

Victor Hugo, le plus grand de tous les poètes, a enfermé la beauté de la mort dans des vers magnifiques:

«Je dis que le tombeau qui sur la mort se ferme
Ouvre le firmament,
Et que ce qu'ici-bas nous prenons pour le terme
Est un commencement.
C'est le berceau de l'espérance,
C'est la fleur qui s'épanouit,
C'est le terme de la souffrance,
C'est le soleil après la nuit.
C'est le but auquel tout aspire,
C'est le retour après l'adieu,
C'est la libération suprême,
C'est après les pleurs, le sourire,
C'est rejoindre ceux qu'on aime,
C'est l'immortalité...C'est Dieu».

Moi, j'appelle ça...la mort vivante.

Mort, angoisse, communication[1]

Dr EMMANUEL GOLDENBERG[2]

En France, le débat sur les problèmes de la mort et des soins aux mourants bat son plein depuis maintenant des années. Au nom d'une conception discutable de la démocratie et des droits de l'individu à disposer de lui-même, on se tourne vers le public pour le questionner sur ses désirs et ses craintes. La peur de la souffrance et de la mort, de pénibles expériences passées, font que beaucoup de gens sont méfiants vis-à-vis de la médecine et prêts à écouter ceux qui vantent les mérites de l'euthanasie, présentée comme une solution digne, humaine et convenant à notre monde moderne.

À la différence de ce qui se passe dans d'autres pays, ceux qui s'occupent des soins palliatifs, en France, n'ont pas encore réussi à combattre l'euthanasie avec des arguments que le public puisse reprendre à son compte. D'autant que de grands efforts de «communication» sont faits par les groupes qui militent pour l'euthanasie afin de gagner les faveurs du public et ainsi de convaincre les politiques de légaliser cette pratique. Les médias, parfois par conviction, parfois par naïveté, sont sans cesse mis au service de ces objectifs.

On présente l'euthanasie comme une ultime forme de liberté des malades, ou des vieux, qui refuseraient ainsi la souffrance, la déchéance, l'indignité enfin, de la maladie terminale ou de la vieillesse.

---

1. N.B. Nous avons mis en évidence les indications concernant la projection de diapositives pour bien souligner l'importance du support visuel en l'occurrence.
2. Psychiatre et psychanalyste français.

L'euthanasie serait la seule réponse possible à une pathétique demande d'aide, devenant ainsi un exemple de «communication réussie». S'appuyant sur le prétendu droit qu'aurait chacun de disposer de sa propre vie, ces groupes font état des inutiles souffrances physiques, et de l'angoisse, que l'inconscience des médecins impose à certains patients en fin de vie. Sans doute est-ce la crainte des excès de l'acharnement thérapeutique qui s'exprime là? C'est bien compréhensible. Mais si nous voulons accueillir les malades en fin de vie, si nous sommes prêts à entendre leur angoisse cela doit-il nous conduire à accepter les demandes éventuelles d'euthanasie qu'ils formuleraient?

Vous le voyez, autour du thème de l'euthanasie se trouvent rassemblés les éléments de notre sujet d'aujourd'hui : mort, angoisses et communication. Dès lors, et puisqu'il nous faut communiquer, pourquoi ne pas commencer par quelques réflexions personnelles?

– La demande d'euthanasie est une ultime demande d'aide, désespérée. C'est l'ultime tentative de communication d'une personne soumise à une souffrance globale.

– L'euthanasie acceptée est par conséquent une tentative de communication qui s'est perdue : une demande d'aide qui n'a pas été entendue.

– La demande d'euthanasie est moins une problématique de mort, qu'un questionnement du patient sur le devenir de son identité et la valeur de sa vie au moment où sa mort se rapproche.

– Cette demande ne survient que quand l'angoisse est très grande, mais, malgré les apparences, l'angoisse augmente encore quand on l'accepte et elle culmine lors du passage à l'acte.

– En matière d'euthanasie il y a toujours quelqu'un qui paye le prix de ce qui a été fait.

Pour illustrer cela je vous propose de voir un document tourné il y a quelques années par un médecin militant pour l'euthanasie. Ce document a connu en son temps un grand bonheur médiatique.

On nous a proposé ce film comme un exemple de ce qu'il faudrait faire pour (je cite) : «*beaucoup d'autres patients*». Nous devons donc l'analyser avec soin et tenter de comprendre ce qu'il nous offre comme modèle. Dès maintenant posons-nous la question : devrons-nous faire avec nos patients ce que nous allons voir sur l'écran?

**La patiente entre soutenue par une infirmière
et prend place sur une chaise face à la caméra.**

Dr R. : Bonjour.

Mme E. : Bonjour Docteur.

R. : S'il-vous-plaît asseyez-vous là.

E. : ...(il la prend par les poignets, serre, il va la tenir ainsi jusqu'à la fin
de l'entretien, à plusieurs reprises elle va soulever l'épaule gauche et
tirer son bras vers le haut, comme si elle voulait dégager sa main...sans
succès)

R. : Mme E., vous ne voulez plus continuer à vivre, pourquoi ?

Gros plan sur le visage déformé de la patiente.

E. : Parce que je souffre toute la journée et la nuit aussi.

R. : C'est toute la journée que vous souffrez ?

E. : Oui, toute la journée. D'ailleurs le médecin m'a dit : «on ne peut pas
continuer à vous charcuter comme ça, on ne peut pas vous enlever tout
le visage quand même !».

R. : Si nous ne vous aidions pas à mourir, qu'est-ce que vous feriez
alors ?

E. : Je partirai certainement d'une manière ou d'une autre...

Gros plan sur le médecin.

R. : Mais je vous ai promis de vous aider.

E. : Oui.

Plan éloigné des deux personnes.

R. : Je vous remercie 1 000 fois.

E. : Peut-être que je me serais pendue ou j'aurais sauté par une fenêtre,...je ne sais pas, j'aurais fait n'importe quoi.

R. : En tout cas je vous remercie 1 000 fois de m'avoir autorisé à vous
filmer.

E. : Oui.

R.: Parce que nous pouvons ainsi aider beaucoup d'autres patients,...nous accrocherons dans notre galerie à Eublos un portrait de vous venu de jours meilleurs.

E.: Oui, je n'en peux plus.

R.: Ce soir (il regarde vers le bas).

E.: Je ne peux pas manger, ni boire, ni lire, je ne peux plus rien faire, je n'y vois plus et ça empire chaque jour (le ton de sa voix se fait pathétique).

R.: Ce soir...

(elle l'interrompt).

E.: Oui.

R.: Je tiendrai ma promesse (il se lève).

E.: Je vous remercie.

R.: Au revoir.

Un moment de silence est nécessaire. Un tel document provoque l'émergence de sentiments multiples, très différents les uns des autres et il va nous falloir faire un effort pour pouvoir y réfléchir sans refouler les émotions qu'il suscite.

On est frappé de plein fouet par la déformation du visage de la malade. Ce qu'on ressent avant tout c'est l'horreur de ce qui lui arrive puis, très vite, de l'angoisse et de la compassion. Sa tristesse aussi est immédiatement frappante, autant que la transformation physique. Ça n'est pas facile de regarder ce visage pourtant il nous faut le scruter pour comprendre ce qu'il exprime vraiment. C'est pénible car nous ne sommes pas habitués à un tel spectacle. Il se produit là un effet télévisuel: L'image nous fascine et cette fascination nous enlève tout recul. L'émotion suscitée tend à suspendre la pensée du spectateur, et quand il veut réfléchir il est déjà trop tard, l'image a disparu. Il y a une sorte de dictature de l'image — un effet de sidération — qui impose une émotion plutôt qu'une pensée. Pourtant si on prend le temps de voir et de revoir ce film, on finit par n'être plus du tout fasciné par les transformations physiques de la patiente. On les oublie tout simplement, au profit de ce qu'elle dit. On ne perçoit plus ce que son visage a d'inhabituel et par contre on y distingue très bien les sentiments qu'elle ressent: ce que nous ressentirions sans doute à sa place.

Ce n'est pas la patiente qui mène l'entretien, c'est le médecin. Notons que c'est lui qui dit «*Mme E., vous ne voulez plus continuer à vivre?*». C'est à peine une question. Il lui demande de s'expliquer comme si l'image n'était pas suffisamment révélatrice — «*pourquoi?*». La réponse de la patiente ne nous surprend pas: elle souffre, beaucoup, jour et nuit. Nous nous attendons à ce qu'elle dise cela, à ce qu'elle ajoute qu'elle est triste et qu'elle a peur. On ne peut que s'attendre à ce qu'elle se plaigne beaucoup de son état. Mais elle abandonne immédiatement sa plainte pour expliquer que, c'est le médecin lui-même qui lui a dit qu'on ne pouvait plus rien faire pour elle: «*on ne peut pas continuer à vous charcuter comme ça, on ne peut pas vous enlever tout le visage quand même!*» lui a-t-il dit.

En demandant à mourir elle fait donc sienne l'impuissance du chirurgien qui ne sait plus quoi faire. La question théorique est la suivante: que faire quand on n'a plus rien à faire? Quand on a le sentiment d'être tout seul et qu'on souffre, sans espoir d'être soulagé, que reste-t-il d'autre que la pensée que cette souffrance aura une fin? On ne peut qu'appeler cette fin de ses vœux, même si ce que l'on désirerait vraiment est l'atténuation de la souffrance physique, de l'angoisse et de la solitude. Il est des situations où la pensée de la mort fait du bien...c'est le cas ici.

Poursuivons. C'est le médecin qui garde l'initiative: «*si nous ne vous aidions pas à mourir, qu'est-ce que vous feriez alors?*». Il cherche à montrer que c'est la patiente qui lui fait obligation de l'euthanasier, faute de quoi elle se suiciderait. Il n'aurait donc pas d'autre choix que d'accepter cette ultime demande. Mais si nous réfléchissons bien nous nous rendons compte que c'est en fait l'inverse qui se produit. La patiente ne peut que solliciter l'euthanasie car c'est la seule chose que le médecin pense pouvoir encore lui donner. Elle ne serait certainement pas abandonnée si elle ne demandait pas à mourir mais personne ne semble envisager cela. Que pourrait-elle bien répondre à la question du médecin dont elle dépend? «*Si nous ne vous aidions pas à mourir, qu'est-ce que vous feriez alors?*». Elle ne dispose pas de la technique des soins palliatifs qui lui permettrait d'envisager une troisième voie entre suicide et euthanasie. Elle n'a pas de choix...bien qu'elle pense faire usage de sa liberté. Dès lors que le médecin lui-même semble ne pas savoir ce qu'il peut encore faire quand il n'y a plus rien à faire, le patient ne peut que subir l'échec médical de plein fouet. L'euthanasie apparaît là comme une offre que fait inconsciemment un médecin qui est honnêtement persuadé de ne pas pouvoir faire autre chose. C'est l'impuissance thérapeutique qui a la parole. Impuissance dont le médecin ne sait se sortir que dans une ultime protestation de pouvoir: «*Je vous ai promis de vous aider*».

La chose est entendue. L'euthanasie est donc là une offre que fait la médecine. Cette offre suscite une demande de la part de la patiente et c'est cette demande qui est ensuite alléguée par le médecin pour expliquer son geste.

Plus loin commencent deux discours qui divergent complètement l'un de l'autre. Le médecin est tout à sa préoccupation militante en faveur de l'euthanasie, c'est pour ça qu'il réalise ce film. «*Je vous remercie 1 000 fois de m'avoir autorisé à vous filmer,...nous pouvons ainsi aider beaucoup d'autres patients*». La patiente n'est plus vraiment présente là en tant que personne, elle disparaît au profit d'une problématique plus générale: aider beaucoup d'autres patients.

D'elle on ne gardera d'ailleurs qu'une image: «*nous accrocherons un portrait de vous venu de jours meilleurs*». Pourquoi ne pas accrocher un portrait d'elle telle qu'elle est maintenant? Pourquoi un portrait du temps où elle était jeune, belle et productive. N'est-ce pas, de la part du médecin la confirmation involontaire de la perte de toute valeur chez la patiente? Elle est reléguée à l'état de personne dont on ne peut même pas se souvenir telle qu'elle est maintenant. On lui confirme indirectement que sa vie n'a plus de valeur. Elle a donc bien raison de vouloir mourir!

Mais la patiente est encore bien là et sa plainte insiste. Elle cherche à se faire entendre: «*je me serais pendue ou j'aurais sauté par une fenêtre*» — elle communique l'intensité de sa souffrance, physique et morale, elle souffre tant qu'elle pourrait détruire sa propre vie. Elle se demande si se pendre serait moins terrible que ce qu'elle vit là, voilà ce qu'elle veut faire comprendre. Elle insiste encore «*je n'en peux plus,..je ne peux pas manger, ni boire, ni lire, je ne peux plus rien faire*», elle est très pathétique. Son angoisse et son désespoir sont bien perceptibles. Elle a vraiment besoin qu'on l'écoute, qu'on la soutienne, qu'on la console, qu'on s'engage à être près d'elle. Elle a besoin que quelqu'un la réchauffe. Elle laisse entendre qu'elle ne se reconnaît plus elle-même, que son corps se transforme et l'abandonne, que sans doute son identité vacille et qu'elle ne sait plus vraiment qui elle est. Et elle a peur. Réponse du médecin, (sans la regarder): «*ce soir*» — il veut dire: ce soir je mettrais fin à tout cela en vous euthanasiant. Et pourtant elle insiste encore. Elle poursuit: «*ça empire chaque jour*». Cela signifie: la mort est de plus en plus proche et j'ai de plus en plus peur. Peut-être aussi veut-elle dire: vous me faites peur avec l'euthanasie que vous me promettez. Elle est là, désepérée et angoissée. C'est une dernière tentative de communiquer et d'obtenir une aide, un partage, un soutien et non une séparation, une exclusion. Réponse du médecin: «*ce soir,...je tiendrai ma promesse*» et il se lève et sort.

On reste avec un goût amer dans la bouche. Ce film se veut un exemple de communication réussie entre un patient et son médecin. Est-ce le cas? Un exemple de résolution de l'angoisse d'une patiente dans la promesse d'aide de son médecin. Est-ce un exemple que nous avons envie de suivre? Comme pour un rêve dont nous nous souviendrions, nous avons là deux niveaux de récit: l'histoire qu'on nous montre, et une autre, implicite, cachée, que nous présentons où une pathétique demande d'aide se formule. Entre les deux histoires, une distance, une tension faite de ce qui n'a pas été dit, pas compris, de ce qui a été ignoré, de ce qui est demeuré inconscient, de ce qui est idéologie et qui a fonctionné comme défense — protection — pour le médecin dans une situation psychologiquement très difficile.

Au nom de quoi le geste euthanasique a-t-il été possible? On allègue les souffrances physiques de la patiente. C'est vrai, elles sont très grandes. On allègue la réduction de ses capacités à vivre. C'est vrai, elles sont plus que réduites. On se réclame enfin du fait qu'elle demande elle-même à mourir. En somme on ne discute pas la demande de mort puisqu'elle la formule elle-même. Et si là on se trompait? Si une autre écoute était possible qui comprendrait autrement la dérisoire menace de suicide qu'elle profère à l'écran. S'il y avait eu raté dans l'effort de communication de ces deux personne engagées dans une relation terrifiante puisque l'enjeu en est la vie elle-même.

La malade dit: «ma vie ne vaut plus rien». Bien sûr le médecin peut dès lors penser: «elle souffre tant, je ne peux rien pour elle sinon accepter la demande qu'elle me fait de mourir. Comme sa vie n'a plus de valeur à ses propres yeux, pourquoi ne pas faire le geste qui la soulagera ? ».

Cet argument est celui de tous ceux qui militent en faveur de l'euthanasie. Il n'est pas fondé. Si on peut laisser à ceux qui l'appliquent le bénéfice de la bonne foi, on doit cependant s'opposer à leur raisonnement. Il est faux pour bien des raisons dont au moins les deux suivantes : le sentiment qu'un homme peut avoir de la valeur de sa vie n'est pas une donnée individuelle. Sa valeur, l'homme l'éprouve d'abord dans la relation à autrui, dans le regard qui est porté sur lui.

Ce n'est que peu à peu qu'il construit le sentiment de sa propre identité. Sentiment fragile et constamment modifié par les évènements de la vie et les relations que nous avons avec les autres qui en sont parfois les meilleurs gardiens. Si on avait pu répondre à cette patiente quelque chose qui la rassure sur la permanence de son identité, malgré la maladie, si on avait pu l'assurer de la permanence de la valeur de sa vie, malgré l'approche de la fin, qui peut dire comment cette relation là aurait évolué et si sa demande de mort — bien compréhensible — n'aurait pas été retirée ?

Ce n'est que peu à peu, au travers des pertes et des deuils que nous devons affronter, que nous découvrons une seconde raison, plus fondamentale encore de nous opposer à l'argument euthanasique : la vie a une valeur en soi. Une valeur mystérieuse, indicible, dont nous prenons la mesure surtout quand la vie nous est refusée, dans les difficultés de la naissance ou de la mort. C'est bien pour cela qu'autour de la mort, l'homme a inventé ces comportements rituels, qui reconnaissent l'importance de la perte et du deuil et permettent qu'un sens symbolique jaillisse qui puisse s'élaborer en une pensée morale.

L'univers réel des patients mourants se rétrécit peu à peu. La patiente du film en est une bonne illustration, qui décrit, outre la douleur qui l'empêche certainement de profiter de ce que la vie lui offre encore, l'appauvrissement extrême de ses possibilités. Elle souffre tout le temps, ne peut plus ni manger, ni lire, ni plus rien faire, et ça empire chaque jour. Effrayant appauvrissement dont elle se plaint car elle aurait encore, n'était-ce la souffrance, de l'appétit pour tout ce qu'elle énumère et qu'elle ne peut plus faire. Cela ne doit pas nous étonner. La maladie mortelle n'est pas comme certains le disent un moment de détachement pur et simple des choses de la vie. Au contraire, c'est un moment d'intense activité psychique et de grande demande relationnelle. L'importance de l'événement qui se produit mobilise les pensées et les sentiments. C'est le moment des dernières paroles et des derniers échanges, le moment des dernières pensées sur soi et sur la vie. Tout prend d'autant plus d'importance que l'univers se rétrécit.

Quand tout va bien, boire une gorgée d'eau fraîche présentée par quelqu'un qu'on aime apaise la soif, mais quel est l'impact du même geste à l'approche de la mort ? Les mots qui restent possibles quand la fin approche, les regards, la sensation d'une peau sur la peau, tout cela devient la Vie, le sentiment d'appartenir à la communauté des hommes. Cela préserve du risque de se sentir une chose, un être dévalué. Parce qu'en apparence il ne reste presque plus rien qui ressemble à la vie d'avant la maladie, ce qui reste est irremplaçable. Cela est vrai pour le malade mais aussi pour tous ceux qui sont autour de lui. C'est le moment de dire ce qu'on n'a jamais pu dire jusqu'alors, le moment d'intenses relations avec ceux qu'on aime. On devine le caractère décisif de telles communications. En priver le patient, plus d'ailleurs en le laissant croire que sa vie n'a plus ni dignité, ni valeur, ni sens, qu'en l'euthanasiant, c'est lui enlever non seulement une ultime chance de communiquer, mais aussi une ultime chance de se réaliser pleinement dans les dernières paroles qu'il a à dire, les derniers gestes qu'il a à faire. Ces dernières paroles nécessitent qu'il se sente le sujet de sa vie et celui de sa mort : une personne irremplaçable jusqu'au bout. Le rôle de la médecine, celui des soins palliatifs, est de créer les conditions de ces communications, les conditions de ce dernier travail psychique, élaboration ultime qui aura une grande influence sur les modalités mêmes de la mort, sur la place que garderont éventuellement la souffrance et l'angoisse et même sur les modalités du deuil des survivants.

Les agonies qui se prolongent de façon douloureuse, qui ne se laissent pas calmer par les traitements médicaux bien conduits, peuvent être des messages que nous adressent les patients. En témoigne le fait que si ces messages sont compris, s'ils reçoivent une réponse acceptable, la situation des patients évolue et souvent s'améliore. C'est qu'au moment de la mort l'intrication entre le psychologique et le somatique est très grande. La qualité des messages explicites ou implicites échangés avec le mourant est donc décisive car elle influence son état psychologique, son confort physique et moral, et même les circonstances et le moment de la mort.

Écoutez cette histoire : dans un service de gériatrie une vieille dame n'en finit pas de mourir. Son état de délabrement physique est tel, et depuis si longtemps, que ses médecins ne comprennent pas comment elle survit. Elle ne reçoit aucun traitement en dehors des soins élémentaires. Elle ne semble pas souffrir, mais ne se lève plus, ne s'alimente plus, n'émet que de rares grognements qui ne sont plus des paroles.

Trois fois par jour cette femme reçoit la visite de sa fille, médecin, qui à chaque fois, longuement, lui prodigue des soins de confort, lui parle, la baigne avec les infirmières du service, lui donne des nouvelles de la famille, lui fait avaler quelques gorgées d'eau et quelques cuillères d'une crème cuisinée à son intention. Les raisons de la survie prolongée de la malade sont sans doute là, dans cette relation où la fille proteste sans cesse de son amour pour sa mère et de son désir qu'elle vive encore.

À l'occasion d'une discussion avec le psychiatre du service, la fille de la patiente prend tout à coup conscience du fait que c'est elle qui maintient sa mère en vie. Elle réalise que contrairement à ce qu'elle pensait — elle prétendait être prête au décès de la patiente — elle n'a pas pu accepter cette perspective qui la laissera orpheline. C'est donc cela le message qu'elle ne cesse de délivrer à sa mère à l'occasion de chaque soin ! « Ne me laisse pas seule, je ne peux me passer de toi ». Malgré son état la patiente entend-elle la demande de sa fille ? Est-ce pour ça qu'elle ne meurt pas, du moins pas encore ?

Le jeune femme rencontre au chevet de sa mère le psychiatre du service et se confie à lui. Elle parvient à exprimer ce qu'elle redoute. Elle est dépourvue de soutien dans sa vie personnelle. La mort de sa mère la laissera vraiment seule. Cette perspective lui fait très mal et très peur. Elle pleure beaucoup. Elle réalise qu'elle a jusqu'alors refusé de prendre la mesure réelle de la situation. Elle commence à accepter ce qu'elle ne peut plus éviter : la mort est là.

Alors que les soins et les attentions restent les mêmes, et sans qu'aucune complication médicale ne soit intervenue, la patiente meurt dans son sommeil et sans souffrance. Pourrait-on dire que sa fille lui en a enfin laissé la possibilité ? Le message implicite : « maman ne me laisse pas seule » s'était modifié. « Maman je souffre que tu meures, ta vie compte pour moi. Je ne peux empêcher ce qui arrive, il faut que je l'accepte». N'est-ce pas la perception de ce nouveau message qui permet à la mère de se laisser enfin aller dans la mort?

Ainsi la mort de certains de nos patients resterait bien mystérieuse si nous n'acceptions de considérer l'importance des relations interpersonnelles qui se tissent autour du lit du mourant. En voici une autre illustration.

Une patiente est atteinte d'un cancer du larynx. Elle le sait et sait aussi qu'il n'y a plus d'espoir de guérison. Pourtant son état général est encore excellent. C'est une grande femme, jeune encore, triste mais coquette, élégante même qui chaque jour se vêt avec soin et reçoit dans sa chambre comme si elle était dans son salon. Chaque jour elle s'entretient longuement avec le psychiatre du service. Avant de connaître son diagnostic elle avait été très anxieuse, mais depuis qu'elle peut en parler ça va un peu mieux.

Un matin le psy la trouve à sa fenêtre, appuyée au montant et occupée à regarder dehors. Elle raconte qu'elle avait l'habitude d'attendre ainsi son mari, chaque jour. Elle guettait son apparition au coin de la rue. Depuis la mort de son mari, 15 ans auparavant, elle a conservé cette habitude de s'installer ainsi à la fenêtre pour regarder dehors. Elle l'attend encore, dit-elle. Elle est très émue. Ce n'est pas une découverte pour elle, mais c'est une confidence qu'elle fait au psychiatre. Elle pleure. Elle pense que sa maladie la rapproche de son mari — il souffrait d'un cancer lui aussi — et elle parle de sa mort comme de quelque chose qui soulagera enfin un deuil qu'elle n'a jamais pu faire. Elle fait ces confidences avec émotion et conviction. On sent bien que pouvoir exprimer ce qu'elle croit, ce qu'elle espère, est indispensable pour qu'elle trouve une certaine paix. Cela adoucit les difficultés du moment présent, en particulier cela donne un débouché à l'angoisse liée à la perspective de sa propre mort.

Dans la nuit qui suit cette conversation avec le psychiatre, la malade meurt dans son sommeil. Elle n'a pas appelé, on est sûr qu'il ne s'agit pas d'un suicide, on ne retrouve pas de cause médicale évidente.

Tout se passe comme si, ayant délivré un dernier message sur sa vie, elle avait voulu mourir. Bien au courant de la situation médicale, elle avait surmonté certaines de ses angoisses. De plus elle prêtait une ébauche de sens à sa maladie et à sa mort puisqu'elle ne parvenait pas à vivre sans son mari. Ce qu'elle avait à dire n'appelait aucune réponse particulière de la part du psychiatre auquel elle s'était confiée, mais c'était un dernier message qui avait besoin d'être formulé et entendu.

Ces deux récits nous permettent d'entrevoir l'importance et l'impact, vital, des processus de prise de conscience et de communication. Importance vraiment vitale puisque l'une des patientes devait mourir et ne mourait pas alors que l'autre aurait dû vivre encore longtemps quand elle mourut brutalement et sans cause médicale évidente.

Alors que la mort menace, les relations à autrui permettent au patient, au soignant ou à qui les côtoie, qu'une réflexion prenne forme, qu'un travail d'élaboration des sentiments et des émotions liées à la maladie et à la perspective de la mort se mette en route. Ce travail est une constante découverte ausi bien pour le patient que pour celui qui l'écoute. À certains moments il débouche sur l'angoisse ou les somatisations douloureuses ou la mort elle-même, à d'autres il est justement ce qui aide le patient, et ses interlocuteurs, à supporter ce qui ne peut être aboli d'angoisse ou de douleur. Pouvoir s'exprimer et être entendu, faire des actes ou prononcer des paroles qui recèlent un sens symbolique — donc décisif — semble, sinon protéger de l'angoisse et de la souffrance, du moins les relativiser. La présence de l'autre, la présence à l'autre, fournit une sorte d'étai, de point d'appui qui permet à de véritables changements psychiques de survenir. Un travail d'élaboration psychologique, dernier travail positif, commence alors que la mort approche. Pour qu'il prenne toute son ampleur, il faut qu'un passeur soit là qui accompagne. Mais ce n'est pas si simple d'être à cette place. Voyons cela.

Le jeune patient — cancer du poumon avancé — est très angoissé, il ignore son diagnostic et va très mal sur le plan somatique. Le médecin bouleversé par la découverte d'un cancer incurable chez un homme si jeune décide d'aller lui parler et de commencer à lui expliciter la situation. Il passe un grand moment avec le patient, ressort de sa chambre épuisé mais pensant lui avoir dit l'essentiel sur sa maladie et persuadé de l'avoir aidé à accepter ces révélations. Pourtant, peu après le départ du médecin, le malade appelle l'infirmière et lui dit: «je ne sais pas ce que me voulait le docteur aujourd'hui, il vient de passer l'après-midi avec moi, il m'a parlé tout le temps mais je n'ai rien compris, mais vraiment rien compris, à ce qu'il m'a dit. Est-ce qu'il va bien ?».

Voilà une tentative de communiquer avec un patient qui se solde apparemment par un échec total. Il est possible que ce qui a fait obstacle à l'échange soit la souffrance et la probable angoisse du patient d'une part et, d'autre part, l'émotion et l'anxiété du médecin. Le but du soignant qui était d'informer le patient, c'est-à-dire de partager des informations avec lui, ce but là n'est, en apparence, pas atteint. Mais la tentative de le soutenir devient-elle du même coup également un échec ? Peut-être s'est-il produit autre chose qu'une communication objective, ce dont témoigneraient l'épuisement du médecin et le questionnement du patient : peut-être le début d'une relation différente...une rencontre ?

La plupart des soignants sont confrontés, sans le vouloir vraiment, à des relations obligatoires, multiples et permanentes avec des patients atteints de maladies mortelles. Les difficultés de telles situations sont évidentes.

L'expérience montre que lorsque l'importance de ces problèmes est reconnue, au plan social et institutionnel, lorsqu'ils sont traités, dans la société et surtout sur le terrain, alors il devient possible d'y faire face. Sinon, si ces problèmes sont ignorés, les soignants sont menacés de se retrouver usés par les deuils succesifs et la présence obsédante de la mort. C'est ce qu'on appelle les phénomènes d'usure ou de brûlure — the burn out syndrom — problèmes d'angoisse et de communication.

La situation hospitalière, en France, commence à changer maintenant pour deux ordres de raisons : l'idéologie hospitalière est sensible à l'introduction de la notion d'accompagnement des patients, et les soignants eux-mêmes sur le terrain aménagent leurs pratiques.

La question de l'idéologie est essentielle. Les soignants sont passés d'un état où ils ressentaient la mort de leurs patients comme un échec qui les laissait désarmés, à une situation qui reconnaît la valeur et l'importance des soins qu'ils prodiguent aux mourants. Le développement des soins palliatifs et l'idéologie de l'accompagnement permettent de réduire beaucoup les souffrances globales des malades. Savoir faire cela quand il n'y a plus rien à faire pour guérir, permet aux soignants de continuer à se sentir utiles et cela renforce, ou maintient, leur sentiment d'identité. Tout cela est d'autant plus vrai si le corps social soutient le mouvement d'accompagnement et lui reconnaît un sens et une fonction, d'où l'importance qu'il y a à promouvoir, dans le public, une claire compréhension de l'accompagnement et de ses enjeux.

L'aménagement des pratiques est tout aussi décisif. Il s'agit moins de problèmes d'organisation ou de technique de soins, que de permettre aux soignants de s'exprimer, de réfléchir ensemble, de se soutenir, bref de s'appliquer à eux-mêmes les principes de l'accompagnement.

Essayons d'illustrer cela à l'aide d'un exemple : il semble impossible de calmer des douleurs consécutives à un envahissement du plexus brachial chez cet homme porteur d'un cancer pulmonaire. La plupart des thérapeutiques de la douleur ont été essayées, avec méthode mais sans succès, alors même que la persistance puis l'aggravation sensible de la douleur détruisent peu à peu les bonnes relations existant entre le malade et les soignants. Le malade parle de douleurs intolérables, il dit que sa vie ne vaut pas la peine d'être vécue ainsi et qu'il préférerait mourir. Il devient agressif à l'égard des soignants. On évolue vers une situation bloquée. La famille parle d'euthanasie.

La seule issue médicale, aux yeux de l'équipe, serait de faire appel à un neuro-chirurgien. Une chirurgie des cordons postérieurs de la moelle ferait sans doute disparaître les douleurs. On en discute beaucoup au sein de l'équipe médicale où apparaissent des tensions entre soignants.

La question est soulevée dans la réunion hebdomadaire des soignants avec l'analyste du service. Une discussion difficile, pleine d'émotions, se déroule dirigée par l'analyste qui essaye d'aider les soignants à s'exprimer et les aide à mieux comprendre le problème. Deux considérations semblent empêcher l'équipe de se décider pour la chirurgie : d'une part le fait de devoir se séparer du patient en le confiant à un autre médecin dans un autre service et, d'autre part, la peur de faire du mal au malade car des séquelles chirurgicales sont à craindre qui réduiraient sans doute la mobilité de sa main droite. Or travailler de ses mains, bricoler un peu, demeure une de ses seules satisfactions.

Dès lors que faire, comment choisir ? C'est dans la réunion de soignants que le médecin responsable décide d'aller en discuter avec le patient lui-même. Le groupe, la discussion en présence de l'analyste du service, lui a permis de s'exprimer, de réfléchir, de recueillir le sentiment de l'équipe : il n'est plus seul, il n'est plus tout à fait le même —

moins angoissé, moins isolé. Il va donc pouvoir aller trouver le malade et lui exposer la situation.

Il lui parle de la perplexité et de l'impuissance relative de l'équipe soignante face à cette douleur qui ne se laisse pas traiter. Cette conversation est possible parce que le médecin se sent soutenu par son équipe. Sans le travail d'élaboration fait en commun au sein du groupe il ne pourrait pas s'adresser ainsi au patient. L'entretien est difficile et émouvant. Mais en ce qui concerne la chirurgie rien n'est finalement décidé car, à la surprise du médecin, le patient, contrairement à ce qu'il avait dit jusqu'alors, affirme pouvoir encore supporter sa douleur. Une décision chirurgicale éventuelle est donc remise à plus tard.

Nous voyons bien qu'en miroir de la souffrance du patient existe une souffrance des soignants, faite d'anxiété, d'indécision, et qu'au désespoir de l'un correspond l'impuissance des autres. Il est clair que l'angoisse du malade éveille et entretient l'angoisse des soignants. Mais l'angoisse de l'équipe a pu être travaillée — élaborée — dans le groupe de soignants et elle a diminué. Que va-t-il se passer pour le patient ? Comment une telle situation peut-elle évoluer ?

La conversation entre le malade et le médecin a un effet inattendu. Rapidement les relations redeviennent bonnes avec l'équipe soignante. L'agressivité disparaît. Peu à peu il va aller mieux, supporter plus aisément la douleur. De lui-même il réclame que l'on allège ses doses de médicaments. Il dit souffrir de moins en moins alors qu'on diminue son traitement antalgique et que sa maladie évolue. La situation devient même si favorable qu'il va pouvoir quitter l'hôpital et reprendre chez lui les activités manuelles auxquelles il tient tant. Pendant des mois il revoit régulièrement le médecin en consultation externe ; il traite désormais lui-même sa douleur à l'aide d'aspirine qu'il ne prend d'ailleurs que par intermittence. L'aggravation progressive de la maladie cancéreuse va se faire sans reprise douloureuse majeure et le patient ne reviendra dans le service que peu de temps avant sa mort.

Force est de constater que dans ce cas l'aveu de l'impuissance relative de l'équipe, la preuve de son intérêt pour le patient — on se préoccupe de lui et on n'a pas envie de le confier à d'autres — ont permis que soit relativisée la perception que le malade avait de sa douleur. Ainsi ont été ré-instaurés des relations confiantes — avec moins d'angoisses réciproques — permettant à la situation de se débloquer. Qu'était cette douleur qui cède ainsi ? Peut-être de l'angoisse somatisée, mais au total qu'importe ?

Cherchons à comprendre la nature de l'échange entre le malade et le médecin. Un bilan partagé et objectif de la situation ? Peut-être, mais il me semble surtout voir là un échange sincère dans lequel le patient peut se sentir pris en compte par l'équipe. Il est pour elle un sujet de préoccupations et elle est disposée à s'occuper de lui. Dès lors il peut s'appuyer sur ces relations positives et remanier la perception qu'il a de la situation. C'est un véritable travail d'élaboration psychique mais qui ne conduit pas à une communication explicite. Il amène un changement de position affective ce qui dénoue une situation bloquée. Ce qui nous intéresse c'est que cette modification, qui intervient au niveau du patient, suit un premier changement intervenu au niveau de l'équipe dans la réunion des soignants. Quand les soignants ont changé, le patient a pu, lui aussi, changer.

La douleur dont souffrait le patient avait une base objective : l'infiltration de son plexus brachial. L'intensité de cette douleur était, elle, modulée par son état psychologique : le désespoir et l'angoisse amplifiant la souffrance. Se sentir bien entouré par les soignants rassure le malade. Cela lui permet de penser, par exemple, que même plus tard quand il ira encore moins bien, il sera entouré et compris. Il peut croire qu'on ne le laissera pas seul et qu'on fera le maximum pour assurer son confort. On comprend que cette conviction soit rassurante dans la perspective de la mort. Cela n'a sans doute pas fait disparaître toute la souffrance ou toute l'angoisse, mais ça a permis une amélioration significative. Ce qui caractérise cet échange c'est donc bien moins le partage d'informations objectives que le partage de préoccupations subjectives et l'authenticité des relations qui s'établissent. Chacun peut alors se préparer pour les futures épreuves. Il y a un travail psychique dans lequel les protagonistes renforcent mutuellement leur sentiment d'identité. Cela confirme le patient dans le sentiment qu'il a d'exister en tant que préoccupation pour quelqu'un et cela lui redonne de la valeur au moment même où il se mettait à douter de la valeur de sa vie.

Se trouve posée au travers de ces deux exemples la question des contenus qui s'échangent dans nos relations avec nos patients. Que disons-nous à nos patients, que nous disent-ils ? Voilà la façon la plus générale d'aborder le problème de la communicatioon du diagnostic et de la soi-disant «Vérité» qui tient tant de place dans les préoccupations des soignants, des patients et des familles. Les exemples que nous venons de prendre montrent bien que même la communication des informations en apparence les plus objectives, voire les plus scientifiques, se heurte aux différents filtres que la situation — la maladie, la présence menaçante de la mort, l'angoisse, etc. — interpose entre les protagonistes. Mais nous voyons aussi que le respect, la sincérité, la compréhension, le souci de l'autre, véhiculent — souvent sans mots — d'autres messages, parfois décisifs, qui en ouvrant des espaces libres pour l'élaboration, créent les possibilités de changements inespérés.

Les moments cruciaux de l'évolution des maladies mortelles sont bien connus : la découverte de la maladie, l'attente et le moment où l'on parle du diagnostic, les moments des examens ou des traitements décisifs et aussi ceux où surviennent des complications qui annoncent l'issue finale. Dans ces moments l'angoisse qui est tout le temps présente, s'accroît et culmine. Psychologique ou somatisée, elle est partagée par le patient, sa famille et les soignants.

La découverte des symptômes qui vont conduire au diagnostic de maladie mortelle est un temps de grande anxiété pour tous. Impossible d'échapper à l'angoisse. Ni le patient, ni ses proches, ni les soignants, ne le peuvent puisque des enjeux de vie ou de mort se présentent. Bien entendu c'est le malade qui reçoit de plein fouet le choc de l'entrée dans la maladie mortelle et cela quels que soient ses moyens de défense. Il sent qu'il se passe quelque chose de décisif.

Il se trouve aux prises avec le paradoxe suivant : il aimerait ne pas savoir ce qui lui arrive pour préserver l'espoir d'un avenir possible et pour prolonger le passé mais, en même temps, il aspire à apprendre la vérité pour échapper au doute angoissant et pouvoir organiser sa lutte contre la maladie. Il y a bien là un paradoxe puisque ces deux désirs semblent s'exclure mutuellement. Le paradoxe est la règle dans ce type de situation : impossible de vivre sans espoir nous disent certains patients qui pourtant vivent sans espoir. Cette situation paradoxale se reproduit dans les mêmes termes à chaque étape de la maladie. Chaque fois que se produit quelque chose de déterminant dont le sens est que le mal se confirme ou s'aggrave, que la mort se rapproche.

Revenons à notre sujet, chacun de nous s'attend à mourir. Pourtant si quelque chose survient qui pourrait bien signifier que la fin approche, surgit un questionnement qui renvoit au paradoxe que nous venons d'évoquer. Est-ce le moment, est-ce déjà le moment ? Non il n'est pas possible que ce soit déjà le moment !

Très vite, la réponse étant implicite, la question change. Elle s'enrichit et se reformule : que va-t-il m'arriver, comment cela va-t-il se passer pour moi, vais-je souffrir, ceux que j'aime et qui m'aiment seront-ils près de moi ou serai-je laissé seul, ma vie garde-t-elle de la valeur maintenant que ma mort approche ?

En somme le patient déplace son questionnement. Les choses étant acquises — la mort se rapproche, qu'on le reconnaisse ou pas — l'important est moins de confirmer cela que d'être assuré de la position que va prendre l'entourage : « nous ne t'abandonnerons pas, tu ne seras pas laissé seul, nous ferons notre possible pour que tu ne souffres pas, oui ta vie reste importante pour nous et elle doit le rester pour toi aussi ». Les réponses de ce type, mêmes implicites, sont celles qui rassurent et permettent que l'élaboration psychique se poursuive.

Il n'est donc pas nécessaire de sortir du paradoxe de la « Vérité » pour que les tensions qu'il génère s'apaisent. Il est moins décisif de répondre à la question de la « vérité du diagnostic » que de répondre à celle de la « vérité de la relation ». La communication d'informations, d'ailleurs plus ou moins objectives, devient secondaire par rapport à la confirmation de l'intérêt humain que l'on ressent à l'égard de la personne malade. La perception par le patient de l'authenticité de la relation de soin a des vertus immédiatement thérapeutiques, c'est-à-dire susceptibles de faire reculer l'angoisse et le cortège de souffrances physiques induites. Cette authenticité permet que s'expriment aussi bien l'attachement que les sentiments négatifs. Elle crée un espace de liberté relative où tout le monde se retrouve et où l'angoisse a sa place mais aussi l'agressivité, la dépression et tous les sentiments négatifs qui ont besoin d'être élaborés.

L'apport des « psy » — psychologues, psychiatres ou/et psychanalystes est important dans ce domaine. Non qu'ils soient des spécialistes de la relation qui se substitueraient aux soignants, mais plutôt parce que leur présence marque l'intérêt de l'institution soignante pour les problèmes psychologiques. Le « psy », quel que soit son mode d'intervention, valorise la relation, la parole, le récit, donc tout ce qui est support de communication. Il participe à ce que soient analysées les difficultés relationnelles ou institutionnelles dont on cherche, avec lui, à comprendre la genèse. Enfin sa capacité à repérer les phénomènes inconscients lui permet de faire sentir aux équipes quelles positions inconscientes elles peuvent prendre, telles la dépresion, l'angoisse, le déni, la colère, la fuite dans l'activisme thérapeutique, etc. Interpréter l'angoisse institutionnelle est ce qui avait été fait pour le dernier patient dont je vous ai parlé.

Pour lui, comme pour tous les patients, chacune des étapes de la maladie constitue un test au cours duquel il évalue ses capacités à faire face à la situation ainsi que les capacités de réponse de ceux qui l'entourent, famille ou soignants. Si ces réponses ne sont pas satisfaisantes et continuent à ne pas l'être au fil du temps, cela augmente l'angoisse et les tensions. Cela diminue les possibilités d'évolution psychologique du patient qui cesse de pouvoir s'adapter à l'aggravation de sa maladie. C'est là que surgissent des douleurs intolérables, que des traitements pourtant bien conduits ne calment pas du tout, que surgissent aussi de graves conflits entre les personnes impliquées et les demandes de mort émanant des patients, des familles ou des soignants.

En médecine, les exemples cliniques sont nombreux qui nous l'enseignent, se parler n'est pas suffisant pour se comprendre. Quand la maladie s'en mêle, a fortiori quand elle envahit le champ de la relation, ou de la conscience, et que la présence de la mort s'impose, échanger devient un problème. Il n'est guère facile de dire la mort qui vient, guère facile non plus d'écouter celui qui en parle, parfois il est impossible d'échapper à la souffrance qui peut envahir le champ de la conscience du malade et celui de la relation.

Les difficultés de la maladie et de l'approche de la mort trouvent un terme ultime — n'est-ce pas là que culmine l'angoisse ? — dans le sentiment que ressent le patient que sa vie n'a plus de valeur et qu'au travers des changements physiques et des souffrances qu'il subit il perd sa dignité Il s'agit d'une véritable dissolution du sentiment d'identité dans la douleur physique et la souffrance morale. Parce que son image se modifie et s'altère peu à peu, il a l'impression de n'être plus lui-même. Il perçoit alors la vie comme un fardeau et se sent une charge pour ceux qui l'aiment. Cela peut être d'autant plus fort que l'entourage, confronté à sa propre angoisse, ne sait pas toujours combattre le sentiment de dépersonnalisation du patient et peut sembler acquiescer à l'idée qu'il a que sa vie ne vaut plus la peine d'être vécue et que sa dignité s'estompe.

Le sentiment de l'inutilité de la vie est d'autant plus fort que les souffrances physiques, d'origine somatique ou psychologique, sont plus importantes. Un cercle vicieux peut s'établir dans lesquelles ces souffrances physiques et psychologiques s'intriquent, se majorent respectivement, laissent le champ libre à la dépression, à toutes les angoisses et conduisent à des situations extrêmes.

L'affirmation du patient : «ma vie ne vaut plus la peine d'être vécue» peut s'entendre comme une question angoissée qu'il nous adresse. «À tes yeux à toi qui en es le témoin, la fin de ma vie garde-t-elle une valeur, vaut-elle la peine d'être vécue? Ai-je conservé, malgré les transformations physiques, ma qualité de personne et ai-je encore une «identité à advenir» dans le processus même de ma mort?». Question déterminante puisqu'y répondre par la négative c'est faire mourir le patient deux fois : symboliquement et réellement. Symboliquement en le laissant croire à sa déchéance et à l'inutilité de sa vie, réellement parce que cela conduit souvent encore à ce que soit réclamée ou simplement prescrite une perfusion létale. On tue ainsi le sentiment d'identité puis la personne elle-même.

Répondre à l'interogation anxieuse du patient : «ta vie compte pour moi, elle a de l'importance pour toi et pour ceux qui t'aiment» laisse ouvertes les possibilités de faire quelque chose de l'angoisse même qui suscite l'interogation. C'est la porte ouverte au travail d'élaboration personnelle, dernière étape de la relation à soi-même qui permet que s'écrivent les derniers chapitres de la relation à autrui. Cette réponse n'a pas besoin d'être communiquée verbalement. Elle se traduit par les attitudes et les gestes de l'accompagnement qui rendent possible, en assurant un confort minimal, une ultime élaboration de l'angoisse et du désespoir. L'expérience nous a appris qu'une telle réponse à l'interrogation des patients a un effet considérable sur l'angoisse elle-même et aussi sur les symptômes douloureux.

L'accompagnement apparaît là comme la seule réponse possible à ce qui perdure de souffrance et d'angoisse malgré les soins. Bien plus qu'une technique, c'est un rite de passage qui n'avance pas l'heure de la mort mais tente d'y préparer les protagonistes. Au travers des communications qu'il implique, verbales ou non verbales, et qui n'ont rien à voir avec ce que le monde contemporain appelle la communication, l'accompagnement sauvegarde, et parfois même enrichit, le sentiment d'identité de ceux qui y participent. L'identité des soignants qui se montrent cohérents avec eux-mêmes et l'identité du patient qui est préservée, en dépit des bouleversements qui le transforment. Cela l'assure qu'on le reconnaît, qu'il est resté lui-même et qu'on continue à l'aimer, qu'on accepte qu'il soit ce qu'il est devenu.

Références

Baudry, P. *Pour une sociologie de la violence,* Éd. du Cerf, Paris, 1986.

Baudrillard, J. *La transparence du Mal,* Éd. Galilée, Paris, 1990.

Collectif sous la direction d'E. Hirsch,Partir, Paris, Éd. du Cerf, 1986.

Collectif. *Réflexions autour de l'euthanasie,* Revue de la fédération JALMAV, no 13, juin 1988.

Fédida, P. *L'absence,* Éd. Gallimard, 1978.

Freunberger & Richelson. *Burn Out: the High Cost of High Achievement,* Garden City, Doubledy & co., New York, 1980.

Goldenberg, E. *Près du mourant, des soignants en souffrance,* Études, novembre 1987, pp. 483-497.

Higgins, R.-W. *La mort, la psychanalyse et la question de la «bioéthique»,* Psychanalystes, 21, Paris, 1986.

Illich, I. *Némésis médicale. L'expropriation de la santé,* Paris, Seuil, 1975.

Marin, I. *La dignité humaine, un consensus?,* communication personnelle à paraître.

Marin, I. et Higgins, R.-W. *La relation au malade atteint de cancer bronchopulmonaire,* Rev. Mal. Resp., 1984, 1, pp. 277-284.

Quenneville, Y. *Les mots pour le dire,* Frontières, 1, I, 1986, p. 61.

Roy, Claude. *L'étonnement du voyageur,* Éd. Gallimard, Paris, 1990.

Sebag-Lanoë, R. *Mourir accompagné,* Desclée du Brouwer, Paris, 1986.

Verspieren, P. *Face à celui qui meurt,* Éd. Desclée du Brouwer, Paris, 1984.

Au-delà des opiacés

Dʳ Marcel Boisvert[1]

Nous avons tous un cimetière personnel. Le mien compte 4 000 morts. Cette conférence est dédiée à ces morts. Depuis le début des soins palliatifs, il y a 15 ans, jusqu'au programme sur la mort à l'UQAM, beaucoup de chemin a été parcouru. Le mouvement thanatologique se donne une mission, entraînant un risque de galvaudage et de banalisation. Le danger de la professionnalisation de la mort est là. Le piège est subtil et l'ambiguïté demeure. Toute mission est généralement réductionniste et s'identifie parfois, jusqu'à la fierté, par un simple slogan. La mission débouche souvent dans l'incohérence entre le missionnaire et l'objectif poursuivi. On n'a qu'à penser à l'incohérence du langage des soins palliatifs qui prêche l'autonomie du malade mais qui fait volte-face et refuse l'euthanasie. Pourtant certains éthiciens et moralistes disent que certaines situations se retrouvent en marge de toutes les règles. D'ailleurs, quand on discute d'euthanasie, il ne faut *jamais* dire qu'on est pour ou contre. Quand un orthopédiste fait une amputation, ce n'est pas parce qu'il est pour ou contre. C'est parce que c'est nécessaire, c'est le moindre mal. Dire qu'on est pour ou contre met l'emphase sur celui qui parle, et non sur le malade qui doit être respecté.

---

1. Responsable des soins palliatifs à domicile à l'hôpital Royal Victoria de Montréal.

Une dignité imaginaire ?

Il faut se méfier des slogans : le Québec aux Québécois ! Démédicaliser la mort ! Mourir avec dignité ! Je vous mets en garde contre un colloque de trois jours où les principaux acteurs, les mourants, sont absents. S'agira-t-il de leur dignité ou de celle que nous imaginons ? Mourir avec dignité est un euphémisme qui cache une laideur que nous ne pouvons démasquer. La dignité des dictionnaires n'a pas été définie au chevet des mourants. Le colloque aurait dû s'appeler « Mourir avec le moins d'indignité possible ».

Dignité et douleur n'ont de vrai sens qu'à la première personne du singulier. Dignité et douleur sont des notions subjectives. Certains patients qui me semblaient très dignes m'ont avoué combien c'était indigne de se faire vidanger l'intestin, mettre une couche, nourrir à la cuillère. La seule dignité est celle que nous voyons. L'infirmière qui inscrit au dossier « mort paisiblement » emploie un euphémisme pour dire « mort au bout de son coma ».

La mort digne est l'exclusivité du soldat tué au combat ou du policier ou du pompier tués en devoir pour une cause qu'ils ont choisie. Pour nos patients, il ne reste que la résignation et l'acceptation de l'inévitable. Quel mérite y a-t-il à se plier à l'inévitable ? Les malades m'ont fait comprendre qu'on ne peut pas savoir si la vie d'un autre vaut la peine d'être vécue. La douleur et la souffrance résistent parfois aux narcotiques puissants.

La médecine analyse tout, dissèque tout. On ne soigne que les maladies, pas les malades. La recherche médicale élargit le fossé entre le soignant et le soigné. Heureusement, la recherche sur la douleur a eu des résultats éclatants. On est passé de 90% à moins de 10% de patients affligés de douleurs mal contrôlées. Ces recherches ne sont pas analytiques mais synthétiques, comme ces superbes horloges transparentes dont on peut voir toutes les pièces. L'hérédité, les dispositions psychologiques jouent un rôle sur la souffrance. Il faut arrêter de « démonter l'horloge ». Il faut traiter le patient et non le cancer.

Au milieu des années '60, Elizabeth Kubler-Ross (avec *On Death and Dying*), Cecily Saunders, Victor Frankl, Ronald Melzack, entreprenaient une nouvelle démarche, une redécouverte de l'humain. À cette époque, 60 à 80% des malades cancéreux avaient des douleurs mal contrôlées. On s'acharnait à détruire les cellules cancéreuses. Dans un traité de cancérologie de 5 000 pages, 15 seulement étaient consacrées à la douleur. Pourtant, plus la douleur est sévère, moins bonne est la réponse au traitement, plus courte est la survie du patient. On ne parlait pas de la douleur parce que douleur voulait dire mort, et mort voulait dire échec. En 1975 au Royal Victoria, seulement 10 à 15% des médecins et des infirmières disaient la vérité au patient. Aujourd'hui la proportion est inversée. Mais on a encore de la difficulté à savoir comment le dire. Les choses commencent heureusement à changer grâce à des gens comme Kubler-Ross.

En 1967, Cecily Saunders fondait l'hospice St. Christopher's à Londres. On y favorisait l'approche au mourant par le dialogue. L'usage des narcotiques était libéralisé, ce qui a permis de constater qu'on avait exagéré les dangers d'accoutumance et de troubles respiratoires. On réussissait à contrôler les nausées, les vomissements, la sécheresse de la bouche, la constipation, les râles terminaux, les occlusions intestinales. Tout ça sans nouveau médicament miracle mais en portant attention au patient. Certains appellent ça de la médecine à l'eau-de-rose, parce qu'on ne peut pas analyser ces progrès avec des prises de sang. Mais cette approche holistique fonctionne. Moins de 5% des patients du St. Christopher's ont des douleurs incontrôlables.

La dégénérescence physique est très dure à supporter en soi : perte d'un sein, haleine fétide, etc. Saunders a aussi étudié l'effet psychologique de la maladie : faiblesse, dépendance physique, etc. La quasi-totalité des demandes d'euthanasie qui me sont adressées sont dues à la faiblesse et non pas à la douleur. Pour plusieurs patients, il n'y a pas de dignité possible sans un minimum d'autonomie. Sur ces photos de personnes atteintes de cancer que vous voyez, on y lit plus la tristesse que la douleur.

La médecine a entendu le « sermon sur la montagne » de Saunders mais ne l'a pas entièrement intégré. La médecine fait de l'acharnement thérapeutique mais c'est la société qui le veut en grande partie. Tout le monde veut survivre. Walt Disney s'est fait congeler ; on se fait greffer cœur, rein, foie ; on veut une chimio de quatrième ligne. Et quand tout ça échoue, on crie à l'acharnement.

La science commence à peine à « remonter l'horloge ». L'éducation, l'hérédité, l'environnement, les joies, les peines, tout influe sur le système endorphinique pour moduler le stress et la douleur, réels ou anticipés. Rire ou pleurer font partie du paysage cancéreux. Voltaire disait « j'ai choisi d'être heureux parce que c'est meilleur pour la santé ».

Ronald Melzack et Patrick Wall de McGill ont proposé dans les années '60 une nouvelle théorie de la douleur. La conception de la douleur n'avait pas changé depuis Descartes il y a 350 ans. Un stimulus douloureux résultait en un message transmis au cerveau pour y déclencher une réaction appropriée d'évitement. Cette définition ne donnait pas d'explication pour les blessures graves déclenchant peu ou pas de douleur, ni pour les douleurs intenses sans cause apparente.

La théorie de Melzack suppose des mécanismes de contrôle ou de modulation de nos expériences douloureuses. Les messages douloureux, avant d'être relayés au cerveau par les cellules de transmission, sont d'abord rapidement transmis à divers centres supérieurs (instinct, motivation, etc.) pour évaluation. Il en résulte une appréciation retransmise à la moelle épinière dont dépendra la nature du message-même finalement conscientisé. C'est la théorie du portillon : un mécanisme pouvant augmenter ou diminuer la perception douloureuse.

Dix ans plus tard, on commence à vérifier scientifiquement la théorie. Les stimulations du cerveau produisent de l'endorphine, une substance vingt fois plus puissante que le sulfate de morphine. On a découvert également d'autres mécanismes analgésiques plus efficaces qui sont activés lors de stress excessifs qui menacent la vie. Il semble, dans le monde animal, que la peur de la proie devant le prédateur provoque une analgésie presque totale. Des cellules cancéreuses injectées à des souris se développent plus vite chez celles soumises à des douleurs inévitables que chez celles soumises à des douleurs évitables.

Le seuil de la douleur dépend de l'hérédité, de la culture, du sens qu'on donne à la douleur. On peut réduire l'effet de la douleur en distrayant le patient. Et tous connaissaient l'effet placebo : un gros comprimé est plus efficace qu'un petit, deux comprimés sont plus efficaces qu'un, le comprimé rouge est plus efficace que le blanc.

Regardons maintenant la personne même. Pour faire un mauvais jeu de mots, il faut regarder la personnalité et pas seulement la personne alitée... ! Il faut connaître la personne, son passé. Le philosophe francais Marie-Madeleine Davy écrivait dans *Itinéraires* : « J'ignorais que le vivant et le pré-mort habitent deux rives qui ne peuvent communiquer. Aucune frontière ne les relie ; l'un et l'autre n'appartient pas au même temps. Nos mots pour eux comme les leurs pour nous ne peuvent avoir la même résonnance ». Nous cherchons tous un sens à la vie. Plus on trouve un sens à la vie, plus l'acceptation du destin va être facilitée. Il faut aider le mourant à trouver un sens à sa vie.

Toutefois, il ne faut rien négliger sur le plan physique et médical. Les ressources du domaine de la santé doivent être utilisées. Il ne faut pas remplacer l'acharnement thérapeutique par un sédentisme farci d'hyper-sédation. Les soins palliatifs doivent être des soins intensifs aux mourants où tous les raffinements thérapeutiques sont disponibles en même temps qu'une attention minutieuse aux détails. Le mourant a besoin de voir dans les accompagnants un compagnon ou une compagne de route. Accompagner veut dire en latin « manger son pain avec ». Il faut donc être très près du patient.

Les mourants sont les mieux qualifiés pour apprécier les sourires vrais, et même l'humour et les chansons joyeuses. Ils apprécient la douce et irremplaçable chaleur des mains. La mort dans la dignité est impensable sans la tendresse autour. La tendresse ne craint pas de sortir des sentiers battus.

Il faut faire une grande place au Dieu de chacun. La médecine et la société ont déspiritualisé l'homme. Le spirituel et le religieux prennent une dimension insoupconnée face à la mort. Le sens religieux aide à accéder à une certaine dignité du mourir.

Le mourant a besoin de témoins autres que ses proches. Les messages intimes restent dans le cercle de la famille. Mais les messages profonds, comme celui de sourire à la mort, veulent s'adresser au monde, que symbolisent les soignants, les étrangers, les bénévoles. Ces derniers doivent assurer une présence, être prêts à recevoir les messages et à les transmettre.

S'agit-il de courage ou de dignité ? Je ne le sais pas. J'entretiens le doute à dessein. Je ne voudrais pas appeler dignité ce que le patient voit comme indigne et qu'il considère comme du courage. La dignité dans le mourir n'est pas à facile portée de main. L'aide aux malades doit commencer par la recherche de tous les instants du meilleur confort physique possible. Ce confort ne sera obtenu que dans l'optique de la douleur totale de Saunders où les narcotiques ne sont qu'un des éléments propres à soulager la douleur et la souffrance. Ceci nous oblige à considérer le malade dans sa globalité.

Mourir avec dignité déborde le champ de la médecine et de la pharmacologie. Mais parfois les médecins ne sont pas les seuls à l'oublier.

Aspect clinique

Mourir à l'hôpital

La réanimation

L'ombudsman hospitalier

Le rôle des administrateurs

Réapprivoiser la mort

L'accompagnement

Bien dire la vérité

Une expérience intéressante en région

Le décès péri-natal

La mort des enfants

La mort des sidéens

Mourir à l'hôpital

Dᴿ CÉLINE CROWE[1]

Comment meurt-on dans nos hôpitaux québécois en 1991? On trouve dans chaque catégorie d'établissements une attitude différente à l'égard de la mort. Cette attitude diffère aussi entre centres hospitaliers de catégories semblables, et même au sein d'une unité de soins à une autre.

Les professionnels de la santé sont formés pour sauver des vies. Mais que faire quand l'intervention curative n'est plus indiquée? Certains professionnels, et en particulier dans les centres hospitaliers de soins de courte durée, sont pris au dépourvu lorsque la mort est inéluctable.

Ceux qui travaillent en soins palliatifs et en soins prolongés ont appris d'expérience que leur clientèle a besoin d'empathie, de compréhension, d'accompagnement et d'une intervention efficace. Non pour sauver leur vie mais pour les soulager et leur permettre de vivre une fin de vie de qualité dans le respect et la dignité.

La clientèle admise en hébergement est habituellement atteinte d'une pluri-pathologie évolutive et irréversible. Assurer une mort digne à ces patients qui ont parfois ressenti avec humiliation leur perte d'autonomie et qui ont dû apprendre, souvent malgré eux, à vivre en communauté à 80 ans, représente tout un défi pour le personnel.

Pour y arriver, il n'y a qu'une solution: l'approche globale, interdisciplinaire, qui met à contribution non seulement les intervenants, mais aussi la famille et le bénéficiaire lui-même. Le but recherché par tous:

---

1. Directrice des services professionnels du C.H. Côte-des-Neiges à Montréal.

favoriser une qualité de vie optimale, car pour mourir dignement, il faut vivre dignement.

Le bénéficiaire et sa famille

Il faut en premier lieu clarifier les choix du bénéficiaire. Quel type d'intervention désire-t-il? Quelles sont ses valeurs de référence? Qu'est-ce qui est important pour lui? Que veut-il faire du temps qui lui reste à vivre? Pour l'aider à répondre à ces questions, il faut s'assurer qu'il possède les renseignements nécessaires sur son état de santé et qu'il les comprend. Il faut enmsuite développer une bonne relation avec lui pour pouvoir l'accompagner tout au long de son cheminement, car le patient entre dans une longue réflexion qui ne s'achèvera qu'à la mort.

La famille est également un partenaire important. Pour les bénéficiaires confus, c'est avec elle qu'il faut prendre les décisions concernant les soins. Il faut aider les membres de la famiulle à accepter la situation. Ils ont parfois, eux aussi, un long cheminement à faire, surtout lorsqu'ils font face à la mort pour la première fois. Nous devons souvent leur faire comprendre les limites de l'acharnement thérapeutique. Il faut alors consacrer du temps à la discussion et à l'échange d'information, les rassurer et leur expliquer qu'en maniant correctement la médication et en rendant les soins infirmiers requis, on parvient à assurer un certain confort à leur parent,.

Du côté des intervenants

Il est important que les intervenants favorisent les contacts entre le bénéficiaire hébergé et sa famille. Par exemple, nous avons célébré quelques baptêmes chez-nous, dont un très touchant l'an dernier. Mme Unetelle était croyante et très proche de sa famille. La mort était proche. Le baptême de son petit-fils prenait pour elle une dimension particulière. Comme elle ne pouvait sortir, le baptême a eu lieu à la chapelle de l'hôpital. Mme Unetelle a pu y assister, prendre le bébé dans ses bras et lui chanter la berceuse qu'elle avait chantée à ses enfants. Elle est décédée au cours de la semaine suivante. La famille et le personnel étaient heureux qu'elle ait connu cette joie avant de mourir.

Un autre exemple démontre l'importance d'être à l'écoute des besoins des bénéficiaires. Une mère était inquiète de l'avenir de son fils adulte atteint d'une déficience intellectuelle. Qui prendra soin de lui après sa mort? se demandait-elle Nous avons réglé ce problème avec elle. Autrement, elle aurait vécu de terribles angoisses à l'heure de sa mort. Il est important, dans la mesure du possible, d'aider ces personnes à résoudre les situations ou les conflits qui les affectent.

Des gestes de solidarité

Chacun doit adapter son art aux besoins particuliers de cette clientèle. Le médecin doit être bon clinicien pour établir un diagnostic précis qui facilitera la prise de décision, pour éviter d'avoir recours à des examens inutiles, pour dépister et traiter ce qui est «traitable» et enfin pour reconnaître le moment où il est préférable de ne pas traiter. Il faut admettre qu'en fin de course, il n'est plus question de guérir mais bien de contrôler la maladie et les symptômes. L'infirmière jouera un rôle de première importance dans cette recherche de bien-être pour le bénéficiaire.

D'autres professionnels peuvent également être mis à contribution. Ainsi, la diététiste peut modifier la texture des aliments et tenter de satisfaire «les petits caprices», ce qui contribue à adoucir les derniers moments. Il ne faut pas négliger non plus le rôle du personnel des loisirs et des bénévoles qui apportent sourire, gaieté et spontanéité dans ce monde institutionnel. Chacun doit être prêt à prendre la relève.

J'ai été témoin de gestes de solidarité: un inhalothérapeute rassurant une famille, un membre de l'entretien ménager offrant un verre d'eau, des infirmières assumant certaines tâches d'une consœur afin que cette dernière puisse consacrer plus de temps à un mourant, une infirmière profitant d'un moment de répit pour se rendre près d'un mourant même s'il n'était pas sous sa responsabilité. J'ai vu des familles qui ont pu faire un accompagnement paisible parce qu'elles recevaient un soutien chaleureux des professionnels.

Mourir dignement en institution est possible, pourvu que l'ensemble du personnel partage la même philosophie, accepte d'y mettre toute l'énergie nécessaire et développe son habileté à travailler en équipe.

La réanimation

JOCELYNE SAINT-ARNAULD[1]

La réanimation des malades qu'on aurait considérés morts autrefois est une pratique non seulement courante mais impérative dans les hôpitaux d'aujourd'hui. Quand les antécédents médicaux du malade ne sont pas connus, les manœuvres de réanimation sont toujours entreprises. C'est le principe du respect de la vie qui justifie cet interventionnisme.

Il faut comprendre que dans les situations où une réanimation est envisagée, le temps est toujours limité; l'intervention doit se faire rapidement faute de quoi de graves séquelles s'ensuivent. Le malade n'est pas alors en condition physique pour accepter ou refuser la réanimation et, sans indications du contraire, l'équipe de soins initie les manœuvres de façon à sauver la vie de la personne qui est en arrêt cardiaque et/ou respiratoire. Cependant, la réanimation pose des problèmes d'éthique. Doit-on utiliser une méthode aussi lourde pour prolonger la vie de personnes dont les diagnostics et pronostics sont très sombres?

Les choses se présentent différemment selon le lieu où se trouve le malade au moment de l'arrêt cardio-respiratoire.

---

1. Professeure à l'Université du Québec à Montréal. Co-auteure du livre *La réanimation cardio-respiratoire au Québec: statistiques, protocoles et repères éthiques*, Fides, 1990.

À domicile

Si l'arrêt cardio-respiratoire a lieu à domicile, le médecin d'Urgence-santé décide s'il y aura ou non réanimation. Il est possible que les techniciens arrivent en premier sur les lieux. Si c'est le cas, ils initient les manœuvres en attendant l'arrivée du médecin qui décidera de poursuivre ou de tout arrêter. Le même scénario se produit quand un malade fait un arrêt cardio-respiratoire dans l'ambulance qui le conduit à l'hôpital. Les ambulanciers initient les manœuvres qui seront poursuivies ou cessées en arrivant à l'Urgence de l'hôpital.

À l'hôpital

Si l'arrêt cardio-respiratoire a lieu à l'hôpital et que le médecin traitant n'a pas écrit au dossier qu'il n'y aura pas de réanimation pour le malade, il sera réanimé. Au moment de l'arrêt, les infirmières initient les manœuvres et attendent l'arrivée de l'équipe spécialisée. Durant la réanimation, aucun signe clinique n'indique quelle sera la récupération fonctionnelle du patient. Cependant, tous les efforts sont fournis quand il est clair que le rythme cardiaque pourra être rétabli.

L'analyse des statistiques gouvernementales pour les années 1986-87 indique que lors de massages cardiaques externes, 55% des réanimés meurent le jour même; 67% meurent dans les trois jours suivants; 77% dans les dix jours suivants. Finalement, 83% mourront sans avoir pu quitter l'hôpital. 76% des réanimés ont plus de 60 ans; 76% des réanimés de plus de 40 ans sont déjà hospitalisés.

L'interventionnisme propre à la médecine d'urgence n'est pas toujours appliqué dans la pratique courante. Si c'était le cas, toutes les personnes qui terminent leur vie à l'hôpital (85% de la population) seraient réanimées puisque toute personne meurt d'un arrêt cardiaque ou respiratoire. Ce n'est pas le cas et de plus en plus de médecins vont inscrire au dossier une prescription à l'effet qu'une personne dont les diagnostics et pronostics sont très sombres ne doit pas être réanimée.

À cet égard, il existe des politiques informelles dans la pratique courante hospitalière. Ainsi, la décision de ne pas réanimer sera prise selon l'une des quatre stratégies suivantes:

1. La décision est prise par le médecin traitant avec ou sans consultations.

2. Le médecin consulte le patient et/ou sa famille s'il a des doutes sur les bénéfices d'une éventuelle réanimation.
3. Le médecin consulte le patient, la famille et un confrère. S'il y a un consensus, il inscrit une note au dossier.
4. Le médecin consulte, en plus des personnes ci-haut mentionnées, l'équipe multi-disciplinaire et/ou le comité d'éthique ou de bio-éthique de l'hôpital dans le but de parvenir à un consensus entre des parties opposées.

En 1989, il y avait 28 hôpitaux qui avaient adopté une politique formelle de non-réanimation ou de cessation de traitement. Quelques-uns de ces hôpitaux (6) avaient adopté la politique formulée par la Déclaration conjointe concernant les malades en phase terminale proposée en 1984, par l'Association médicale canadienne (AMC), l'Association des infirmiers et infirmières du Canada (AIIC) et l'Association des hôpitaux du Canada (AHC). D'autres hôpitaux ont formulé leur propre politique.

Après avoir précisé les principes cliniques et éthiques sur lesquels ils s'appuient, les protocoles officiels suggèrent une marche à suivre dans le processus décisionnel qui conduit à la rédaction d'une ordonnance de non-réanimation ou de cessation de traitements. Plusieurs de ces protocoles s'étendent non seulement aux malades en phase terminale mais aussi aux malades chroniques souffrant de maladie débilitante et aux personnes en coma irréversible. Ils s'appliquent parfois aux malades en phase pré-terminale et même à l'ensemble des personnes hospitalisées. Dans certains hôpitaux de soins prolongés, on demande aux patients à leur arrivée s'ils veulent ou non être réanimés.

Les politiques officielles n'imposent pas de règles strictes, mais suggèrent plutôt des lignes directrices qui définissent les principes décisionnels en cause selon le contexte de l'intervention tout en tenant compte des exigences de la loi. Les valeurs en cause sont le respect de la vie, l'autonomie de la personne et le bien-être du malade. **Dans une situation d'urgence, le respect de la vie est la valeur primordiale à respecter. Dans toutes les autres situations, on accorde la priorité au respect de l'autonomie de la personne.** Ce principe fait appel concrètement au respect de la volonté de la personne lucide, c'est-à-dire la personne qui comprend l'information reçue et les conséquences de ses choix. En ce sens, le médecin doit informer le patient de ses diagnostic et pronostic, des traitements possibles, des conséquences anticipées de ces traitements sur la durée et la qualité de la vie éventuellement prolongée. C'est ensuite au malade de décider s'il veut être ou non réanimé.

Les politiques formelles de non-réanimation ne mettent pas les médecins à l'abri des poursuites. Elles en diminuent quand même les risques en offrant un ligne de conduite officielle qui partage les responsabilités décisionnelles. Une ordonnance de non-réanimation écrite au dossier, faisant état des raisons la motivant et des consultations effectuées, est une meilleure protection contre les poursuites qu'une ordonnance verbale ou qu'un interventionnisme complet qui ne tiendrait pas compte des indications cliniques et éthiques pertinentes pour une non-réanimation.

Dans une enquête menée en 1981 auprès des médecins du McMaster Medical Center de Hamilton où une politique de non-réanimation a été instaurée, 70% des médecins indiquent qu'une telle politique a clarifié la discussion, la décision et la documentation relatives aux soins du patient; 64% pensent que la politique de non-réanimation rend plus facile la discussion du pronostic avec le patient et sa famille; enfin, 72% pensent que la politique de non-réanimation a rendu possible une discussion plus ouverte entre les professionnels de la santé sur les sentiments et les dilemmes en cause.

L'ombudsman hospitalier[1]

FRANCINE BERGERON[2]

L'ombudsman hospitalier représente les patients d'un hôpital auprès de l'administration. Il est un praticien de la justice douce en corrigeant à la source les erreurs et les injustices. Les centres hospitaliers sont devenus de vastes organisations complexes et déshumanisées. L'ombudsman redonne un visage plus humain à l'hôpital. Les premiers ombudsmans hospitaliers sont apparus à la fin des années '50 aux États-Unis sous le nom de *patient representatives*. Au début des années '70, le Jewish General Hospital et l'Hôtel-Dieu de Montréal créaient des postes similaires. On retrouve aujourd'hui 35 ombudsmans hospitaliers au Canada dont près de la moitié sont au Québec, principalement dans la région montréalaise.

On peut dégager deux grandes fonctions de l'ombudsman: la fonction information-communication, et la fonction représentation-défense des droits. L'ombudsman informe le patient sur ses droits à l'accès à l'information sur les procédures de traitements. Il renseigne le patient (s'il y a lieu) sur l'existence de comités de bénéficiaires et sur le mécanisme de dépôt des plaintes. Il informe le patient sur ses propres limites à traiter les plaintes et lui suggère le cas échéant des alternatives.

---

1. De plus en plus d'hôpitaux jugent nécessaire la présence d'un ombudsman. Quel est exactement le rôle de l'ombudsman hospitalier? C'est ce que cet article nous apprend.
2. Ombudsman à l'hôpital du Sacré-Cœur de Montréal.

Dans sa fonction de représentation, l'ombudsman occupe un poste privilégié. Il est le porte-parole du patient et peut faire des recommandations aux cadres supérieurs de l'hôpital. Il a l'avantage de connaître les rouages de l'administration hospitalière devant laquelle le patient se sent démuni. On dit que dans les premières quarante-huit heures d'une hospitalisation, le patient peut avoir à faire avec 32 intervenants différents !

Les objectifs de l'ombudsman

L'ombudsman hospitalier poursuit sept objectifs précis :
- assurer la protection du bénéficiaire ;
- s'assurer que les orientations et politiques du centre hospitalier respectent les besoins réels des bénéficiaires et suggérer les changements qui s'avèrent nécessaires ;
- contribuer au maintien et à l'amélioration de la qualité de vie des bénéficiaires hébergés ;
- informer et orienter la famille, les bénéficiaires et les intervenants quant aux droits des patients ;
- fournir aux bénéficiaires un mécanisme leur permettant de commenter le processus et le résultat du traitement des plaintes ;
- contribuer à la qualité des services en assurant la surveillance et la protection des bénéficiaires tout au long du traitement des plaintes ;
- faire l'analyse et la distribution à l'intérieur du centre hospitalier de la nature et de l'étendue des plaintes et de la rétro-action des patients ; formuler les recommandations appropriées pour corriger ou améliorer les situations politiques ou les comportements inadéquats.

Dans le traitement des plaintes, l'ombudsman cherche d'abord à identifier les faits reliés à la plainte. Il cherche ensuite avec le bénéficiaire une alternative soit en matière de pratique, soit en matière de procédure ou de politique. Suit une rencontre avec l'intervenant afin de trouver une alternative pouvant rallier les désirs et les droits du malade avec le plan de soins.

L'ombudsman agit comme un collaborateur dans la résolution du problème ou du conflit. Il est un consultant pour de nouvelles approches ou de nouvelles politiques. Il offre également son expertise pour la résolution des conflits entre les droits du patient et la pratique clinique. L'ombudsman hospitalier est un agent de changement.

Même s'il a un préjugé favorable envers le patient, l'ombudsman n'est pas un avocat qui défend le patient. C'est un conciliateur. Il doit regarder avant tout le bien-fondé de la plainte. L'ombudsman est un allié du patient qui possède de l'influence auprès de l'administration. L'ombudsman rattaché à un établissement est plus facilement accepté par la direction et a plus facilement accès à l'information nécessaire à son travail. Ce qui ne veut pas dire que le centre hospitalier doive abdiquer ses responsabilités en laissant tous les problèmes à l'ombudsman.

Face à l'approche de la mort, l'ombudsman a un rôle à jouer. Les derniers jours du mourant amènent souvent des conflits entre la famille et les intervenants. La famille, face à une situation difficile, accuse parfois certains intervenants d'incompétence. Ces derniers, quant à eux, trouvent souvent envahissante la famille. L'ombudsman peut intervenir pour adoucir les frictions et rapprocher la famille et les intervenants. Il veillera surtout à ce que la patient ait son mot à dire sur la façon dont il va finir ses jours. C'est le philosophe Jacques Grand'maison qui disait: «Si nous ne donnons pas la priorité à ceux qui n'ont que leurs droits sans pouvoir, c'est notre propre droit, le droit lui-même, que nous abolissons.»

Le rôle des administrateurs[1]

JEAN-MARIE GIRARD[2]

Il est important dans un centre d'accueil d'organiser les lieux pour que les mourants puissent voir leurs proches. Les chambres du centre Beaumanoir comprennent deux ou trois lits. L'intimité est plus difficile à préserver. Il y a environ six ans, suite aux demandes du comité de bénéficiaires, nous avons fait aménager des appartements spéciaux pour les mourants et leur famille. Nous avons appelé ces appartements *l'Escale*. Ces espaces spéciaux permettent de marquer un temps d'arrêt avant d'arriver à bon port.

L'aménagement physique des lieux n'est toutefois pas suffisant pour assurer aux bénéficiaires une belle mort. Il faut toujours être à l'écoute du malade. Madame Juliette, grande cardiaque, m'a un jour demandé d'aller la voir à sa chambre. Depuis quelques mois, elle était hospitalisée presque toutes les fins de semaine pour des crises d'angoisse. Elle était épuisée de ce va-et-vient constant. Elle voulait mourir à Beaumanoir, mais l'idée de la mort l'angoissait et provoquait des crises nécessitant une hospitalisation. Je lui demandai si elle voulait que je l'aide à

---

1. Les directeurs généraux d'institution ont peu de temps de temps à consacrer personnellement aux grands malades, même si ceux-ci cnstituent l'essentiel de leur clientèle comme c'est le cas, de plus en plus, dans les Centres d'Accueil. Rien n'empêche toutefois un directeur d'intégrer la sollicitude pour les mourants à l'ensemble des décisions administratives qu'il prend.
2. Directeur général du Centre gérontologique Beaumanoir de Chicoutimi.

préparer son grand départ. Elle a accepté. Elle ne voulait plus retourner à l'hôpital et a demandé qu'on en avise sa fille et son médecin.

À partir du moment où madame Juliette a pris sa décision, ses crises se sont espacées de trois à quatre semaines. Elle est devenue calme et sereine. Deux mois plus tard, elle a demandé à être transférée à l'Escale. Elle mourut accompagnée par sa fille et des bénévoles. Sa fille fut tellement satisfaite de la façon dont les choses s'étaient déroulées qu'elle est devenue présidente du comité d'accompagnement.

Cette anecdote voulait montrer que l'organisation humaine d'un centre d'accueil, les visages familiers, était souvent plus importante pour les malades que l'aménagement physique des lieux.

Réapprivoiser la mort

CÉCILE GAGNÉ[1]

L'accompagnement du mourant est une interrogation et un engagement. Il s'agit de savoir ce que nous faisons et ce que nous ne faisons pas aux malades dans leur dernière période de vie. Les accompagnants peuvent soulager la souffrance physique et morale. Mais ils ne veulent pas devenir des *spécialistes* de la mort.

La mort se présente-t-elle aujourd'hui de la même façon qu'hier? On constate de plus en plus d'intérêt pour ce sujet chez les historiens contemporains. Depuis 1975, Ariès a abordé le problème à travers les siècles selon ses formes et ses causes: violence, accident, maladie, suicide. L'encadrement social, le lieu de résidence, la conception de la famille, le rapport entre les proches et le rythme de la vie de chacun nous font croire que la mort était plus familière autrefois. Est-ce dire qu'elle était plus acceptable?

Apprivoiser quelque chose signifie que la chose nous fait peur. Le phénomène naturel qu'est la mort est-il perçu aujourdh'hui comme un phénomène naturel? La mort est associée à la peur de la solitude, de la souffrance, de l'inconnu. Comment faire preuve de maturité et de maîtrise devant la mort? Doit-on faire preuve d'héroïsme? Il faut être fort pour ne pas avoir peur. Devant l'histoire de la mort, on a décidé de faire des équipes d'accompagnement.

---

1. Infirmière, coordonnatrice des services des soins palliatifs et formatrice des intervenants, Hôpital St-Augustin.

Pour apprivoiser la mort, les intervenants ont besoin de philosophie personnelle et spirituelle qui leur permet de supporter la mort, la tristesse, le deuil. Les progrès de la science médicale font augmenter l'espérance de vie. Mourir est devenu moins visible qu'autrefois, moins *familier* pour reprendre le mot d'Ariès. De l'ancienne mentalité, on est passé à la mort refoulée, interdite, comme le veut la société d'aujourd'hui. On commence cependant à voir apparaître une évolution de la société à ce sujet.

Bien dire la vérité

L'annonce de la mort, ou du diagnostic, souffre souvent d'un manque de nuances à l'hôpital. La vérité se dit, mais combien mal articulée. Le malade est laissé seul pour approfondir cette triste révélation. D'où l'importance de documents comme celui qu'on retrouve à l'hôpital Notre-Dame-de-la-Merci intitulé *La vérité au malade*. Il faut faire tellement de nuances sur cette vérité. Si le malade refuse la vérité, il ne faut pas la dépasser. Il faut plutôt se demander pourquoi il ne veut pas savoir la vérité. C'est souvent pour protéger les autres.

Mais même si le malade ne veut pas savoir, l'attitude des intervenants peut lui faire comprendre la vérité. Il est très difficile de faire de l'accompagnement quand seulement une des deux personnes est au courant de la vérité. Autrefois, j'étais considérée comme une excellente infirmière parce que je réussissais à ne pas dire la vérité au malade. Celui-ci mourait souvent sans avoir su la vérité. Cette attitude est heureusement dépassée. J'en ai presque honte aujourd'hui.

L'accompagnement existait autrefois. Ce qu'on faisait jadis dans est semblable à ce qu'on veut faire aujourd'hui. On cherche à rapprocher les familles de leur malade. La différence est surtout dans le langage. On se préparait à mourir et à se présenter devant le Seigneur en imposant à tous le rituel des gestes de la religion : onction, prières, etc. Les intervenants étaient rassurés. On mourait avec le secours de la religion. Aujourd'hui, on axe d'abord l'action sur l'écoute et les besoins du malade.

Le malade se plaint d'abord qu'il a mal. Thérèse Vanier disait : «On ne peut se grandir spirituellement dans un corps souffrant». Les soins palliatifs ont pour premier but de soulager la douleur physique ; le souci de la souffrance totale ne vient qu'en second lieu.

Accompagner le malade à la mort, c'est d'abord le considérer vivant jusqu'à la fin. L'intervenant doit faire preuve de transparence, être un miroir. Le mourant doit sentir que l'intervenant comprend sa peine, qu'il restera près de lui. Il faut repenser les termes silence, présence, qualité du regard, qualité du toucher.

On dit souvent que la famille et les proches sont ce qu'il y a de plus important pour le malade et qu'il faut leur donner le premier rôle. Mais encore faut-il qu'ils aient les aptitudes requises pour accompagner le malade. Certes, les liens affectifs et leur connaissance des besoins du malade sont un atout. Mais la famille avoue souvent qu'elle a vraiment su quoi faire avec le malade après avoir vu les intervenants agir. *Les proches n'osent souvent pas toucher le malade. Ce sont les intervenants qui les incitent à le faire.*

Il est parfois difficile aux soignants de laisser la première place au malade. C'est pourtant ce qu'il faut faire. Le mourant a des besoins spécifiques face à la mort. Tous les mourants ne peuvent pas être accompagnés. Certains glissent entre les doigts bien facilement. Les morts subites sont fréquentes. Certains indices permettent de déceler ceux qui peuvent être accompagnés. Le malade s'abandonne. Il n'a plus le goût de poser un geste de vie. Son alimentation est de plus en plus difficile. Il montre une dépendance extrême à l'égard de son entourage. Bref, il a cessé de *vivre*.

Les intervenants doivent savoir interpréter ces signes selon l'étape de la maladie : le langage, les plaintes, le comportement. La première chose à faire est de s'occuper du confort du malade. Une multitude de détails, souvent très simples, peuvent aider le patient : soins de bouche, des yeux, des cheveux, changement de position, friction, massage. Les conséquences psycho-affectives de ces petits gestes sont considérables. La morphine est efficace chez les personnes âgées. Elle n'est pas un moyen d'euthanasie. On la prescrit depuis deux ans à l'hôpital St-Augustin. Elle agit beaucoup mieux, à petites doses, que beaucoup d'autres calmants. Elle crée une atmosphère calme et douce auprès du malade pour l'aider ainsi que les intervenants et les proches.

Quand peut-on dire que l'existence de l'homme arrive à son terme alors qu'on a les moyens efficaces pour lutter contre la maladie ? Jusqu'où doit-on aller dans la lutte pour le maintien de la vie ? La grandeur de l'homme ne se manifeste-t-elle pas autant dans la lutte pour la conservation de sa vie terrestre que dans l'acceptation de sa fin ?

L'accompagnement

LOUISE DICAIRE[1]

Communiquer avec l'autre, c'est prendre un risque. Le risque d'être déçu, le risque de décevoir. Mais c'est aussi l'occasion d'apprendre et de grandir à travers un cheminement personnel.

Ce que vous allez lire est le résultat de réflexions sur les auteurs que je considère comme les chefs de file dans l'accompagnement des mourants. La meilleure définition de l'accompagnement est peut-être celle qu'en donne Jean-Luc Hétu: «accompagner un mourant, c'est essentiellement s'engager dans une relation inter-personnelle avec un autre être humain. Et à ce titre, nous abordons cette relation avec l'expérience humaine que nous avons accumulée jusqu'ici, avec tous les apprentissages que nous avons faits, sur ce que cela implique de se retrouver en vérité face à quelqu'un d'autre».[2]

Mourir en institution est-il aussi inhumain que certains le prétendent? Sûrement pas. L'humanisation des soins aux personnes âgées fait sans cesse l'objet d'action concertée.

«Les soins infirmiers en gériatrie procèdent de la conception globale de la personne âgée en tenant compte de son passé, de ses problèmes présents, de ses possibilités d'avenir. Leur spécificité apparaît dans la complexité des situations des vieillards malades sur les plans somatique, psychique et

---

1. Infirmière, conseillère en formation et en évaluation des soins, Hôpital St-Augustin, Québec.
2. Hétu, Jean-Luc, *Psychologie du mourir et du deuil*, Éditions du Méridien, Montréal, pp. 117-119 à 124-129.

psychiatrique, dans l'acceptation du handicap et de la dépendance, dans le maintien et la recherche d'autonomie et dans l'approche de la mort. Autant de situations auxquelles les soignants doivent aider la personne malade à faire face. La qualité des soins se définit par des soins complets et individualisés. Ces soins stimulent la participation du malade en utilisant les ressources de ce dernier. Ils respectent sa dignité et lui donnent un sentiment d'appartenance et de valeur de soi. Ils sont orientés vers l'adaptation de la personne âgée malade à sa situation complexe. » [1]

Tous ceux qui accompagnent les mourants devraient comme pré-requis se poser cette question : qui sont ces mourants ? La mort de l'identité propre précède souvent la mort biologique. Le mourant subit de multiples pertes avant de mourir.

« Il y a certains standards à respecter quand on accompagne un mourant. Il faut tenir compte du style de vie et des préférences des sujets. La rémission des symptômes doit être recherchée même si la mort est inévitable. Le patient devrait se sentir en sécurité au milieu des soignants ; il devrait être un sujet de soins, pas un objet. Il faut faciliter la séparation d'avec les proches en respectant l'intimité de la famille. On doit permettre à ceux qui n'en ont plus pour longtemps de vivre leurs derniers moments de façon signifiante, quitte à briser la routine de travail. Les proches devraient pouvoir échanger avec le personnel, être soutenus. » [2]

Il est difficile dans les hôpitaux d'avoir de longues relations avec les patients. Les contraintes sont multiples. C'est pourquoi il faut favoriser les échanges entre les membres du personnel.

La démarche du mourir appartient au mourant. L'accompagnateur n'est là que pour faciliter le processus. L'équilibre est difficile à trouver entre l'implication émotionnelle et la liberté du mourant. L'accompagnateur doit pouvoir décoder le langage du mourant qui utilise beaucoup de symboles. Elisabeth Kübler-Ross écrivait : « aider les mourants ce n'est au fond rien d'autre qu'aider les patients à exprimer leurs sentiments. Tout se ramène à cela ». [3] C'est donc le mourant qui est notre guide.

Pour sa part R. Sebag-Lanoë affirme que l'enseignement de Kübler-Ross est plus vaste :

---

1. Poletti, Rosette, « Approche des soins infirmiers en gériatrie », *Abrégé de Gérontologie*, É. Martin, J.P. Dunod, 3ᵉ édition, Masson, 1983, p. 539-540.
2. Kastenbaum, 1977a, pp. 219-224, cité par J.-L. Hétu, 1989, pp. 119-124.
3. Kubbler-Ross, *Les derniers instants de la vie*, 1972, p. 57, cité dans J.-L. Hétu, 1989, p. 129.

«Pour l'accompagnant il ne s'agit plus de fuir mais de s'asseoir. Il ne s'agit plus de parler mais d'écouter. Il s'agit d'être là, simplement en tant qu'homme ou femme, même si aucun geste technique ne s'avère nécessaire. Parler, se taire, communiquer même de façon brève par la parole, par le toucher. Le soignant, condamné à guérir ou à échouer, découvre dans le dialogue avec le mourant une nouvelle philosophie des soins et un autre sens à sa fonction.»[1]

Voici, selon plusieurs auteurs résumés par Hétu[2], les tâches que l'accompagnant doit apprendre :

- aider le mourant et les proches à s'acquitter au mieux de leurs diverses tâches respectives ;
- aider le mourant et les proches à régler les conflits susceptibles de se produire entre eux ;
- faire face à ses propres émotions provoquées par le cheminement du mourant ;
- trouver l'équilibre entre l'implication et une certaine distance émotive ;
- opérer la transition progressive de la centration sur le mourant à la centration sur les survivants ;
- aider les proches à faire face à leur peine, leur colère, leur culpabilité et leurs peurs ;
- concilier les demandes contradictoires de son image de soi et les attentes et demandes du mourant, des proches, des autres soignants ;
- aider les proches à reconnaître que la fin est imminente et à faire leurs adieux au mourant, au besoin en servant soi-même de modèle ;
- apprendre à demeurer en contact avec ses limites personnelles en étant capable de dire : «ça ne me convient pas, je ne peux pas, etc.».

Louis Ploton décrit de façon réaliste le vécu des soignants en gériatrie : (*cf* également Potvin J. et Perron F. dans la bibliographie à la fin de cet article.)

«Le personnel doit renoncer au moins partiellement à l'idéal du soignant. Cela est souvent une cause d'anxiété, de souffrances. Il n'est pas facile de soigner en gériatrie. Les malades sont vieux, pas attirants. Ils s'expriment souvent mal. La mort est omniprésente. Certains soignants se

---

1. Sébag-Lanoë, Renée, *Mourir accompagné*, Éditions Desclée de Brouwer, Paris, 1986, p. 63-64.
2. J.-L. Hétu, 1989, pp. 131-132, inspiré de Kalish (1970), de Humphrey (1986) et de Rando (1986b).

protègent en donnant des numéros aux malades, en soignant les symptômes et non les patients. Ils ont parfois une attitude passive et défaitiste, une attitude de refoulement. Ils s'occupent plus des "bons" malades que de ceux difficiles à traiter. Ces soignants vont même développer des attitudes agressives se traduisant parfois par l'acharnement thérapeutique.»[1]

Une autre difficulté qui attend le soignant est le caractère épisodique de chaque mourant. De 60 à 70 personnes meurent chaque année à l'hôpital St-Augustin. La plupart des personnes âgées ne meurent pas de cancer. La phase terminale est difficile à prévoir. Les mourants vivent plusieurs agonies entrecoupées de rémissions. La famille et les accompagnants doivent s'adapter à s'approcher tantôt de la mort, tantôt de la vie.

Quelques pièges à éviter:
- vouloir répondre à tout;
- avoir le besoin de tout savoir, de tout dire;
- être tout pour l'autre; avoir de la difficulté à se faire remplacer par un collègue;
- faire des investissements excessifs;
- devenir un technicien de l'accompagnement en suivant à la lettre les principes de Kubler-Ross;
- être trop impliqué et trouver difficile de se retirer face à l'arrivée d'une famille au dernier instant.[2]

Parlons maintenant du vécu des proches et de la famille. Il est logique que la famille et les proches accompagnent le mourant dans les derniers instants et se solidarisent autour de lui. L'expérience montre que l'accompagnement comporte des moments difficiles. Les proches ont besoin d'accompagnants pour maintenir une relation significative avec le mourant.

L'accompagnement amène des difficultés d'ordre sociologique pour la famille. Ceux qui accompagnent un parent âgé ont eux-mêmes un conjoint, une famille, un emploi. Ils sont souvent en conflit de rôles et

---

1. «La souffrance des soignants en gériatrie», *La revue de gériatrie*, Tome 6 n° 3 mars 1981, pp. 117-122.
2. Richard, M.S., Ruszniewsksi, M. Catant, Ch., «Autour de la prise en charge globale des malades, quelques illusions...», *Jalmav*, n° 23, décembre 1990, pp. 5-9.

sont aux prises avec leurs nombreuses responsabilités. Ils se sentent coupables d'avoir fait admettre leur parent à l'hôpital.

Les difficultés d'ordre psychologique énumérées par J. Pillot[1] sont aussi importantes. Le décalage entre les sentiments vécus par le mourant et sa famille peut nuire à la communication. Il y a déphasage entre les différents moments où chacun vit sa mort. La famille doit apprendre à faire face à ses propres émotions. Elle se sent souvent seule. La dégradation physique du malade est difficile à supporter. La maladie, le vieillissement, la mort, amènent un changement dans la relation avec le mourant. La famille ne reconnaît plus la personne aimée avec qui elle a vécu. On assiste parfois à une désolidarisation de la famille avec le mourant : la famille doit vivre, le mourant doit mourir, les routes doivent se séparer. De vieux problèmes passés peuvent resurgir, provoquant une ambivalence des sentiments.

L'accompagnement à l'hôpital est parfois une source de sécurité et de confort. La famille se sent supportée, encadrée par le personnel. L'angoisse de la mort diminue. Mais la mort à l'hôpital entraîne aussi de la frustration pour la famille. Le mourant est « abandonné » à d'autres mains ; il n'y a plus d'intimité. La famille se sent incompétente face aux spécialistes des hôpitaux. La famille accepte mal l'imposition d'un cadre rigide. Elle ne se rend pas compte que l'urgence de « son » malade n'est peut-être pas l'urgence de l'unité de soins.

La prise en compte de la famille constitue un élément essentiel de l'accompagnement. La famille doit être aidée et encouragée à maintenir la communication avec son parent jusqu'à la fin.

---

1. Pillot, Janine, « La famille du mourant », *Jalmalv*, n° 3, décembre 1985, pp. 5-9.

Bibliographie complémentaire

Higgins, R., «L'accompagnement hors la loi?», *Jalmalv* (Bulletin de la Fédération des soins palliatifs européens, Jusqu'à la mort accompagner la vie), n° 23, décembre 1990, pp. 12-19.

Pillot, Janine, «La famille du mourant», *Jalmalv*, n° 3, décembre 1985, pp. 5-9.

Pillot, Janine, «Formation à l'accompagnement, Enjeux, Exigences», *Jalmalv*, n° 23, décembre 1990, pp. 28-38.

Potvin, J., Perron, F., «Mourir de sa belle mort», *Les Cahiers de formation annuelle du Sanatorium Bégin*, n°1, 1982, *Le Vieillissement*, pp. 37-45.

Bien dire la vérité

YVON PAQUIN[1]

«Il y a le moment pour tout, et un temps
pour tout faire sous le ciel. Un temps pour
enfanter, et un temps pour mourir. »
Ecclésiaste, 3, 1-2

Ce vers nous rappelle l'importance du temps et des étapes dans
l'expérience de la vie. Nous ne sommes que des êtres de passage. Le
temps est précaire. Même s'il est normal, le départ de la vie est moins
facile que les autres étapes de la vie. La mort est appréhendée comme
on peut le voir dans les hôpitaux. La mort est vécue dans la peur,
l'angoisse, l'abandon, mais surtout dans l'incommunicabilité. Tout se
vit dans la surprise comme si la mort ne devait pas être au rendez-vous.
C'est là qu'on voit que la technique devient prédominante face à
l'attention à la personne humaine dans sa globalité.

Nécessité des rituels

Nous sommes loin de la danse macabre du Moyen Age qui voulait
exorciser la mort en y représentant toutes les couches de la société.
Aujourd'hui nous nions la mort en l'éloignant le plus possible. Il n'y a
plus de contact avec le corps, tout est aseptisé. Une foule de spécialistes
vont s'occuper du cadavre; et la famille ne le verra que quand il ne
ressemblera plus à un mort mais à ce qu'il était auparavant. Ou alors le
corps est incinéré. C'est la disparition totale, la mort évacuée.

---

1. Prêtre, aumônier de l'Hôpital St-Augustin.

Dans les temps anciens, la mort était entourée d'une foule de rituels. On n'a qu'à penser aux Égyptiens et à leurs pyramides. Certains groupements, comme les ordres religieux, se sont occupés du mourir et de la mort. Aujourd'hui nous faisons appel aux soins palliatifs. Mais il y a toujours ce sentiment chez l'être humain que mourir dans la dignité est important, sinon primordial.

Le spirituel est nécessaire. Le besoin d'ordre spirituel a souvent été identifié à la religion, au rite, à des formulations de prières, à des lois de rituels. Quand le mourant fait le bilan, la question de la continuité se pose inévitablement. Les mourants veulent voir l'aumônier pour lui demander ce qu'il y a après la vie. Tous sont préoccupés par l'au-delà, même ceux qui pensent qu'il n'y a rien.

Le spirituel à l'approche de la mort ne prend pas une place spéciale dans la vie du malade. Il prend la place qui lui revient. Si durant la vie on a contourné le spirituel, il est difficile de le récupérer et de lui donner une place centrale à l'approche de la mort alors qu'on est faible et souffrant. Il faut faire durant toute la vie l'apprentissage du spirituel pour qu'il nous soit utile à la mort. Accompagner le mourir, c'est aussi accompagner la vie.

L'émergence du besoin spirituel, quelles que soient les croyances, s'inscrit dans la continuité de vouloir répondre aux autres besoins de base : besoins physiologiques, de sécurité, de sûreté, d'amour et d'appartenance. L'aumônier ne peut pas s'occuper des besoins spirituels quand la souffrance prend le dessus. La souffrance physique doit être soulagée en premier lieu. La communication avec la famille est utile pour le besoin spirituel du malade. Les malades ne s'expriment parfois pas toujours bien. La famille peut aider à faire resurgir des souvenirs, des images.

Le spirituel est présent tout au long du processus d'accompagnement et se retrouve tout au long de la vie. Le malade ne confie pas nécessairement à l'aumônier son besoin spirituel. Il va parfois se confier aux infirmières, aux proches. Ceux-ci doivent être attentifs à ces demandes.

La démarche spirituelle n'existait auparavant qu'à l'intérieur de la religion, en particulier au Québec de la religion judéo-chrétienne. Avec la Révolution tranquille, les habitudes et les rites ont été bousculés, et on a assisté à l'apparition de deux phénomènes : la laïcité et la sécularisation. Les hôpitaux qui étaient des œuvres de miséricorde presqu'entièrement monopolisés par les religieux et les religieuses deviennent laïcs. Quant à la sécularisation, elle permettait de penser et d'agir en dehors d'un cadre religieux.

Les derniers sacrements aujourd'hui.

Mais ces deux phénomènes sont loin d'avoir été complètement assimilés. Vatican II a apporté des changements de forme. L'extrême-onction est devenue l'onction. L'onction n'est d'ailleurs pas le dernier sacrement qu'un mourant peut recevoir; c'est la communion en viatique. L'onction est faite pour donner courage au malade, pour lui dire que le Seigneur ne l'abandonne pas.

Quand j'ai commencé mon expérience d'aumônier à l'hôpital St-Augustin, j'exerçais des rites qui relevaient pour moi de la magie. Je m'interrogeais sur leur pertinence. On me demandait de donner l'onction à des personnes décédées! J'ai donc voulu inventer des rites plus significatifs, plus en lien avec le moment, avec la vie, avec le mourir. Cette réflexion s'est poursuivie en discutant avec des intervenants et des malades.

Le sens de la vie se pose au moment de la mort. La grandeur de l'homme est dans la lutte pour la vie et le consentement à la finitude. L'équilibre est à rechercher dans l'accompagnement. Tout n'est pas blanc ou noir. Il ne faut pas précéder le malade. Il faut le suivre, l'accompagner.

Deux obstacles majeurs peuvent contrecarrer le développement du besoin spirituel. Premièrement la culpabilité, qui survient quand on ne peut pas saisir le pourquoi de la maladie qui nous afflige. Deuxièmement la causalité, qui est la tentative de comprendre, de saisir la cause. On essaie de reprendre le contrôle sur des évènements qui nous échappent totalement. C'est le refus de la condition humaine avec ses limites. La mort est vue comme anormale. On veut tout comprendre, tout dominer. Mais à trop chercher la causalité, le vrai sens nous échappe. Le sens qu'on trouve alors est celui d'une punition.

Existe-t-il un chemin de libération pour le malade, le personnel, l'entourage? Voici trois observations importantes pour pouvoir répondre aux besoins spirituels des malades:

- tous les membres du personnel doivent adopter une attitude d'accompagnement fortement et puissamment valorisante, positive et non-moralisante;
- ils doivent aider le malade qui se sent atteint gravement et qui veut tout maîtriser à lâcher prise. Cela se fait surtout au niveau du langage symbolique. Les intervenants doivent accepter l'impuissance de leur part pour aider le mourant;
- le malade ressent souvent à ce moment un besoin de réconciliation. Réconciliation avec son existence, avec lui-même, avec les autres. Il procède à une relecture du passé, à une réévalution des choses vécues. C'est plus que du radotage. Il faut aider le mourant à aller chercher ce qui était beau et bon dans le passé pour faire émerger le spirituel.

Relire le passé

Pour qu'un cheminement spirituel soit possible, il faut aider le mourant dans la relecture de son passé pour l'aider à traverser le difficile présent. Se faire une idée plus positive de sa vie passée, de sa relation de couple, est un besoin spirituel. Le mourant a besoin de réaffirmer ses convictions, de réaménager son échelle de valeurs, de faire un bilan plus positif, de parler de lui-même plus positivement. Les accompagnants doivent avoir la volonté d'écoute spirituelle pour pouvoir parler de la mort en ne la fuyant pas; pour ne pas rassurer à bon compte; pour accepter de faire le silence quand c'est nécessaire. L'affrontement avec la mort permet de mieux vivre et donne une meilleure qualité à l'existence.

L'identification du spirituel n'est pas facile. La spiritualité se situe à des moments où nous voyons une plus grande pénétration. À l'approche de la mort, l'expérience nous montre que certaines personnes ont une perception plus juste des choses. Il faut entendre au-delà de ce qui nous est dit. Il faut sentir les vibrations de l'univers.

On peut comparer la spiritualité à un œuf. La coquille est notre biographie, ce qui fait notre extérieur: rituels, famille, histoire, personnalité, caractère. Le spirituel est à l'intérieur et relie l'ombre à la lumière. L'accompagnant doit aider le mourant à briser la coquille. Mais on ne peut atteindre l'intérieur sans passer par la coquille. Il sera difficile à l'étranger de pénétrer à l'intérieur si la coquille est trop épaisse.

La spiritualité est le règne du soi. La peur de l'ombre, la peur de la peur nous empêchent de voir notre soi. L'évacuation de la peur libère la spiritualité. Ce n'est qu'en acceptant ces ombres que l'illumination de l'esprit sera possible. Les religions traditionnelles en encourageant la transcendance tentent d'ignorer les ombres et les besoins qui jaillissent au plus profond de soi.

La spiritualité est la conscience des liens qui nous unissent à l'ombre et à la lumière.

Je me suis aperçu au début de ma pratique d'aumônier que je donnais parfois des sacrements qui ne correspondaient pas avec la demande du patient. Ce dernier voulait voir un prêtre, mais pas nécessairement pour recevoir un sacrement. J'ai dû prendre un recul pour identifier d'abord le besoin du malade. Il ne faut pas imposer trop vite un rituel qui ne tient pas compte des démarches du malade. L'équipe doit aider le malade dans la découverte de son soi.

La mort peut devenir un moment propice pour une rencontre intime de soi, de ses valeurs spirituelles. C'est l'occasion de découvrir une vie nouvelle, un contact et une intimité avec les autres bien au-delà de ce qu'on retrouve dans la vie courante. La naissance et la mort sont deux évènement parfaitement naturels. Le cadre dans lequel ils surviennent est important. Les accompagnants sont des accoucheurs spirituels.

Pour terminer, voici quelques principes qui serviront de guide dans l'accompagnement spirituel du mourant.

La communication avec les malades doit se situer à un niveau plus profond que celui de nos livres et celui de nos échanges professionnels. L'arrachement à la vie blesse l'âme du mourant et la nôtre aussi. La mort n'est pas un échec. Elle ne doit être ni voulue, ni évitée. Le malade a besoin d'être écouté, soutenu, consolé. La vie a une valeur; quand on est pour la perdre, la présence des autres est très utile. L'homme éprouve sa valeur dans ses relations avec autrui, dans le regard porté sur lui. Le travail d'élaboration spirituelle demeure un travail positif. Il commence lorsque la mort approche. Pour qu'il prenne toute son ampleur, il faut que le passeur soit là pour accompagner.

Une expérience intéressante en région

Claude Ménard[1], Noëlla Boivin[2] et Lise Bilodeau[3]

Le CLSC des Chutes, situé à Mistassini au lac St-Jean, dessert 30 000 habitants, répartis dans 14 municipalités sur un territoire couvrant 40 000 km[2]. Les municipalités sont très éloignées les unes des autres. Il n'y a qu'un hôpital (125 lits) et que deux centres d'accueil (36 lits) sur le territoire. Le programme de maintien à domicile existe depuis 10 ans. l'équipe de maintien à domicile comprend 5 infirmières, 35 intervenants sociaux, un médecin, un travailleur communautaire, 2 auxiliaires familiaux et un ergo-thérapeute à temps partiel. L'équipe doit croire à ce qu'elle fait. Ses membres ne se considèrent pas comme des spécialistes. Ils suivent le patient dans sa maladie et l'aident à mourir.

Il existe des conditions facilitant l'établissement d'une telle équipe. Il faut premièrement être ouvert et ne pas s'imposer de limites. Les contraintes sont déjà assez nombreuses. Il n'est pas normal qu'un malade doive rester à l'hôpital à cause de soins complexes ou par manque d'équipement. Les intervenants doivent faire preuve de souplesse et s'attendre à travailler de longues heures.

Le CLSC ne doit pas juger du succès du programme par le nombre d'interventions. Celles-ci sont en effet plus nombreuses en phase terminale. L'équipe de maintien doit pouvoir compter sur le support des

---

1. Coordonnatrice du maintien à domicile au CLSC des Chutes.
2. Infirmière, CLSC des Chutes.
3. Travailleuse sociale, CLSC des Chutes.

professionnels du secteur. Elle compte sur l'hôpital pour les services pharmaceutiques (approvisionnement et expertise). Le CLSC n'ayant pas de budget d'équipement, on a constitué peu à peu un inventaire d'équipements qui atteint aujourd'hui 100 000$. On vient tout juste de créer un foyer pour les personnes voulant mourir à domicile et qui n'ont pas de famille.

Les médecins étaient réticents au début à suivre les patients à domicile. Ils acceptent maintenant de plus en plus. Mourir à domicile n'est pas une mode, c'est un choix. Quand des médecins refusent d'aller à domicile, c'est le médecin du CLSC qui y va.

On retrouve quatre composantes inter-actives et complémentaires dans le programme de maintien de soins à domicile: le malade, le domicile, le *pilote*, le CLSC.

Le malade est le guide de toute intervention, du début à la fin. C'est lui qui décide en dernier lieu où il veut finir ses jours.

Il faut un minimum de place et de commodités au domicile pour le malade et la famille. Il faut transformer la chambre du patient au besoin. Tel patient voudra être installé dans la cuisine pour mieux suivre les allées et venues de chacun. Mourir à domicile doit aussi être le choix de la famille, pas seulement du mourant. En 1989-90, 51 personnes (surtout des cancéreux) ont demandé des services à domicile au CLSC. La majorité de ces personnes sont mortes à domicile, 4 ne furent hospitalisées que quelques heures, 10 furent hospitalisées moins de 7 jours, 6 moins de 4 jours.

Le *pilote* est une personne reconnue et choisie par le patient. C'est généralement un membre de la famille dont le rôle indispensable est de servir de lien entre le malade et le personnel soignant. Ce pilote devra être aidé pour éviter l'épuisement physique et psychologique. C'est au CLSC qu'on forme le personnel de l'équipe du maintien à domicile. Les membres doivent d'abord *faire le ménage* avec leur passé (problèmes personnels, deuils, etc.). On leur apprend à démystifier les soins en leur montrant que la famille peut aider à les administrer. La formation de l'intervenant est importante. Elle débute avec une bonne réflexion personnelle suivie d'échanges avec d'autres intervenants. L'intervenant rencontre des patients et leur famille et est initié ensuite à un programme de soins à caractère plus technique. L'intervenant doit être également prêt à faire un suivi post-décès.

L'infirmière faisant du maintien à domicile n'a pas la tâche facile. Elles est souvent la seule personne-ressource et n'a pas la chance de se faire remplacer après son quart de travail comme à l'hôpital. C'est pourquoi il faut soutenir les infirmières qui en sont à leurs premières armes dans ce domaine mais leur laisser le temps de s'habituer.

Le décès péri-natal

SUZY FRÉCHETTE-PIPERNI[1]

La mort d'un enfant est une tragédie pour les parents. Elle entraîne souvent des problèmes importants tant pour les parents que dans le couple et la famille. L'équipe obstétricale, particulièrement l'infirmière, dispose de plusieurs moyens pour aider les parents à traverser cette crise et à s'engager dans le processus d'un deuil sain.

Il y a plusieurs années, j'ai suivi une patiente qui a accouché sous anesthésie d'un bébé aux multiples malformations. Le bébé est décédé quelques heures après l'accouchement. Quand les parents ont voulu voir le bébé, le médecin a dit qu'il n'était pas beau à voir, que c'était mieux qu'ils gardent le souvenir du bébé imaginé. Le bébé était une erreur de la nature, selon lui. Le père pleurait abondamment. La mère demeurait calme et disait qu'ils étaient jeunes, qu'ils allaient en faire un autre. Tous étaient impressionnés de la maîtrise de soi et de la résignation de la mère. Mais trois semaines plus tard, celle-ci était hospitalisée d'urgence pour une tentative de suicide...

L'incompréhension face au décès périnatal semble être arrivée en même temps que les accouchements dans les hôpitaux. Auparavant, les mères perdaient plus souvent leur bébé quand elles accouchaient à la maison. C'était naturel, c'était la fatalité. Le deuil avait une place. Les

---

1. Infirmière consultante à la clinique de deuil périnatal du service de natalité du C.H. Pierre-Boucher.

morts périnatales sont maintenant plus rares, vues comme un échec de l'obstétrique et le sujet est devenu tabou. Cette attitude coïncide avec un malaise général dans les hôpitaux vis-à-vis de la mort.

Au début des années '80 quand on s'est penché sur le décès périnatal, on a découvert des choses surprenantes. Les mères ne recevaient aucun soutien psychologique ni même de soins physiques de base. On oubliait de prendre leurs signes vitaux, de vérifier leur utérus, de leur donner leurs médicaments. On fuyait la chambre. Ignorants de l'impact que peut avoir un décès périnatal dans une famille, submergés par des émotions qu'ils n'avaient pas identifiées ou maîtrisées telles que la répugnance, la révolte, l'angoisse, des sentiments d'inutilité et de culpabilité, les intervenants évitaient les contacts avec ces parents.

La littérature sur le sujet affirme que le décès périnatal entraîne des complications graves. Des recherches faites au début des années '80 montrent que le tiers des mères souffraient de troubles psychiatriques après un décès périnatal. (On inclue dans le décès périnatal : les fausses-couches, les avortements provoqués, les avortements thérapeutiques, les bébés morts-nés, la mort d'un bébé dans les jours qui suivent sa naissance, la mort d'un jumeau, le don d'un bébé pour adoption). Les mères développaient des deuils pathologiques : phobies, obsessions, maladies psycho-somatiques, dépressions graves allant jusqu'au suicide. Les pères n'étaient pas à l'abri des problèmes. Certains interdisaient qu'on parle du bébé autour d'eux, d'autres se réfugiaient dans l'alcool.

On constate de plus une mésentente grave dans 75 à 80% des couples. Le deuil et les étapes du deuil n'étant pas vécu de la même façon et au même moment chez les deux conjoints, associé à un grand manque de communication entraînait souvent l'infidélité et la séparation. On notait également des complications graves au niveau des autres enfants du couple : négligence, sévices, cauchemars, phobies, troubles de langage, troubles caractériels, difficultés d'apprentissage.

Ces problèmes ne sont pas surprenants. La mort périnatale entraîne un deuil intense, douloureux, plus difficile à faire que celui d'un adulte. Les parents qui ont un bébé malformé ont deux deuils à faire. Celui de l'enfant parfait qu'ils attendaient et celui de l'enfant qu'ils ne verront pas grandir.

Le deuil

Le deuil périnatal est difficile pour la mère parce que le fœtus est perçu comme une partie d'elle-même. La perte du bébé laisse une impression de vide. C'est comme perdre un membre par amputation. De plus, la mère se sent valorisée durant la grossesse. C'est parfois la première fois qu'elle a l'impression de faire quelque chose d'important. Aussi, la mort du bébé provoque une grosse blessure narcissique. La mère se sent humiliée, honteuse. Elle n'a pas pu produire un enfant viable alors que tout le monde en est capable. Le décès périnatal est souvent la première fois où les parents sont confrontés à la mort de si près.

Le décès périnatal est aussi difficile pour les infirmières ; une tragédie remplace l'heureux événement attendu. Il est important dans un service d'obstétrique d'avoir un modèle d'intervention d'aide pour pouvoir s'y référer. Mais chaque personne et chaque situation étant unique, il faut personnaliser les soins. Ce ne sont pas toutes les infirmières qui sont à l'aise avec la mort. Seules celles qui veulent travailler avec ces parents devraient le faire. Elles devraient pouvoir compter sur le support de toute l'équipe. Il s'agit ni plus ni moins de soins intensifs aux parents, émotivement parlant.

Les parents ne restent à l'hôpital que deux ou trois jours. Cela ne donne pas beaucoup de temps pour faire bien des choses. Il faut diminuer l'anxiété des parents, leur donner une perception réaliste de la situation, les guider dans leur prise de décisions, les aider à exprimer leurs sentiments et leurs émotions, les aider à chercher du support autour d'eux.

Le soutien aux parents

Il faut permettre aux parents de participer le plus possible aux décisions relatives à leur bébé. Cela augmente leur sensation de contrôle sur les événements et diminue leur confusion et leur stress. Ils ont droit à des informations honnêtes. Si le bébé est mourant, il faut favoriser les contacts, les préparer à l'aspect du bébé (aspect physique, différents appareils, etc.). Il faut insister sur les caractéristiques positives du bébé. Il faut manipuler le bébé avec douceur et respect. Les parents doivent savoir que le bébé a des bons soins et de l'affection quand ils ne sont pas à la pouponnière. Il faut faciliter la présence des parents lorsque le bébé va mourir.

Les parents qui participent aux soins se sentent de bons parents, ce qui augmente leur estime d'eux-mêmes. On doit les encourager à prendre des photos du bébé. Il est possible de faire baptiser le bébé en présence du parrain et de la marraine. Il est important que beaucoup de personnes proches des parents voient le bébé. Il sera plus facile pour ces derniers de partager leur peine.

Il faut annoncer le décès du bébé aux deux parents ensemble. Il ne faut pas le cacher à la mère sous prétexte qu'elle est faible. Il faut parler avec compassion et sincérité. Les parents vont plus se souvenir de l'atmosphère qui régnait lors de l'annonce que des mots dits. On doit offrir à la mère une chambre privée. Une plaque à la porte de la chambre avertira les intervenants et les autres patients qu'il y a deuil. Il est préférable de garder la mère au département de natalité. Il faut favoriser la cohabitation du père, 24 heures sur 24, avec visites illimitées pour les proches.

La mère dont le bébé sera mort-né a besoin de beaucoup de soutien. Durant le travail et l'accouchement les mères ont souvent l'espoir que le bébé est toujours vivant. La confirmation de la mort du bébé, à l'accouchement, est souvent le moment où le désespoir est à son point culminant.

Quand on fait un deuil, il est capital d'avoir une représentation mentale de l'objet qu'on va pleurer. Il est très important que les parents voient le bébé. Il faut qu'ils gardent le souvenir de la réalité de l'enfant. Plusieurs parents qui voient leur bébé mort essaient de trouver des ressemblances avec eux. Jamais les parents n'ont regretté d'avoir vu leur bébé. L'idée qu'ils vont se faire s'ils ne le voient pas est très souvent pire que la réalité. Les mères sont heureuses d'avoir éprouvé de l'amour pour leur bébé, même s'il était malformé. L'attitude des infirmières est importante. Les parents attendent souvent une confirmation de l'infirmière pour trouver leur bébé beau. Il est important de prendre des photos et de les donner aux parents avec d'autres souvenirs du bébé. Il faut proscrire les médicaments qui empêchent ou retardent les réactions de chagrin des parents. L'excès de sédation efface ou rend confus les souvenirs indispensables pour accepter la réalité de la perte.

Il est difficile pour les infirmières de rester insensibles face à la peine des parents. Elles vont parfois pleurer. C'est un geste normal qui aide parfois les parents. On demande aux parents de choisir un nom pour le bébé et les infirmières parleront toujours du bébé en le nommant. On suggère de faire des funérailles qui ont un effet thérapeutique sur le deuil. Cela donne aux parents l'occasion d'exprimer leurs émotions dans un contexte où c'est normal de pleurer. Cela permet aux proches d'entourer les parents. Mais surtout, les parents se sentent réconfortés d'avoir fait tout ce qu'il fallait pour leur bébé.

Il faut encourager les parents à montrer leur bébé aux grands-parents et à leurs autres enfants. Il faut aider les parents à expliquer aux autres enfants la mort du bébé et la cause de leur tristesse. Les enfants doivent être encouragés à exprimer ce qu'ils ressentent face à cette situation. Le père a souvent des difficultés à exprimer ses émotions et on ne doit pas ignorer ses besoins. Car, l'attention des proches est généralement centrée sur la mère.

Les parents vont vivre différentes phases dans le deuil. La première, le choc, est accompagnée d'une certaine négation; la mère croit sentir le bébé bouger, l'entendre pleurer. Certaines mères quittent l'hôpital encore dans cet état et ne vont pleurer qu'une fois à la maison. Une deuxième phase est la désorganisation, qui se traduit par une confusion dans les émotions et les activités de la vie courante. Faire face à la perte entraîne la révolte: pourquoi nous? On blâme alors le médecin, l'infirmière, le conjoint. Une quatrième phase est celle de la colère contre soi, la culpabilité. La symbiose de la mère et du fœtus durant la grossesse favorise un sentiment de responsabilité de la mort. La mère cherche toutes sortes d'explications plus ou moins rationnelles sur ce qui a causé la mort. Elle peut en vouloir au bébé de lui faire si mal. La cinquième phase est celle de la dépression qui s'accompagne de chagrin, de pleurs, de malaises psycho-somatiques, de troubles du sommeil et de l'alimentation.

Les étapes du deuil durent en général de 6 mois à deux ans. Elles finissent avec l'acceptation et la résignation. Les parents commencent à être capables de penser au bébé et de voir d'autres bébés sans pleurer. Les étapes n'arrivent pas toujours dans l'ordre décrit ci-haut. Il y a souvent oscillation d'une à l'autre. Les étapes n'arrivent pas toujours en même temps pour les deux conjoints, ce qui crée des situations difficiles.

Il faut avertir les parents qu'ils vont parfois se sentir incompris, choqués et déçus de l'attitude des proches. Certains de ces derniers ne parleront pas du tout du bébé. D'autres diront des choses comme «il est mieux mort», «au moins vous en avez deux autres», «vous n'aviez pas eu le temps de vous attacher à lui», etc. Ces paroles qui se veulent consolantes minimisent la peine des parents.

Il faut être attentif à la souffrance des grands-parents. Le décès périnatal est une double perte pour eux. Ils perdent leur petit-enfant et ils sont impuissants devant la douleur de leur propre enfant.

Il est important d'aborder le sujet de la prochaine grossesse. Il faut déconseiller aux parents une nouvelle grossesse avant que le processus de deuil ne soit terminé. Car la grossesse ne règle pas le deuil, elle ne fait que l'arrêter temporairement. Et il faut éviter que le nouveau bébé soit conçu comme un enfant de remplacement.

Nous ne pourrons jamais diminuer la douleur des parents qui perdent le bébé attendu. Mais une reconnaissance de l'importance de cette perte, une profonde empathie et des interventions éclairées peuvent influencer grandement l'impact que cette tragédie aura sur toute la famille.

La mort des enfants

KAREN BRADLEY[1]

La mort d'un enfant nous semble plus difficile que celle d'un adulte. C'est un évènement qui provoque souvent des réactions de colère et un sentiment d'injustice. Une infirmière nous communique quelques observations basées sur son expérience dans un milieu hospitalier pédiatrique. Voici quelques extraits de la conférence.

L'infirmière à l'écoute de la famille

Il y a une dizaine d'années, un bébé souffrant d'hypoplasie du ventricule gauche du cœur est mort dans mes bras pendant que je le berçais. Quelques instants auparavant, un jeune interne avait voulu poser une intra-veineuse sur ce bébé mourant, qui ne pouvait plus s'alimenter. J'avais réussi à convaincre l'interne d'attendre quelques heures avant de faire cette intervention. Je le lui avais demandé avec douceur, sans le brusquer. Je savais qu'il voulait faire l'impossible pour sauver le bébé. C'était le premier enfant qu'il voyait mourir.

Je raconte cette anecdote pour démontrer l'importance d'une étroite collaboration entre les membres de l'équipe multidisciplinaire de soins. J'aurais pu confronter l'interne en lui rappelant l'absurdité de cette intrusion sur le bébé, ou encore j'aurais pu simplement le laisser faire ; ce bébé n'en avait pas pour longtemps et serait peut-être mort pendant qu'on lui posait cette intra-veineuse. Le bébé est mort dans mes bras

1. Infirmière à l'Hôpital de Montréal pour enfants.

une vingtaine de minutes plus tard, calmement, sans douleur. Après la mort du bébé, le jeune interne et moi avons partagé nos sentiments respectifs sur ce qui venait de se passer. Il a aussi pu partager avec moi ses angoisses et ses peurs. J'ose espérer que cette expérience a su l'aider à garder une ouverture d'esprit face à la mort.

Les infirmières sont confrontées quotidiennement à ce genre de dilemmes. Il y a souvent conflit entre leurs valeurs, leurs croyances, leurs opinions et celles des autres professionnels de même que celles des parents. Voici quelques exemples de situations que les infirmières vivent dans leur travail.

Quelques exemples

Un enfant en bas âge subit plusieurs opérations au cœur. Les infirmières croient que ces opérations ne font que prolonger les souffrances de l'enfant, mais les parents veulent que tout soit tenté pour le sauver. Le cas est discuté en équipe : on décide de tenter une autre opération. Les infirmières, même si elles sont en désaccord, doivent continuer à s'occuper de l'enfant et à offrir un soutien psychologique aux parents.

Un autre enfant, atteint de cancer, devra peut-être subir une transplantation de la moelle osseuse ; cette intervention est un dernier recours pour contrer la maladie. Après quelques jours d'hospitalisation les infirmières se rendent compte que ni l'enfant ni la famille n'a les ressources nécessaires pour traverser une telle expérience. Toutefois, sans cette transplantation, l'enfant se dirige vers une mort certaine.

Dernier exemple. Une infirmière s'occupe d'un petit Haïtien dont les parents croient au vaudou. Ceux-ci initient certains rites pour exorciser l'enfant. Ils demandent à l'infirmière de leur faciliter la tâche, surtout au niveau de l'environnement.

Ces exemples nous montrent que les infirmières ne doivent pas seulement être compétentes dans l'administration des soins. Elles doivent également porter une attention particulière aux différences culturelles et spirituelles de la clientèle. Autant il est facile d'évaluer la compétence et le savoir-faire d'une infirmière, autant il est difficile de juger son «savoir-être». Nous croyons profondément à l'importance d'une formation sur la mort et le mourir, tant au niveau pratique que théorique. Nous sommes aussi convaincus de l'importance d'examiner nos propres attitudes face à la mort et de développer et maintenir une ouverture d'esprit en regard de notre clientèle.

À qui appartient l'enfant malade?

L'enfant malade, dont la mort approche, ne peut pas toujours indiquer ses besoins. Dans la prise de décision pour un plan de soins, il importe de se demander à qui appartient cet enfant. À ses parents? À l'équipe médicale? À lui-même? Habituellement, les parents en ont l'entière responsabilité. Cela ne signifie toutefois pas qu'ils peuvent faire n'importe quoi avec lui. La société a aussi le devoir de protéger les enfants contre les parents qui abusent de ce pouvoir. Mais les parents peuvent-ils protéger l'enfant contre le système médical qui risque parfois d'abuser de son pouvoir?

Les parents demandent parfois de prolonger la vie de leur enfant à tout prix. Il est difficile aux parents d'accepter la mort de l'enfant, même si le corps médical affirme qu'il n'y a plus rien à faire. On doit alors soutenir les parents dans le long processus d'acceptation. Combien d'enfants attendent que leurs parents leur donnent la permission de mourir! Il faut comprendre que les parents vont devoir vivre avec leur décision toute leur vie. Pour eux, attendre une semaine ou un mois avant de lâcher prise peut sembler relativement court. Pour l'enfant qui souffre, cette semaine ou ce mois additionnels peuvent être très difficiles à supporter. Il en est de même pour le personnel qui prend soin de cet enfant.

L'enfant appartient-il à l'équipe médicale? Traditionnellement, c'est à cette équipe que revient la responsabilité médicale. Mais de plus en plus, les parents sont impliqués dans les décisions. Ils doivent être bien informés mais également sentir que l'équipe leur reconnaît une compétence en tant que parents. Il ne faut pas oublier que le rapport de force n'est pas égal entre les professionnels et la famille. L'équipe doit apprendre à partager avec la famille, à faire face à ses multiples questionnements, à ses ambivalences. Dans ces circonstances il est donc normal que les parents changent d'idées ou d'attitudes plusieurs fois au cours d'une journée.

Finalement, l'enfant s'appartient-il à lui-même? L'enfant en phase critique ou terminale va souvent lancer des signes. Il doit sentir que ses messages sont entendus et compris. Les intervenants doivent aider les parents à écouter ces signes. Il est parfois plus facile pour l'équipe médicale, qui est moins émotivement impliquée, d'y être sensible.

Se sentir compris et accepté est important pour l'enfant. Par exemple, au lieu de répéter sans cesse à un enfant qui refuse de prendre ses médicaments qu'il doit les prendre s'il veut guérir, les infirmières peuvent lui dire: «je comprends que tu sois fatigué de les prendre. Si j'étais à ta place, moi aussi je serais fatiguée». Surtout si l'enfant se rend bien compte que ces fameux médicaments ne lui ont pas permis de guérir jusqu'à présent.

Il est difficile de savoir si l'on doit dire à l'enfant qu'il va mourir. Je crois qu'il ne faut pas nécessairement le lui dire brutalement, mais plutôt être à l'écoute des signes, des pistes qu'il lancera selon son âge et son expérience. Il importe aussi de respecter les désirs profonds des parents, et de travailler avec la famille entière. L'enfant aura besoin d'aide pour briser l'isolement que crée la conspiration du silence. Au-delà de tout, il sentira le besoin de se faire rassurer, d'être entouré, d'être écouté; que quoi qu'il arrive, il ne sera pas abandonné.

Un travail d'équipe demande un respect mutuel, une réciprocité, un partenariat de manière à pouvoir aider l'enfant et sa famille dans cette expérience qui peut être si difficile.

La mort des sidéens

SUZANNE OUELLET[1] et JACINTHE BRODEUR[2]

Vivre et mourir avec le SIDA

Les réactions devant les victimes du SIDA sont empreintes d'un jugement moral très fort, constatent les conférencières.

Les réactions de la société ont une grande influence sur le cheminement des personnes infectées par le VIH. Ces dernières sont stigmatisées du fait que la société associe l'infection au sexe et à la drogue. La société est de plus en plus informée sur les moyens de transmission du VIH. Et c'est ici que surgit le paradoxe : plus la société est informée, moins elle pardonne à ceux qui contractent le virus. On oublie le caractère humain des comportements : qui n'a jamais pris de risque dans la vie ? Les nouvelles victimes auront peu de compassion de la société et même d'autres personnes déjà infectées.

La société réagit aussi par la peur. L'infection au VIH est devenu le virus de la honte. Les préjugés sont nombreux. On fuit, on rejette la personne infectée. Il semble, malheureusement, que seule la découverte d'un traitement va changer cette situation.

1. Infirmière clinicienne spécialisée, elle est membre de l'équipe multidisciplinaire de l'unité SIDA de l'Hôtel-Dieu de Montréal.
2. Infirmière assistante, elle a d'abord travaillé à l'unité d'urgence de l'Hôtel-Dieu avant de se joindre à l'équipe de l'unité SIDA. Elle est actuellement chef d'une unité de soins qui accueille plusieurs personnes atteintes du SIDA.

La société divise en deux catégories les personnes infectées au VIH : les victimes passsives (innocentes) et les victimes actives. Ces dernières se sentent culpabilisées par ce discours. La femme enceinte séro-positive subit une grosse pression sociale. La société est plus préoccupée par le fœtus (qui a de 30 à 50% de chances d'être porteur du virus) que par la mère. Pourtant, les femmes porteuses de maladie héréditaire pouvant être transmise à leur enfant ne subissent pas une telle pression sociale.

La famille de la personne infectée fait aussi face à la pression sociale. Elle perd son image de famille idéale. L'infection au VIH entraîne la honte, la culpabilité, l'isolement.

Il est facile de comprendre dans ces circonstances qu'une personne se croyant infectée hésite à passer un test de dépistage des anticorps du VIH. L'attente du résultat est angoissante. Et quand le verdict fatal tombe, c'est le refus, la honte. C'est la colère contre le transmetteur, la colère contre la science incapable de trouver le remède. C'est le découragement, la détresse émotionnelle, la peur.

Il est difficile d'avouer à ses proches qu'on est séro-positif. Ils voudront connaître les détails : où ? quand ? comment ? avec qui ? L'aveu au partenaire est encore plus difficile. Une union sur trois ne résiste pas à cet aveu. Il est difficile également de reprendre des activités sexuelles ; certains préfèrent s'abstenir totalement.

La personne souffrant du SIDA connaît plusieurs pertes : perte de liens affectifs, d'emploi, de statut social, d'indépendance, et souvent la perte de nombreux amis décédés du SIDA. Voir quelqu'un d'autre mourir du SIDA quand on est atteint soi-même est très angoissant. Il faut rassurer les malades en leur disant que toutes les personnes atteintes ne meurent pas de la même façon.

Il existe aujourd'hui de nombreux médicaments qui permettent de contrer les manifestations du SIDA. Mais quand ces médicaments ne fonctionnent plus, le malade a peur d'être abandonné par cette deuxième famille qu'est l'hôpital. Le malade connaît des émotions en dents de scie. Le déni côtoie l'acceptation. Sur le plan physique, l'état du sidéen est souvent sujet à un phénomène d'oscillation. On a souvent vu un patient qu'on croyait à l'article de la mort connaître une rémission.

Quand les traitements ne fonctionnent plus, l'équipe de soins doit passer des soins curatifs aux soins palliatifs. Elle doit mettre l'accent sur la qualité de la vie et non sur son prolongement. On doit demander au malade quel sens il donne à la qualité de la vie. Certains refusent toute médication pour soulager la douleur de peur de perdre contact avec la réalité. C'est aux membres de l'équipe d'informer adéquatement les patients sur les effets des médicaments.

Le travail d'équipe doit être privilégié quand on accompagne un sidéen vers la mort. L'accompagnant ne doit pas avoir peur de laver ou de toucher le malade. Il doit surtout savoir écouter le mourant. Il faut apprendre à parler de la mort avec le patient, ou lui donner la chance d'en parler avec les personnes de son choix. Le travail des accompagnants ne se limite pas au patient. Il doit aussi s'occuper des proches. Il doit leur expliquer en quoi consistent les soins et les traitements. L'accompagnant doit aussi savoir laisser la place aux proches car l'aide qu'ils apportent diminue leur sentiment d'impuissance.

L'équipe soignante éprouve de la peine lors du décès du patient devenu familier. «On ne peut accompagner un patient dans son dernier parcours sans en payer le prix affectif lorsqu'il disparaît.» (J.B.)

Aspect anthropologique

Cette brèche à colmater

Philosophie et spiritualité, contexte socio-culturel

Cette brèche à colmater[1]

Ruptures entre la vie et la mort et tentatives d'intégration

LUCE DES AULNIERS[2] et LOUIS VINCENT-THOMAS[3]

Brèche originelle, négation, déni?

Ce qu'il y a de remarquable de notre société,
c'est que nous assistons à une polarisation
extrême entre d'une part ce déni de la mort
et d'autre part, sa reconnaissance.

LVT: Nous vivons ce qu'on peut appeler une période de coupure entre la vie et la mort, la mort étant considérée comme le contraire de la vie: par exemple coupure entre les morts et les (sur)vivants, coupure entre les deuilleurs et ceux qui parmi les survivants échappent au deuil.

LDA: C'est juste qu'il y ait coupure. Tu ne penses pourtant pas qu'il y ait une brèche, une faille fondamentale, inscrite au cœur de l'homme, irradicable, irrémédiable et qui soit liée à sa conscience de la mort?

1. Cette conversation est issue du contenu remanié et de certains extraits de la conférence de clôture du Colloque «Mourir avec dignité».

2. Luce Des Aulniers, professeure aux études interdisciplinaires sur la mort (dont elle est la fondatrice) à l'Université du Québec à Montréal.

3. Anthropologue et écrivain français, il a publié au cours de sa carrière de nombreux ouvrages dont *Mort et pouvoir* (1978) et *La mort*, Que sais-je? (1988)

LVT : Oui et c'est ce qui marque le rapport à la mort des civilisations, c'est ce qui leur fait nier la mort de toutes leurs forces. C'est la négation. Mais il s'est produit un refus progressif de ce manque, de cette rupture d'origine qui l'a rendue encore plus difficile à assumer. Et là, on entre dans le déni.

LDA : Si nous les définissions ? La *négation* est le corollaire de la conscience de la mort, soit le réflexe de santé devant l'insupportable de la mort, soit ce qui, par exemple face à la maladie, ne nous fasse pas sombrer comme des chiffes molles et nous incite à vouloir protéger sinon ce qu'on appelait sa santé, du moins une capacité d'être soi. La négation, ce ne serait pas tant refuser la mort que ses effets destructeurs. C'est en ce sens que la mort éveille la vie parce qu'elle suscite le désir de vivre, de se survivre.

LVT : C'est cela. La négation peut se voir à plusieurs niveaux. D'abord, comme tu l'as dit, la volonté de rester vivant par delà la menace de mort. Cela vaut pour les individus et pour les sociétés. C'est par exemple la conception de la mort comme passage qui prend toutes sortes de formes : résurrection, réincarnation, Nirvana, théorie théosophique et bien d'autres. La négation se perçoit aussi dans le rituel de retenue qui pour moi fait partie du rituel d'oblation : tout se passe comme s'il s'agissait de traiter un peu le mort comme un vivant «tout en sachant qu'il est véritablement mort». C'est le cas bien sûr de la toilette funéraire qui est dans certaines cultures moins valorisée, puisqu'elle prend une forme technicisée et non pas des mains maternantes qui travaillent le corps, mais qui tout de même permet par la suite de récupérer le mort. En Afrique, il y a la « présentification» du mort — c'est le mot que je préfère. Il y a le repas funéraire qui peut être un substitut cannibalique de ces vieux rites d'ingestion du mort où on mangeait l'essentiel de sa personne pour se l'incorporer afin qu'il continue de vivre. Les chrétiens ont réinventé ça dans l'Eucharistie qui est une forme sublimée de cannibalisme. Au même titre existe ce que j'appelle la liturgie du souvenir qui est l'ensemble de l'organisation des phénomènes de mémoire pour entretenir la survie du défunt en nous.

LDA : Donc, la négation serait un mode de défense contre l'angoisse de mort, qui peut bien subsister dans tout le travail de deuil et qui justement permet de le mener à terme ?

LVT : Oui. Une négation vécue permet de dépasser la mort, aide la vie à reprendre ses droits.[1] Ce n'est pas du tout le cas pour ce que Freud a appelé la *dénégation*. Cette dernière est un procédé par lequel une personne, tout en formulant un de ses désirs, une de ses pensées jusque là refoulés, continue à s'en défendre en niant qu'ils lui appartiennent. Avec la dénégation, la mort est simplement transformée. Freud disait que l'inconscient ne croit pas à la réalité de la mort. D'ailleurs elle est hors du temps. Ainsi on remarque que lorsque les gens meurent, on dit : «Qu'est-ce qui l'a tué?, de quoi est-il mort?» comme si la mort était quelque chose qui venait du dehors. Quant au *déni*, c'est un mode de défense qui consiste dans un refus par le sujet de reconnaître la réalité d'une perception traumatisante. Ce terme d'ailleurs chez Freud est inséparable des théories du fétichisme et de la psychose. C'est le déni qui crée ce qu'on appelle des deuils pathologiques.

D'où origine la rupture contemporaine ?

LVT : Si on transpose ces notions sur le plan historique, on assiste de nos jours à une mise en place des conditions favorisant le déni ou la rupture, voire la coupure collective face à la réalité de la mort. D'après toi, quelles seraient les grandes charnières de cette élaboration du déni ?

LDA : C'est un mouvement qui a été progressif. Il s'est construit en Occident par de multiples phénomènes qui, pour prendre une image, s'accumulent comme des strates qui forment un rocher. On pourra constater que la coupure entre la vie et la mort (le déni) n'est pas désirée en soi, ou le fruit d'une quelconque stratégie. Elle est l'effet pervers d'autres coupures.

Le premier facteur contribuant à notre difficulté relative de convivre avec la mort se situerait autour du seizième siècle. Auparavant, l'eschatalogie représentait la survie de l'âme dans le jugement dernier, corps et âmes confondus. Au Moyen Âge, le jugement dernier, non plus collectif, se situe au moment même de la mort. Ce faisant, cette nouvelle opposition rendait compte de l'importance accordée à l'identité individuelle. Mais qui dit identité dit propension à un toujours meilleur devenir, projetant ainsi les aspirations dans l'au-delà. L'enjeu de ce devenir conférait donc à l'agonie un caractère de comptabilité des

---

1. L.-V. Thomas, *Rites de mort pour la paix des vivants*, Paris, Fayard, 1985.

péchés particulièrement dramatique. Cette dramatisation, propre aux treizième et au quatorzième siècles, a été amplifiée par la représentation du macabre (les transis, les squelettes) qui mettait l'accent sur la fin de l'existence et la décomposition du corps. Sous le poids de ces fantasmes et sous celui de la volonté de pérénité dans l'au-delà, la conception de l'homme total a éclaté, de sorte que l'âme et le corps se sont trouvés dissociés. L'âme actualise la survie dans un autre monde — ce que tout le monde connaît — et rationalise la délivrance des souffrances du corps.

Ainsi s'est développée, selon Baudrillard,[1] une véritable économie des rapports entre les deux mondes, notamment par la comptabilisation des indulgences du purgatoire. Et c'est à cette époque que sont apparus les premiers «spécialistes»[2] de la mort, les ordres mendiants, appuyés par les confréries (tiers-ordres) des paroisses. Outre la pastorale par les chemins, leur action se concentrait surtout au tout dernier instant de la mort dans une sorte de pédagogie de la peur. Celle-ci s'est amplifiée au quinzième siècle, avec l'invention de l'imprimerie, par les «Artes Moriendi», réponse de la religion à la nouvelle anxiété de hommes face à la mort. Ces livres pieux prescrivaient la façon de bien mourir. Le moment de la mort devenait surtout une lutte entre les puissances du ciel et celles de l'enfer. On ne s'occupait pas vraiment du moribond, c'était vraiment une lutte idéologique entre deux « super puissances ». La peur de l'enfer, alors puissant levier de conversion, a contribué fortement à l'instauration de la peur de la mort et à la peur de l'instant de la mort, puisque c'était lors de ce dernier que se jouait le sort de l'âme. C'était vraiment le « deadline », le défi « in extremis ». On assiste donc à une coupure entre le corps et l'âme dont la portée est considérable, puisqu'elle engage, avec cette centration sur le moment final, une nouvelle attitude face à la mort.

Le deuxième ordre de phénomène contribuant à la coupure et qui s'ajoute au premier facteur que nous venons de voir, c'est la prise en charge du corps humain par la biomédecine. Foucault[3] a noté comment

---

1. J. Baudrillard, *L'échange symbolique et la mort*, en particulier pour cette idée, le chapitre sur l'économie politique et la mort, Paris, Gallimard, 1976.
2. Selon Ariès et Yovelle, qui, sur ce point, sont d'accord.
3. M. Foucault, *Naissance de la clinique : une archéologie du regard médical*, Paris, P.U.F., 1970.

l'emprise de la biomédecine s'est accélérée alors que la mort devenait annihilation plutôt que passage vers un autre monde. De la même façon, Ariès a relevé l'ironie d'une science qui, par l'observation des cadavres, en est venue à expulser cette même mort. Dès les débuts du dix-neuvième siècle, la médecine a fait de la vie une structure organique et fonctionnelle limitée à son espérance.

LVT : Dans ce que tu dis, le rapport au temps est primordial comme indicateur des rapports vie-mort. Ainsi, pour la médecine, le temps est celui que dure la vie, et l'histoire, le temps que dure l'espèce.

LDA : Oui, car pour la logique biomédicale, la mort équivaut à une anomalie, à une destruction de la vie. Par conséquent, la biomédecine, en séparant la vie et la mort, a sapé le rapport au temps de l'individu. En considérant l'individu comme une entité morcelée, elle a effacé progressivement l'histoire de l'individu, l'histoire de l'espèce, tout ce qui était projection dans l'avenir. Comme progressivement ces principes de différenciation entre la vie et la mort sont devenus des opposés, voire des antagonistes, le but ultime du savoir médical — comme on le sait — a été de vaincre la mort. Le recul de la mort par la santé est enfin devenu petit à petit le nouvel objet du salut. De sorte que nos contemporains vont convenir de contrôler leur santé et de participer chacun dans sa petite loge par toutes sorte d'exercices, de diètes, etc. à l'élaboration de ce que Habermas[1] a appelé «la société thérapeutique».

Donc, il y a eu une coupure entre la vie et la mort puisqu'il y a eu coupure dans la conception du temps. Ce dernier n'existe pas pour la biomédecine parce qu'elle ne conçoit pas d'idée de sa propre mort.

Un troisième ordre de phénomènee contribuant à cette rupture se situe à peu près à la même époque. Car au dix-neuvième siècle les progrès de l'hygiène et de la diététique ont contribué à faire reculer la mort. Mais comme la mort existe toujours, anéantissant, séparant, provoquant l'absence, créant des métamorphoses, les gouvernants répondent au pouvoir «de» la mort par le pouvoir «sur» la mort. Il s'agit là des logiques que tu as bien illustrées...[2]

LVT : En effet, en prenant le contrôle de la mort, la politique achève de déposséder les hommes de la totalité de leur vie. Et avantage non mince,

1. J. Habermas, *The Theory of Communicative Action : Reason and the Rationalization of Society*, vol. 1, Boston, Beacon Books, 1984.
2. L.-V. Thomas, *Mort et pouvoir*, Paris, Payot, 1981.

elle jugule la révolte. En investissant la mort, la politique ne se garde pas seulement du vertige de sa propre mort — elle aussi! —, elle renforce son emprise sur tous les lieux de l'espace et sur tous les moments de la vie des groupes et des individus, notamment par les assurances qu'elle nous procure.

LDA : Encore ici, le discours officiel ne porte pas sur la mort comme telle, mais sur des mots d'ordre de modernité. Concrètement, selon Hintermeyer[1], cette mainmise sur la mort s'est réalisée sur trois fronts. D'abord par une politique de méfiance à l'égard de la mort apparente : on développe des preuves de mort de plus en plus raffinées, on éloigne les cimetières du tissu urbain et on individualise le deuil. De la sorte, cette politique d'«organisation» de la mort, voire de restriction de ses coûts, a pour effet de restreindre la mort au profit de la vie. En second lieu est valorisée une politique d'« exaltation de la vertu » qui, en relais de l'Église, se sert du pouvoir de la mort pour changer les hommes. Comment ? Par une pédagogie où les sens seront impressionnés afin de laisser la voie libre à l'introjection de conceptions morales de la bonne mort. C'est l'ère de la pompe tout azimut : pour adoucir l'âme des survivants, pour louer les morts vertueux, pour inciter à rechercher le mérite post-mortem (on n'a qu'à observer les épitaphes édifiantes inspirées de cette époque). Ainsi l'âme chute de son piédestal pour laisser place à la survie dans le groupe social. Enfin, en riposte au hideux une troisième politique se dessine, dite de «pacification». Alliée à l'hygiénisme, elle accorde toute la scène à la convention, valorise le courage et prend en charge le mort et sa suite, en en « gérant » les affects, par la commande de la retenue (la dignité ?) sous le prétexte du respect des morts.

Bref, par l'organisation, par l'exaltation d'une certaine morale et par la pacification, l'État assigne une place précise à la mort. Cette prise en charge de la mort qui la minimise au profit de la «vie» marque un cran de plus dans la progression vers le déni, puisque c'est là que conduisent la méfiance — rupture en soi — puis la défiance de la mort caractéristiques de l'illusion de toute-puissance de l'État dont nous portons évidemment la logique. J'en tiens pour illustration le développement

---

1. P. Hintermeyer, *Politiques de la mort*, Paris, Payot, 1981.

exponentiel des interventions de l'État et des organismes créés par l'État qui font en sorte que non seulement notre vie est gérée, mais thérapeutisée, judiciarisée, et surtout, professionnalisée...[1]

Je termine ce survol de la mémoire collective par un quatrième ordre de phénomène renforçant la coupure vie-mort. Il s'agit de la façon même de donner la mort. Car d'après Beaune[2], «pour la première fois de son histoire l'homme a non seulement conçu en son esprit mais expérimenté dans les faits une mort vraiment potentiellement totale, irréversible et mis au point une technique capable de concerner non plus quelques armées ou villes hagardes et dispersées mais l'Homme en son être absolu. Ces «techniques» sont en effet capables dans l'instant et sans collaboration extérieure (diabolique ou cosmique) de réduire à jamais en poussière, sans identité ni forme décelable, la totalité de notre support physique, cette Nature, cette Terre dont procède toute vie humainement concevable et notre corps du même coup. » En tuant toute la vie de la sorte, on arriverait à tuer la mort. Plus de coupure, le néant. Or cette menace même avive la dichotomie entre les deux termes, parce que nous ne savons plus trop ce qu'est la vie et ce qu'est la mort. En extension de cette logique de toute puissance, nous pourrions élaborer longtemps sur le nouveau modèle de la mort induit par les progrès de la « techno-science». Cette mort, en s'étirant sur un long laps de temps, reste moins une brisure qu'une saccade de moments, toujours un tant soit peu déterminés par d'autres que par le principal acteur. C'est donc là que réside cette dernière coupure contribuant au déni de la mort, dans le fait que nous nous trouvons « machinisés » tout au long de notre vie ; ce qui en soit, génère une sorte de flottement entre une identification de soi comme être et comme robot, flottement qui s'exacerbe au moment de la mort. En effet, cet humain réifié, désacralisé, dépersonnalisé, pose alors les bases de la militance pour une mort digne. Mais nous sommes en pleine modernité et tu en as bien fouillé les composantes.

---

1. Sur cette ambivalence face au pouvoir de l'État dans nos vies, voir L. Kolakowski, *Le village introuvable*, Paris, Éditions Complexes, 1986.
2. J.-C. Beaune, *Les spectres mécaniques. Essai sur les relations entre la mort et les machines*, Seyssel, Champ Vallon, 1988, p.13.

Non seulement rupture, mais polarisation. En quoi ?

LVT : Ce qu'il y a de remarquable de notre société, c'est que nous assistons à une polarisation extrême entre d'une part ce déni de la mort et, d'autre part, sa reconnaissance. Si l'on considère les facteurs de déni — encore qu'il faille les pondérer — il y a bien sûr la perte des valeurs traditionnelles, singulièrement d'ordre religieux. Je ne dis pas qu'il faut pleurer cette perte, j'observe simplement qu'elles sont devenues obsolètes et qu'elles n'ont pas encore été remplacées par d'autres valeurs, pourtant indispensables.

Ensuite, il y a cette caractéristique très spécifique de l'Occident d'aujourd'hui qui est une sorte d'individualisme exacerbé au cœur d'une société anonyme, collectiviste, in-sécuritaire, non maternisante. On a pu faire des études comparatives avec le monde animal et les sociétés dites traditionnelles : chaque fois qu'il y a une prise en charge collective de l'individu, soit au niveau de l'instinct, soit par la société, la peur de la mort n'existe pas, ou pour le moins, elle est affrontée plutôt qu'objet de fuite.

En troisième lieu, j'insisterais sur une des caractéristiques de notre monde : la neutralité affective, l'interdiction ou l'impossibilité d'exprimer ses propres émotions, ce qui apparaît particulièrement sur le plan du deuil : il n'est pas bon que nous manifestions notre souffrance devant les autres ; autrefois, si vous ne pleuriez pas d'abondance lors du décès d'un proche, on vous désignait du doigt comme coupable de sa mort. Désormais, si vous pleurez trop, on vous envoie chez le psychiatre !

Citons encore le développement de l'urbanisme qui peut agir de différentes manières. D'abord au niveau de la famille, en la restreignant à la conjugalité ou à la famille nucléaire. Ainsi n'y a-t-il plus personne pour accompagner le mourant et veiller le défunt à domicile, d'autant plus que les femmes travaillent à temps plein. On en vient à pallier cette situation par la création d'institutions appropriées. Puis que dire de ces HLM où l'on est réduit à descendre les cercueils par des cordes glissant le long des façades ? Quant aux cortèges funéraires, ils sont interdits dans les grandes cités pour ne pas gêner la circulation tandis que les corbillards roulent à tombeaux ouverts sur les autoroutes pour rejoindre les cimetières périphériques.

Puis il y a ce phénomène très souvent attesté et dont tu viens de parler, ce qu'on appelle les techno-sciences. Elles pensent apporter la solution à tous nos problèmes. En fait elles ravagent d'une manière hautement destructrice nos affects et le jeu des symboles qui nous aident à vivre. Nous sommes plongés en effet dans une société à accumulation de biens, beaucoup plus riche en techniques et en outils qu'en symboles proprement dits, où l'homme lui-même devient un producteur-consommateur, voire une marchandise, entrant par conséquent dans le circuit de la rentabilité et du profit. C'est un monde, par conséquent, qui vis-à-vis du cosmos a aussi une attitude nouvelle. Quant à l'environnement, il n'est plus qu'un tissu de lois abstraites et un ensemble de richesses à exploiter, pouvant aller jusqu'à sa destruction aux dépens de l'équilibre vital humain.

La société moderne, volontiers mortifère, génère aussi une mort rôdeuse et insaisissable, à la fois médicalisée, programmée bureaucratiquement à l'hôpital, marchandisée à tous les niveaux (services funéraires, vente d'organes et de sang...) et aussi médiatisée, offerte en images à tous : elle est alors niée dans sa banalisation quotidienne et devient une anecdote. On parlera à ce propos de «cannibalisme de l'œil», lequel épouse deux variantes. Tantôt on nous assène des horreurs, des flots de sang sur nos écrans de télévision, ou le spectacle ignoble de cette petite colombienne qui s'engloutit dans la boue lors d'une éruption volcanique. Tantôt, on l'a vu lors de la guerre du Golfe, la mort se cache sous la précision technique, celle de la bombe au laser qui détruit et tue en atteignant sa cible avec une minutie démoniaque, les victimes demeurant invisibles (la mort propre).

Les activités mortifères présentent encore d'autres visages qui ont, comme tu l'as observé dans ton survol historique, toujours le corps comme point d'ancrage. Par exemple dans le sport de compétition, le corps exhibé, manipulé et institutionnalisé, parfois dangeureusement dopé, est victime du mythe de l'exploit qui finit par tuer...

Et que dire des rites funéraires qui se simplifient, disparaissent ou perdent leur valeur symbolique ? En voici un exemple : en France, il faut avec un goupillon faire un signe de croix sur le défunt. Alors les gens ne savent plus ce que c'est et ils attrapent le goupillon, ils l'agitent de manière frénétique — on dirait qu'ils font un mouvement brownien — et puis comme dans le relais quatre fois cent mètres, ils le refilent à toute vitesse au voisin. Il se débrouille à son tour... Voilà quelque chose qui est totalement désymbolisé, au même titre que la croix dans un cimetière qui n'évoque plus la rédemption christique mais devient seulement le signe qu'il y a un mort là.

Polarisation, soit, mais souvent invisible au premier regard?

LDA : Les derniers exemples auxquels tu as recours indiquent bien, de fait, que la coupure entre la vie et la mort par le déni peut être plus sournoise qu'on ne le croit au premier regard et que, par exemple, des gestes supposés avoir un sens, n'en ont que les apparences...

LVT : C'est qu'il y a «ambivalence» de cette rupture, dans la mesure où nous sommes passés maîtres dans l'intelligence récupératrice : utiliser et détourner des symboles et les priver de leur richesse fondamentale. Il s'agit de sauvegarder les apparences d'intégration de la mort, sans nécessairement se douter qu'on participe du déni. Il y a, là encore, plusieurs situations «a priori» qui laissent les rapports vie-mort s'exprimer mais qui prennent au détour les mêmes caractères que ceux dont nous venons de parler. Par exemple, l'institution des soins palliatifs, créés expressément pour entrer vivant dans la mort, n'évite pas toujours, malgré l'hymne à la tendresse, la bureaucratisation de la mort et son esthétisation, comme si le beau cadre de l'U.S.P. générait la belle mort qui serait toujours une mort réussie. En outre, il y a certains médecins qui récupèrent de manière technocratique la maîtrise de la douleur ; la littérature sur ce point s'avère exemplaire.

LDA : Dans ce cas, c'est peut-être le fait même de l'institutionnalisation qui fait problème et devient souvent délétère. Toujours dans le même mouvement global de redécouverte de la mort, ce qui me frappe, c'est que le nouvel humanisme qui inspire la réintégration de la mort se fait plus mélancolique qu'auto-critique et ainsi contribue au problème qu'il voulait corriger au départ. J'en veux pour exemple les mots d'ordre que nous utilisons. D'abord celui de «fonctionner». Or ce terme est issu directement des machines que nous décrions. Il imbibe nos réflexes à un point où il nous faut donner une fonction instrumentale à tout. Par exemple, il faut que chaque rencontre serve à quelque chose. Mais qui dit instrumentalisme dit aussi volonté de contrôle des situations et des personnes, quand ce n'est pas violence — subtile ou spectaculaire —

lorsque les autres ne sursoient pas à nos désirs. Un autre exemple lié à l'instrumentalisme, c'est l'utilisation du terme « phase terminale ». Ce terme fait entrer la personne malade dans une sorte de double contrainte : d'un côté, on lui dit qu'on veut prendre soin de sa spécificité, et, en même temps, on la banalise dans une expression bureaucratique.

Il existe aussi tout un jeu de mots fourre-tout, très vagues, dont l'usage risque de faire plus de mal que de bien... Je pense à «espoir, volonté, qualité de vie», mais aussi à ce sentiment très verbalisé chez les personnes malades, l'inutilité. Il est essentiel de questionner ces mots. Espoir de quoi ? Et jusqu'où la volonté peut agir? Bref, que mettent les gens sous les mots qu'ils utilisent? À fouiller, on s'aperçoit qu'ils les utilisent comme une demande de sanction pour ce qu'ils sont, une demande d'acceptation par autrui et qu'au fond, ils veulent dire peut-être plus que les mots ou peut-être plus ou autrement que ce que nous, nous mettons sous ces mots gobe-sens. Voilà donc l'ambiguïté qui se fiche au cœur de l'expression orale. Mais s'il n'y avait que les mots...

LVT : Il y a aussi toutes les nouvelles pratiques! Tu as montré[1]», *Nouvelles Études Anthropologiques*, à paraître en février 1992. comment les arrangements faits au préalable (les contrats pré-obsèques), comme les testaments de vie, voire les déclarations de volonté nous renvoient à l'ambiguïté de la gestion de la mort à la fois perdue et retrouvée. En revanche, certaines pratiques assimilées rapidement à l'ordre du déni doivent être nuancées quant à leur sens. Tel est le cas de la thanatopraxie. Certes, on connaît l'exemple de «cadavres empaillés», outrageusement maquillés. Mais quand vous retrouvez avec un visage apaisé l'être aimé que la maladie avait défiguré, vous éprouvez une impression d'adoucissement de la peine non pas à parler avec, puisqu'il se tait définitivement, mais à « parler au mort». On peut déjà amorcer l'étape du travail du deuil par une véritable émotion. J'ai pu faire à mon épouse des funérailles africaines où elle était au milieu de nous, simplement parce que le thanatopracteur l'avait rendue telle qu'elle était. Voilà un exemple d'une conduite qui peut être interprétée dans un sens presque burlesque (le PDG américain décédé qui reçoit

---

1. L. Des Aulniers, «Des effets pervers et des effets pacifiants de la planification matérielle face à la mort

dans son bureau cigare au bec), mais devient le point d'appui d'un rite funéraire à la fois symbolique et thérapeutique.

Une autre conduite source d'ambiguïté est l'euthanasie qui signifie «bonne mort», mais devient mort que l'on donne pour des raisons économiques, eugéniques ou médicales. La distinction euthanasie active/euthanasie passive s'avère assez hypocrite. Quelle différence y a-t-il entre donner la mort et empêcher de vivre ? Entre débrancher l'appareil de réanimation et inoculer le produit meurtrier ? Entre ouvrir et fermer le robinet ? Comme si ne rien faire n'équivaut pas à faire quelque chose en laissant faire ? Ce que l'on condamne lors de procès célèbres à ce propos, c'est moins le fait d'avoir pratiqué l'euthanasie que de le faire savoir (délit d'opinion). D'ailleurs celle-ci se réalise très fréquemment dans les hôpitaux, à l'insu du malade et de sa famille : c'est l'euthanasie souterraine ou clandestine. Mais tantôt geste technique lié au pouvoir médical discrétionnaire, l'euthanasie peut tout de même devenir geste de tendresse, crime d'amour, cette ultime aide au mourant.

LDA : Encore une fois, il n'est pas aisé, dans ce cas, de comprendre la source du désir du mourant. On pourrait ajouter d'autres attitudes ambivalentes qui peuvent s'interpréter soit comme étant un retour vers la mort, soit au contraire une confirmation du déni.

Comment maintenant la mort peut-elle être réintégrée ?

LVT : Il existe plusieurs manières de répondre à cette question. Tout d'abord se convaincre que la mort est nécessaire parce qu'elle permet à la vie de se renouveler en facilitant de nouvelles aventures pour le protoplasme et à nos sociétés de ne pas s'ankyloser dans le vieillissement ou la répétition du même.

LDA : C'est la fameuse tension dialectique à assumer : la vie et la mort ne peuvent exister l'une sans l'autre. Ainsi la mort n'est pas que la fin de la vie, elle est ce qui détermine. Tout au long de la vie, la mort nous travaille. C'est une loi de nature comme de culture. Et c'est aussi une rationalisation pour ne pas désespérer du caractère tragique de la mort...

LVT : C'est exact. D'ailleurs, la science nous montre aujourd'hui la nécessité, l'inévitabilité de la mort, à condition bien sûr de cesser de penser et d'écouter notre propre personne mais de songer en terme d'espèce, d'une part sur le plan social, et en terme de coulée vitale sur le plan biologique. La mort est incontestablement la plus grande servante de la vie. Le mourant ensuite cesse d'être pris pour un être infantile ; il devient pour certains accompagnateurs un authentique maître à penser, un initiateur. On dit même qu'il vit dans son agonie une expérience unique (telles sont les révélations des associations comme l'International Association for Near Death Studies, IANDS). Réintégrer la mort, c'est aussi trouver des rites funéraires nouveaux avec personnalisation, participation des assistants et symbolisation renouvelée. Sans oublier la liturgie du souvenir qui permet d'entretenir la mémoire du disparu afin qu'il ne meure pas définitivement, grâce aux images visuelles et sonores (photos, vidéos-cassettes, traces multiples). Il y aurait beaucoup à dire encore, à propos de la guerre, de la menace atomique, du suicide et du SIDA...

LDA : Ces réalités que tu évoques sont porteuses d'un «appel à la dignité», qui, autrement qu'une assignation au contrôle de soi, à la sauvegarde des apparences de retenue, indique, me semble-t-il, une volonté de « sonder» les rapports entre la vie et la mort. Ainsi, ils peuvent notamment porter le germe d'une sorte de révolution de la mort. Cette révolution ferait en sorte que, bien sûr, cette brèche originelle ne serait pas colmatée, mais serait plutôt assumée, source de changement dans l'organisation de nos vies, individuelles et collectives, et dans la conduite de la mort. Qu'en penses-tu ?

LVT : La dignité c'est le respect que mérite quelqu'un. On parlera par exemple du principe de la dignité humaine selon lequel l'être humain doit être traité comme une fin en soi — on se souvient des théories kantiennes. On a pu dire par exemple que toute la dignité de l'homme réside dans la pensée (Pascal) ou dans sa capacité de se révolter contre sa situation (Camus). La dignité c'est aussi le respect de soi, l'acceptabilité de son état (d'où les variantes subjectives) face à soi-même et devant le regard de l'autre : la dignité est à la fois une qualité intrinsèque et rencontre dialectique entre le moi et l'autre et, en ce sens, occasion de dialectiser la vie et la mort. En second lieu, il y a peut-être deux types de dignité. Il y a la dignité avec un grand D qui évoque la notion de personne, qui renvoie à la singularité du sujet considéré dans sa dimension holistique. Puis il y a la dignité de surface, toute celle par conséquent que l'on rencontre avec les dégâts du vieillissement et avec les dégâts aussi, les pertes que peuvent causer le mourir. Il est curieux de montrer d'ailleurs que dans les civilisations occidentales, toutes ces déficiences sont pensées en terme de perte, alors que dans les civilisation négro-africaines traditionnelles elles sont toujours considérées en terme de gain. On aurait beaucoup à apprendre de la sagesse des nègres...

La dignité vient aussi du latin «dignitas» qui lui-même procède du grec « axioma » qui veut dire règle. Il est alors à craindre que mourir dans la dignité revienne à mourir selon les axiomes scientifiques de la religion-science. Mourir en sacrifiant en quelque sorte sur l'autel de cette fausse divinité. Donc, il y a d'une part une dignité qui est vécue par le sujet et de l'autre il y a la dignité à laquelle s'attend l'environnement. Il n'est pas sûr qu'elles soient tout à fait compatibles... Encore une fois, il n'existe pas une façon assurée d'intégrer la mort dans la vie. Cela comporte plusieurs dimensions. On parle de mourir de sa propre mort et non de celle des autres. C'est mourir sans souffrir et évidemment dans l'accompagnement. C'est faire en sorte que nous soyons considérés comme un tout, esprit, corps. Je crois beaucoup à l'importance du corps près de la mort ; il est véritablement pris en charge plus que soigné, caressé plus que frotté, enlacé, préparé comme une mariée. Il importe d'entrer vivant dans la mort.

Cela suffit-il ? Je n'en sais rien. Je ne peux ici qu'évoquer un souvenir personnel particulièrement beau et douloureux, celui de mon épouse qui a été accompagnée pendant vingt jours, nuit et jour, vingt-quatre heures sur vingt-quatre par toute la famille, y compris les petits-enfants, comme cela se fait en Afrique noire. Elle était dans un état de coma, phase trois ou phase quatre, je n'en sais rien et, subitement, alors qu'elle ne parlait plus depuis quinze jours, elle a dit de façon claire : «J'ai peur de ne pas mourir dans la dignité.» Ensuite elle est retombée définitivement dans le silence total. Qu'est-ce qui se passe derrière le crâne du mourant ? Est-ce que le miroir ne nous renvoie pas simplement notre propre image, puisque nous ne savons rien du vécu de ceux qui le traversent ? Il n'y a peut-être pas de modèle, à la limite, du mourir dans la dignité. On peut mourir dignement dans ses excréments et indignement dans la propreté aseptisée d'un monde médical. On peut mourir dignement dans son lit et indignement sur l'autel de la patrie. On peut mourir dignement sur un grabat à Calcutta et indignement dans les draps de satin d'un palais présidentiel. On peut mourir dignement atteint du SIDA et indignement avec les derniers sacrements de l'Église. Mourir dans la dignité, c'est peut-être dénaître en quelque sorte ou accoucher de sa propre mort. Ce serait consentir à larguer les amarres, à abandonner les bagages qui justifient la vanité de ce petit «je» jacasseur pour ne retrouver que les images de paix, de tendresse qui donnent à la vie son sens profond. Dans ce lâcher prise rayonnant se découvre parfois un être fusionnel avec le monde, avec un immense goût de liberté où le «De profundis» se transforme volontiers en «Te Deum». Enfin, est-ce le moment des retrouvailles avec ceux qui furent aimés? Peut-être, mais j'ignore s'ils séjournent quelque part. À moins qu'on attende leur retour parmi nous quand ils auront fini de compter les étoiles. À leur propos, je développe volontiers la philosophie du «comme si» ou celle du «pourquoi pas». Sur mon lit de mort — puisque je suis un intarissable bavard! — j'aimerais pouvoir transmettre deux messages à mes survivants: «je vous ai beaucoup aimés», puis, avec un humoriste, «n'oubliez pas que la mort est avant tout un manque de savoir-vivre»...

Philosophie et spiritualité, contexte socio-culturel

MARIO ALBERTON[1]

Il est difficile d'être proche de la mort. La mort est une situation limite. Le marxiste vérifie ses thèses, l'athée le sens de sa vie, le prêtre sa mission, le bouddhiste ses théories. Tous recentrent sur eux leurs valeurs. Les situations limites sont la pierre de touche où les êtres se retrouvent, elles sont le foyer d'une interrogation décisive. Si le mourant n'est pas soutenu par quelqu'un, il est incapable de comprendre ce qui lui arrive. Il a besoin de quelqu'un pour refaire le chemin. D'où l'importance des références comme la religion, les coutumes, la culture.

Le mourant accepte difficilement son corps. Le corps est un allié quand on est en santé, un ennemi quand on est malade. Il nous abandonne. Certains disent qu'ils sont déjà morts quand ils sentent leur corps les abandonner. Non seulement leur corps les abandonne, il devient un poids, un sujet d'humiliation quand ils doivent demander de l'aide pour leurs besoins les plus élémentaires, pour se laver, se retourner.

Le mourant traverse une crise de communication avec autrui. Il se sent menacé, il s'isole. Il refuse parfois que ses proches viennent le voir. Il est en crise de communication avec le reste de la société. Il devient spectateur du monde. Il est coupé de sa communauté culturelle, religieuse,etc.

---

1. Directeur de la santé physique au ministère de la Santé et des Services sociaux.

La mort n'est pas une chose facile à accepter. Cette mère de quatre enfants se révolte contre la mort parce qu'elle sait que ses enfants ont besoin d'elle. Cet évêque est mort en sacrant parce qu'il n'avait pas pu accomplir tous ses projets en Afrique. Même chose pour le marxiste dont le travail à l'usine et au syndicat était essentiel. Le Christ lui-même a eu de la difficulté à accepter la mort: «*Eli, Eli, lama sabachtani.* Mon Dieu, mon Dieu, pourquoi m'as-tu abandonné?»

Il est important pour le mourant de porter un regard sur sa vie, sur le quotidien. Comme ces vieux de Sherbrooke qui parlent au dernier moment de leurs vaches et de leurs cochons, qui faisaient partie de leur vie de tous les jours.

La prise de conscience du malade qui devient mourant prend la forme d'une surprise scandaleuse. Mais l'espérance est au cœur du mourant. C'est la valve de sécurité devant son univers qui bascule. L'espérance n'est pas une forme de fuite. C'est quelque chose d'intérieur, qui n'a pas besoin de réussite extérieure. Le mourant n'espère rien de précis. Il espère tout court. L'espérance naît quand il n'y a aucune autre espérance, quand l'espérance du quotidien disparaît (espérance de devenir riche, de guérir, etc.). Le mourant espère perdurer dans l'être, subsister.

Tel Musulman trouvait que les rites de sa religion étaient trop longs. Tel Bouddhiste était content quand son bonze ne pouvait aller le voir. Mme Laliberté endurait avec peine les prières de l'aumônier. Tel prêtre refusait les derniers sacrements. Pourquoi ces comportements? Parce que ces gens sont déjà rendus dans l'au-delà. Les signes extérieurs qu'on veut bien leur imposer ne sont plus signifiants pour eux.

Au-delà des cultures, les comportements face à la mort se ressemblent. Les différences ne sont pas tellement au niveau culturel mais au niveau du quotidien de chaque personne. Mourir est un fait humain avant d'être un fait culturel.

Aspect économique et social

Le prix de la vie, le prix de la mort

Vivre et mourir hier et aujourd'hui

Avis du conseil des affaires sociales

Introduction

On hésite à aborder l'aspect écomique et social, tant est grand le risque le risque de faire pencher la balance de l'opinion publique du côté des partisans d'une euthanasie dont la justification avouée est de réduire le fardeau fiscal des contribuables.

Mais le problème existe, à quoi bon le nier? Il est possible d'envisager une solution civilisée parce que les mortels qui sont aussi les contribuables s'opposent de plus en plus énergiquement à l'acharnement thérapeutique, pour des raisons d'ordre moral et psychologique. Or il se trouve que cet acharnement est l'une des principales causes de la montée en flèche des coûts de la santé.

Il faut seulement veiller, et cet aspect de la question est très délicat, à ce que la ferveur avec laquelle on combattra *l'acharnement thérapeutique* ne serve pas d'alibi aux partisans de ce qu'on pourrait appeler *l'acharnement* économique. Les grands malades sentent déjà que leur présence est encombrante pour plusieurs.

L'essentiel c'est que les choix comportant une dimension économique soient faits librement par le malade, plutôt que par la société ou l'équipe soignante. On a vu dans tel hôpital, telle vieille dame mourante, soignée par une jeune femme enceinte de six mois qui, en raison de la pénurie d'infirmières, et parce qu'elle aime sa patiente, accepte de faire un troisième quart d'affilée. On peut présumer que si la veille dame avait été consciente, elle aurait répondu à l'acte d'amour de son infirmière par un autre acte d'amour qui aurait consisté à demander qu'on la laisse mourir.

Dans les hôpitaux, il n'y a pas toujours assez de respirateurs pour tous les malades qui en ont ou en auraient besoin. Faut-il exclure qu'un utilisateur de cet appareil demande qu'on l'aide à mourir en indiquant que le plus beau sens qu'il peut donner à sa vie c'est de la donner à un blessé qui a besoin d'un respirateur pour survivre?

Bien entendu, en pareil cas il faut se garder de faire état de la pénurie d'appareils de soutien devant les grands malades qui mourraient sans ces appareils. Pour éviter les précipices dans une semblable situation de rareté des ressources, il faut être éclairé par une philosophie sociale bien déterminée, dont voici quelques exemples.

Le prix de la vie, le prix de la mort

HUBERT DOUCET[1]

Notre système de santé a été, dans les dernières années, fondé sur les prémisses qu'il doit nous protéger de la mort et que les ressources sont illimitées. Nous découvrons maintenant que c'est là une illusion. À vouloir vaincre la mort, nous avons perdu de vue la compassion pour les malades.

Nos ressources sont limitées. Le problème du prix de la vie et de la mort doit dépasser le problème du prolongement de la fin de la vie. Il faut voir cela dans un ensemble plus large.

L'objectif de nos systèmes de santé s'est développé dans un cadre de pensée où nous nous croyions riches, où nous croyions avoir une technologie assez puissante pour pouvoir répondre à tous nos besoins de santé. La limite était un mot inconnu.

Cette vision commence à être dépassée. On parle de plus en plus de ressources limitées et de leur distribution : manque d'organes à transplanter, absence de service en urgence, manque de place dans les établissements de soins prolongés, etc. Le développement de la médecine donne des nouvelles possibilités de guérison, mais il n'est pas toujours possible de s'en servir. Des besoins nouveaux sont créés, mais on ne peut les satisfaire. On est en train de passer du droit aux services, au progrès illimité, à l'avancement de la science, etc, à l'équilibre budgétaire, au rationnement, à la distribution des ressources.

---

1. Doyen de la Faculté de théologie de l'Université St-Paul d'Ottawa.

Nous sommes donc confrontés au problème de la médecine dont les rêves sont illimités bien que les ressources, elles, soient limitées. On pense pouvoir résoudre le problème en rationalisant : si on rationalise, on va pouvoir faire fonctionner efficacement le système. C'est une illusion. Le vieillissement de la population entraîne des coûts de plus en plus élevés. Plus la technologie est efficace, plus elle coûte cher, plus elle crée de besoins. Nos besoins de santé sont infinis. Le public exige de plus en plus de services afin de mieux vivre de plus en plus long-temps.

Les objectifs de santé tels que nous les avons fixés ne permettent pas de respecter les malades en fin de vie. Nous n'avons pas les moyens de nos rêves. Il faut cesser de voir la santé dans une perspective purement individuelle. Notre société actuelle pense qu'il faut répondre à toutes les demandes individuelles, fussent-elles futiles. Mais faut-il faire toutes les opérations et les transplantations demandées ? Faut-il faire une intervention chirurgicale pour permettre à certains nains de grandir d'un pouce ?

Il faudrait privilégier une perspective où la santé est vue dans une dimension sociale. La santé est un bien commun. Un bien qui nous permet de bien vivre ensemble. La santé n'est pas une fin en soi, elle est un moyen au service de la vie bonne, personnelle et communautaire. On doit voir la santé dans la perspective aristotélicienne de la cité.

La communauté doit favoriser les conditions pour que les individus soient protégés contre la maladie. Elle doit soutenir les individus malades pour qu'ils soient encore reconnus comme des personnes humaines. Le support de la communauté devient essentiel. Elle doit faire preuve de solidarité envers les malades qui sont démunis.

Il faut que le « care » ait la priorité sur le « cure ». Il ne faut pas se désintéresser de toutes les maladies individuelles, mais il faut question-ner les priorités. Le « cure » doit être intégré au « care ». Depuis Hippo-crate, la fonction de la médecine n'est pas de protéger à tout prix, ni nécessairement de guérir, mais d'amener du confort à la personne malade à travers différentes formes de traitement. Hippocrate disait au IVe siècle avant J.-C. : « L'objet de la médecine est d'écarter les souf-frances des malades et de diminuer la violence des maladies tout en s'abstenant de toucher à celui chez qui le mal est le plus fort, cas placé, comme on doit le savoir, au-dessus des ressources de l'art ».

Cela ne veut pas dire qu'il faut refuser la médecine moderne et scientifique. Mais il faut réaliser qu'il y a de plus en plus de maladies chroniques et que les soins nécessités coûtent de plus en plus chers. Ce ne sont pas tellement les découvertes scientifiques de la médecine qui augmentent l'espérance de vie, ce sont les travaux d'hygiène public et l'immunisation. Les petits progrès qu'on fait aujourd'hui sur l'espérance de vie coûtent très cher. Cette dernière a très peu augmenté au cours des 20 dernières années.

L'évaluation des technologies était toujours faite par des spécialistes. Ces derniers disaient toujours que la technologie est une bonne chose. On commence maintenant à faire l'évaluation sociale des technologies. Aux U.S.A., le cas des reins artificiels a montré que les coûts, même si la technologie est efficace, se chiffre en milliards parce qu'on a créé de nouveaux besoins. Les dialyses sont devenues une des plus grosses dépenses dans le système de santé américain.

On avait tendance à dire qu'on allait régler tous les problèmes par l'évolution de la technologie. Mais ce n'est plus la réponse. La société est en train de se rendre compte qu'il y a des limites. Même s'il n'y a pas de politique écrite à ce sujet, on ne pratique plus de dialyse après 65 ans en Grande-Bretagne, ni de transplantation après 55 ans. Cette politique informelle est le résultat d'un consensus de la communauté.

Il faut poser les bonnes questions pour faire les bons choix.

On tente d'éviter le problème des coûts. On a peur d'ériger en système l'abandon des grands malades qui drainent inutilement les ressources de la société. Beaucoup disent que ça n'arrivera jamais ici. Pourtant, il faut poser la question des ressources limitées et des choix qui s'ensuivent.

Les systèmes de santé, pour nous protéger de la mort, sont coûteux. Il faut réexaminer les objectifs que ces systèmes de santé se sont donnés. Les systèmes sanitaires modernes reposent sur l'idée de progrès infini (non-limite): conquête de la maladie, espérance de vie de plus en plus longue. Il n'y a pas de limites aux miracles de la médecine moderne. Les ressources sont la seule limite. Il faut donc mettre plus de ressources pour repousser plus loin les limites. Il faut gagner la guerre contre la maladie et la mort. La vie n'a pas de prix! Mais la mort en a un.

Le docteur Nakajima, directeur général de l'*Organisation mondiale de la santé* déclarait: «Le droit à une longue vie, qui peut être de 100 ans, est un droit fondamental de l'individu ». Cette déclaration s'inscrit parfaitement dans la logique des progrès de la bio-médecine. Mais elle est très incomplète car elle passe sous silence le problème des coûts exorbitants de la lutte contre la mort. Ces coûts devraient être utilisés pour la santé des familles et l'éducation des enfants. On a vu comment en Oregon les citoyens ont décidé des priorités. Nakajima passe également sous silence les coûts humains considérables rattachés à la lutte contre la mort.

La demande croissante d'euthanasie assistée reflète la peur du vieillissement et de la mort en compagnie de la médecine moderne. Vit-on plus longtemps pour être plus malade et en perte continuelle d'autonomie ? Prolonger la vie n'est pas toujours la respecter. Cela conduit à des situations aberrantes : une personne âgée vivant seule a de la difficulté à obtenir des services pour l'aider ; mais si elle développe une maladie aigüe, on fait tout pour la garder en vie.

Faut-il abandonner les grands malades, faire du triage, du rationnement ? La logique du système actuel nous y conduit. Il faut éviter ce désastre. Il faut arrêter de vouloir à tout prix vaincre la mort pour compatir avec ceux qui luttent contre la mort. Il faut passer du «cure» au «care». On ne peut pas rencontrer les besoins curatifs de tout individu malade. Cela dépasse nos moyens. La personne souffrante a besoin de notre aide et de notre compassion. La société a beaucoup plus une obligation de «care» que de «cure».

Le système actuel, fondé sur le prolongement de la vie, va conduire à trouver trop onéreuses les dépenses faites pour prolonger la vie. Il faut réexaminer les fondements de nos services de santé.

On dépense souvent beaucoup pour des cas particuliers. On peut investir des sommes énormes pour retrouver quelqu'un perdu en montagne alors qu'on pourrait dépenser cet argent pour améliorer la signalisation. Si on a cette attitude dans le domaine de la santé, si on essaie de répondre à toutes les demandes particulières de tous les malades, on s'en va vers la catastrophe. Au lieu de toujours penser en fonction du droit des malades, il faut penser en fonction de la responsabilité de la société. Il faut de la solidarité envers les gens vulnérables. Il faut sortir de l'approche de la confrontation des droits.

Vivre et mourir hier et aujourd'hui[1]

SERGE GAGNON[2]

Les historiens dont je suis sont habituellement sensibles aux interrogations de leurs contemporains. Quand ils interpellent les générations des morts, ils portent dans leur cœur les angoisses, les incertitudes des vivants.(...)

Depuis quatre ans, j'ai rencontré divers auditoires d'accompagnateurs professionnels ou bénévoles des mourants. J'en ai tiré la conviction que quiconque n'a pas réglé ses comptes avec sa propre mort assiste avec difficulté, peur ou angoisse les personnes en instance de mourir. Les psychologues du deuil et de la mort s'en tirent plus facilement que le personnel infirmier parce qu'ils ont choisi une spécialité qui les oblige à côtoyer les mourants.

Pour les historiens, les philosophes, la question du mourir ne doit pas intéresser seulement un petit nombre d'experts. Elle est l'affaire de chaque être humain.(...) Pour les ruraux d'autrefois, la mort était pensée comme un passage vers une vie meilleure. Cette espérance en l'immortalité bienheureuse est aujourd'hui loin d'être universelle. Du moins, advient-elle souvent à la conscience uniquement au moment des grandes échéances. La souffrance qui accompagne la mort était autre-

---

1. Comment vivait-on, comment mourait-on dans la civilisation dite répressive ? L'historien fait dans cette conférence le bilan de la morale ancienne à la lumière de la psychanalyse classique. Dans la civilisation du plaisir, la mort et la souffrance sont des scandales. Quels sont les chemins de la sérénité pour les vieux de l'an 2000 ?
2. Professeur à l'Université du Québec à Trois-Rivières.

fois perçue comme une nécessaire expiation. La durée de la vie était entre les mains du destin et de Dieu. L'homme subissait l'inévitable plus souvent avec résignation qu'avec révolte.

Encore au début du XXᵉ siècle, beaucoup de femmes mouraient en couche, beaucoup d'enfants décédaient peu après leur naissance. Le spectacle de la mort était moins rare qu'aujourd'hui. L'évènement était vécu avec ostentation. Chacun y apprenait à apprivoiser sa propre mort. Contrairement aux contemporains, on redoutait la mort subite — thème d'innombrables sermons — parce qu'elle ne laissait pas le temps de se mettre en règle avec Dieu. Il fallait, disait-on, se tenir toujours prêt à comparaître devant le souverain juge. À la campagne, le cimetière faisait face aux habitations, jusqu'au moment où les médecins hygiénistes se sont avisés de séparer les morts et les vivants. De son côté, la mémoire familiale entretenait le souvenir des défunts. Plus solides qu'aujourd'hui, les solidarités entre les générations faisaient aux proches un devoir d'assister leurs mourants.

La médecine hospitalière ainsi qu'une nouvelle philosophie de l'existence ont fait basculer les anciennes facons de vivre et de mourir. La mort est aujourd'hui niée de plusieurs manières.(...)

Dans la foulée des désirs surexcités par la société de consommation, l'inévitable souffrance apparaît aujourd'hui aussi inutile qu'insensée. La perte d'un être cher, de la santé, de la richesse est, pour plusieurs, jugée insupportable. Ne cherchons pas ailleurs d'explication à la montée du suicide.(...)

Dans les sociétés minées par la «fun morality», l'effort lui-même, cette sorte de souffrance volontaire en vue d'un bien plus grand, est disqualifié par un mode d'emploi de l'existence où domine le facile et l'éphémère. Si le plaisir seul vaut la peine d'être vécu, ne nous étonnons pas d'être devenus hautement suicidogènes. Les hommes et les femmes dont nous sommes les descendants donnaient leur pleine mesure devant l'obstacle, l'adversité, le malheur, alors que les contretemps nous abattent.(...)

Selon de récentes enquêtes, une minorité des plus de cinquante ans souhaite transmettre des biens aux enfants. Autre signe de la fragilisation des liens intergénérationnels, les artisans de la Révolution tranquille ne paraissent pas suffisamment conscients qu'ils pourraient refiler une énorme dette publique à leur descendance. Le «méchant

Duplessis» leur avait pourtant remis un État sans dette à une époque où les équilibres écologiques menaçaient beaucoup moins la vie humaine qu'aujourd'hui.

Par opposition au «temps-destin» de naguère, le «temps géré» de l'Occident contemporain a modifié la pratique médicale. La science a prolongé la vie, sans pouvoir assurer sa qualité jusqu'à son terme. Elle s'intéresse malgré elle à mort, sans beaucoup d'égards pour les valeurs humaines. Qui n'a pas entendu ces histoires un peu cruelles de la voisine qui s'est fait donner six mois à vivre...de l'oncle revenu de l'hôpital avec une jambe fonctionnelle à 30 pour cent! Dans le sillage de la médecine, de la société marchande et technicienne, chacun de nous s'est appliqué à la gestion de son existence.

Aussi mauvais comptables que Dieu le père, mes parents ne m'ont point enseigné le calcul. Je l'ai acquis de ma génération. Il faut, m'a-t-on répété, planifier sa retraite, comme si j'étais assuré d'en avoir une... Refus, déni de la mort. À ce propos, les bienheureux qui possèdent un fonds de pension institutionnel ou les moins heureux qui comptent sur la régie des rentes ont du mal à comprendre pourquoi leur retraite à 60 ans est supposée être plus confortable que leur retrait de la vie active au milieu de la cinquantaine. Réponse d'actuaire : l'accroissement du capital accumulé à 55 ans va faire boule de neige au cours des cinq années suivantes. Demi vérité ; à 60 ans, c'est aussi parce que vous vous êtes sensiblement rapproché de votre mort qu'on vous verse une rente beaucoup plus substantielle... Un quadragénaire à qui la médecine avait adjugé cinq ans de vie s'est retrouvé sans le sou, ayant malencontreusement décidé d'encaisser son RÉER en fonction de l'échéance proposée... Vous avez peut-être lu l'histoire de cette généreuse mère qui a décidé de mettre fin à ses jours après la validation d'une assurance-vie dont sa fille était bénéficiaire... Pour les individus comme pour les pouvoirs économique, médical, politique, la vie a désormais un prix.

En dépit de nos calculs, et bien qu'on parle beaucoup du mourir dans les médias, le déni de la mort me paraît toujours caractériser nos mœurs. Le marché de l'esthétique corporelle vend à pleines bouteilles le rêve de l'éternelle jeunesse. Nos rapports avec les vieillards sont distants et espacés. Je fus un jour invité à parler de la mort dans un centre d'accueil où l'on me promettait un auditoire parents-enfants. J'ai parlé, à une exception près, devant un public de têtes blanchies par l'outrage des ans...

Grâce à la technique, on peut aujourd'hui modifier l'échéance suprême. Qui n'a pas lu ces récits médiatisés où l'on accuse la médecine de prolonger indûment la vie et la souffrance ? A-t-on pensé que si on risque de mourir trop tard, on peut aussi mourir trop tôt ? Dans une chambre d'hôpital, le médecin ne sait pas vraiment pourquoi un fils, une fille paraissent empressés d'en finir. Le zèle des proches exprime-t-il un sentiment généreux, vise-t-il à supprimer des charges, ou qui sait, à hâter l'encaissement d'un héritage ?(...)

Dans nos sociétés où la mort hospitalière est devenue hors de prix, la désinstitutionnalisation est à l'honneur. Pour que la mort à domicile se fasse dans la dignité, les contemporains vont devoir resouder des liens disloqués par notre individualisme. La reprivatisation de la fin de la vie exige que les proches soient matériellement et effectivement prêts à accueillir l'un des leurs qui va mourir. La mort des autres doit me concerner, engager ma responsabilité, solliciter ce qu'il y a de plus noble en moi.

Pour la mort, espérons-le, lointaine, mais humaine de chacun de nous, voici ma recette. Nous devons nous soucier davantage de ceux qui nous suivent, préservant sagement les ressources, à l'exemple des générations précédentes, afin que d'autres puissent poursuivre l'expérience de la vie au-delà de notre propre existence.(...) La civilisation, pour se maintenir, exige des sacrifices. Si nous n'y prenons garde, l'injustice envers les générations pourrait bien se retourner contre les vieillards de l'an 2000. Leurs régimes de retraite ne sont-ils pas en bonne partie financés à même les titres de dettes des gouvernements ? Jeunesse passe, vieillesse trépasse. Pour mourir entourés de chaleur humaine, ni trop tôt, ni trop tard, nous devons cesser de proclamer des droits sans nous soucier des responsabilités qu'ils entraînent.

Changer nos philosophies de l'existence, rechercher le bonheur avec autant de détermination que le plaisir, n'est pas une mince affaire. Mais cet effort, cette volonté d'équilibrer notre capacité d'aimer et notre force de jouissance seraient largement récompensés par la sérénité, la paix intérieure, sources de joie et de plénitude.

Lecteurs sceptiques, allez demander aux milliers d'accompagnateurs bénévoles des mourants d'aujourd'hui. Ils vous diront comment leur souci des autres leur a donné le goût de la vie.

Avis du conseil des affaires sociales

MADELEINE Blanchet[1]

En 1991, 85% des gens meurent à l'hôpital ou en institution, souvent seuls, dans un environnement technologique non choisi et parfois après avoir subi des soins ou des interventions inutiles, douloureux, non désirés, voire refusés. Le légataire universel de notre fin de vie reste encore le plus souvent *le système* avec toute sa rigidité, ses chasses-gardées, ses routines et ses protocoles de soin. Dix ans après la publication d'un premier avis plaidant en faveur de l'humanisation du mourir, le Conseil des affaires sociales regrette que les choses aient à cet égard peu changé au Québec et ce, malgré de nouvelles initiatives en faveur des personnes atteintes de cancer. Dans un avis intitulé *Admettre la mort, l'affronter avec sagesse et humanité*, il formule de nouveau des recommandations afin d'aider le malade, ses proches et les professionnels qui les entourent à prendre les décisions qui s'imposent dans la phase terminale de la vie.

Dans la foulée du projet de réforme de la santé et des services sociaux qui énonce clairement les droits de toute personne à mourir dignement, le Conseil des affaires sociales propose la mise en œuvre de mesures favorisant la prise en compte des besoins et désirs des mourants et de leurs familles. Les établissements de soins chroniques où se trouvent beaucoup de personnes âgées ayant déjà effectué un cheminement évident dans cette voie, les recommandations visent donc particulièrement les centres hospitaliers de soins aigus.

---

1. Présidente du Conseil des affaires sociales et de la famille.

Il ne s'agit pas de réclamer encore plus à des institutions publiques confrontées à un contexte économique, social et démographique très lourd à gérer, mais de demander qu'on accepte de voir et de gérer les choses autrement dès que les médecins ont constaté qu'il n'y a plus d'espoir de sauver le patient. Les dix recommandations s'attachent à cerner cet *autrement* et proposent des aménagements qui touchent les établissements, les intervenants de la santé, les malades et leur famille ainsi que la société dans son ensemble.

Le Conseil des affaires sociales recommande :

1. que les établissements du réseau de la santé qui sont confrontés régulièrement avec la mort ajoutent à leurs mandats celui d'aider les gens à mourir avec le plus de douceur possible à domicile ou en institution et dans le respect de leur dignité, dès qu'il n'y a plus d'espoir de les sauver ;

2. que les conseils d'administration des établissements, où siégeront bientôt davantage des représentants de la population, s'assurent de la définition dans le code d'éthique, exigé par le projet de réforme, d'une approche de fin de vie. Le code devrait énoncer clairement les droits des malades en fin de parcours et préciser les pratiques et les conduites attendues du personnel à leur endroit ;

3. que le comité d'éthique de chaque établissement soit mandaté pour aviser le conseil des médecins, dentistes et pharmaciens ainsi que le futur conseil des infirmières sur le protocole entourant la fin de vie des malades. Ce protocole devrait servir de guide au comité consultatif sur les soins palliatifs et aux unités de soins concernés ;

4. que l'information aux malades et à leur famille soit assurée par les établissements de la façon suivante :

- le code d'éthique sous-tendant les pratiques des établissements, notamment en ce qui concerne l'approche de la fin de vie, serait diffusé dans un langage accessible à tous les malades et à leurs familles ;

- un document explicatif sur les possibles dispositions de fin de vie serait remis aux malades et à leurs familles ;

- un formulaire ou questionnaire favorisant l'expression des volontés et désirs des malades serait proposé systématiquement et, le cas échéant, annexé au dossier médical et pris en compte par les intervenants ;

5. qu'à domicile ou à l'hôpital, les familles puissent en outre bénéficier d'une documentation générale qui les familiarisera avec tous les aspects de la mort et des soins précédant le décès; qu'après le décès de leur proche, les familles qui en éprouvent le besoin puissent bénéficier d'un suivi et d'un soutien dans le deuil auprès du personnel soignant, dans un premier temps, et des groupes d'entraide, par la suite;

6. que pour le malade qui désire mourir à domicile, les CLSC et les groupes de bénévoles facilitent les choses matériellement et médicalement à sa famille; qu'une entente négociée entre les CLSC et les établissements permette au malade d'aller de chez lui à l'établissement et vice versa, en fonction de l'évolution de sa maladie;

7. que se développent, dans tous les établissements du réseau de la santé, des équipes de consultation multidisciplinaires en soins palliatifs où seraient représentés les malades; que ces équipes constituent une ressource mise à la disposition de toutes les unités de soins. En plus d'avoir un mandat consultatif clinique, ces équipes auraient la responsabilité de dispenser et de superviser l'information sur le mourir auprès de tous les intervenants de l'établissement par des cours, des écrits, des rencontres...Un système de formation continue devrait être instauré et les équipes de soins devraient disposer de documents de référence sur l'approche du mourant;

8. que les facultés de médecine incluent dans leurs programmes des cours sur l'approche de la mort et sur la communication en contexte d'agonie ou de maladie fatale; que ces cours se donnent tôt dans le processus de formation du futur médecin. Cette approche est déjà développée dans les écoles d'infirmières et devrait y être poursuivie;

9. que le système d'éducation du Québec prévoit dans les cours ou dans les approches pédagogiques des moyens permettant le développement, dans la société, d'une perception plus familière et plus humaine de la mort;

10. que les médias soient également mis à contribution pour favoriser cette évolution. À cet effet, une reconnaissance (un prix) pourrait être instituée pour souligner l'apport d'une émission ou d'un article particulièrement porteur d'un changement des mentalités.

Sans vouloir revenir aux façons de faire lourdes de souffrances des décennies et des siècles passés, le Conseil des affaires sociales se demande aujourd'hui s'il n'y a pas des leçons à tirer de l'approche de la mort qu'avaient nos parents et nos grands-parents. Le meilleur transfert social que l'on puisse faire en cette fin de siècle ne serait-il pas celui qui arrimerait les connaissances biologiques, médicales, technologiques, psychologiques et éthiques avec nos traditions de sagesse, de bon sens, et de respect de l'être humain?

Aspect philosophique et éthique

Une histoire de peur: mort traumatisante et niée

L'acharnement thérapeutique, un discours piégé

La qualité de vie: qui peut en juger?

L'instant de la mort ou le corps à mourir

Une histoire de peur:
mort traumatisante et niée

DANIELLE BLONDEAU[1]

On craint généralement ce qui est inconnu. On aimerait se défiler devant la mort. Rêver d'immortalité est tentant. «Le rêve est une seconde vie» disait Gérard de Nerval. Le rêve éveillé est une construction de la pensée imaginaire. Il permet d'échapper au réel et d'éviter une réalité pénible. Mais ce type de rêve n'altère pas la réalité.

Il y a un rapport étroit entre la techno-science et la mort. La techno-science ravive le rêve d'immortalité. C'est un fantasme secret enfoui dans l'humanité depuis des millénaires. On ne meurt plus aujourd'hui de tuberculose, d'insuffisance rénale, etc. On veut apprivoiser la mort en prolongeant la vie. La techno-science s'affiche avec beaucoup de promesses avec son appareillage sophistiqué disponible. La conscience de sa finitude ne laisse personne indifférent. Savoir que l'on va mourir est parfois traumatisant. Edgar Morin dans *L'homme et la mort* parle du «traumatisme de la mort». Il croit que c'est la conscience qui est à l'origine du traumatisme. On sait qu'on va mourir et on a peur de la mort. Cette peur débouche sur la croyance en l'immortalité. C'est le tryptique de Morin: conscience de la mort, traumatisme, croyance en l'immortalité. L'idée absurde d'une fin inéluctable conduit la pensée humaine à ouvrir des soupapes à l'angoisse. À travers l'histoire, l'homme a survécu au traumatisme. Selon les cultures et les visions du

1. Professeure à l'École des sciences infirmières de l'Université Laval.

monde de l'époque, l'homme a inventé et adapté des dispositifs qui ont permis d'apaiser ses angoisses : magie et sorcellerie, religion, religiosité, techno-science qui est à la fois magie et religion. Toutes ces soupapes rendent la mort plus tolérable et moins menaçante.

La techno-science est le dieu des modernes qui s'est substitué aux dieux des païens. Les victoires spectaculaires permettent d'espérer des miracles. La techno-science est un cataplasme qui génère une autre peur, celle de mal mourir. Mourir artificiellement fait beaucoup plus peur que mourir naturellement. Quand le contrôle extérieur se substitue au hasard, quand l'artifice se substitue au processus naturel, les possibilités de la science n'apaisent pas. Elles affolent et cultivent le traumatisme. Occultée, la peur de la mort se nourrit dans le refoulement. En dépit du rêve d'immortalité, le traumatisme est toujours présent.

Le recours à des soupapes ne fait qu'entretenir l'étrangeté de la mort. On la repousse, la refoule, l'exclut. La mort ne fait plus partie intégrante de la vie. Confiée à la techno-science, elle en devient l'objet, la propriété. N'appartenant plus à l'homme, la mort est dépossédée, désincarnée, d'où sa médicalisation et sa désacralisation. Le mourant n'est plus au centre de la mort. C'est le combat contre la mort et sa maîtrise médicalisée qui est au centre. L'urgence de l'activisme s'insinue. Il y a nécessité de « faire quelque chose » : abréger le mourir par l'euthanasie, le prolonger par l'acharnement thérapeutique, nier la proximité de la fin par le jeu de la comédie, refuser la mort par la perte du rituel. C'est de la fuite et de l'évitement. Au lieu de laisser la mort agir, on cherche à faire quelque chose.

Avec l'acharnement thérapeutique, on combat la mort en niant sa présence. On agit sur le mourir au lieu de le laisser arriver naturellement. C'est un déni de la fatalité. La négation de la mort est la négation de l'être humain. En repoussant la mort, on empêche la personne de vivre sa mort à elle. La mort est plus qu'un simple acte biologique qu'on peut prolonger à outrance. Avec l'euthanasie, qui est la provocation délibérée de la mort, on déjoue la fatalité en décidant à l'avance de son moment.

Il y a également le jeu de la comédie, des demi-vérités, du mensonge organisé. Tout le monde fait semblant de ne pas savoir que la mort est proche. C'est le monde du non-dit, du faux, du camouflage, de l'hypocrisie. Le jeu assigne des rôles à tous : le mourant, les proches, les professionnels de la santé. Le mourant camoufle son angoisse et la mort qui l'abrite. Le refus de la vérité porte atteinte à la dignité de la personne. Il empêche le mourant d'avoir accès à sa peur intime qui est sa vérité.

Il existe aussi un appauvrissement du rituel qui devient professionnalisé. La prise en charge des mourants est passée des mains des proches à celles d'étrangers : entrepreneurs funéraires, thanatologues, professionnels de la santé. La mort est évacuée, dissimulée par le maquillage funéraire. Les rituels modernes scindent l'étape du vivre, du mourir, de la mort. Le mourir se fait en institution. Le défunt est pris en charge par l'entrepreneur funéraire qui le transforme en vivant ou le réduit en cendres. Par une autre forme de négation, on minimise l'importance de l'évènement.

Les perceptions et les attitudes face à la mort varient beaucoup dans l'histoire comme le montre Ariès. Aujourd'hui, la mort n'est plus acceptée comme partie intégrante de la vie. Le deuil est devenu suspect. La personne endeuillée est soupçonnée d'avoir des troubles. On nie ainsi une partie de la vie. Il y a perte de sens. Seul le sens permet de saisir la profondeur de la vie et de la mort.

Fuir désincarne la mort et l'être humain. Nier la mort, c'est nier la condition humaine qui est par définition d'être mortelle. L'être humain sait au fond, que malgré toutes les technologies, il va finir par mourir. Le mirage de l'immortalité ne le dupe pas. Plusieurs indices, comme le colloque « Mourir avec dignité », montrent un volte-face dans la recherche du sens. Il y a un souci de réfléchir à la réalité proprement humaine, de regarder la mort en face, de découvrir le sens de la mort. Les unités de soins palliatifs montrent le désir d'humaniser les soins aux personnes mourantes. Les patients sont considérés comme des personnes vivantes, pas des futurs défunts. Le testament de vie est une autre tentative de réappropriation de la mort. Tous ces indices annoncent la fin du cauchemar, la fin du règne du non-sens. Il faut opérer un changement d'attitude face à la mort.

Il y a cependant des pièges à éviter. Les moyens ne doivent pas détourner de l'objectif qui est la préservation de la dignité humaine. Il ne faut pas que les unités palliatives se figent en mouroirs isolés, sous peine de voir les gens penser que la mort appartient à une élite professionnelle spécialisée. Il ne faut pas croire que le testament de vie est une garantie de mort dans la dignité. Il ne faut pas qu'il entraîne un désintéressement à l'égard des besoins du mourant. Il ne faut pas qu'il donne bonne conscience aux professionels qui pourront se croire à l'abri des poursuites. Il ne faut pas qu'il soit subordonné à des intérêts légaux ou administratifs. Il faut se méfier des recettes miracles.

Le sens de la mort se trouve dans la personne, dans sa vie, et dans des moyens moins tangibles et spectaculaires qu'on serait porté à croire. Le sens, comme disait Jacques Dufresne, peut se retrouver dans quelque chose d'aussi simple qu'un regard rempli d'empathie et de compassion. Les sentiments ne seront jamais remplacés par les institutions, à moins que les institutions aient une âme. Le sens n'a du sens que si la personne est reconnue dans son individualité, son unicité, avec ses peurs, ses regrets, ses rêves inachevés, ses relations avortées.

Accueillir la mort est une question d'attitude. Accueillir la mort, c'est accueillir l'autre. Ce n'est qu'une éthique de la solidarité ou de l'altérité qui réhabilitera la dignité humaine.

L'acharnement thérapeutique, un discours piégé

JACQUELINE FORTIN[1]

Les propos que nous tenons sur l'acharnement thérapeutique sont, à mon avis, remplis d'ambiguïtés. Pour peu que nous nous attardions à y réfléchir, nous pourrons constater que notre point de vue sur le traitement agressif pourra varier dans le temps et dans l'espace. Dans le temps, parce que nous sommes des êtres historiques. Nous sommes aujourd'hui ce que nous n'étions pas hier, et nous serons autres demain. Dans l'espace, parce que compte tenu des rôles que nous assumons à certains moments de notre histoire, et compte tenu aussi des personnes avec qui nous sommes en relation, du lieu où nous vivons certains évènements, et des évènements eux-mêmes, notre façon de concevoir l'acharnement thérapeutique pourra aussi varier. Je soutiens donc que l'acharnement thérapeutique que nous refusons (ou demandons) aujourd'hui sera peut-être l'acharnement thérapeutique que nous réclamerons (ou refuserons) demain. Le discours que nous tenons sur l'acharnement thérapeutique est un révélateur de nos désirs, nos désirs de vie ou nos désirs de mort, pour soi et pour autrui.

Je voudrais aujourd'hui réfléchir avec vous sur cette ambiguïté des discours que nous tenons sur l'acharnement thérapeutique. Et je le ferai de la façon suivante. *Dans un premier temps*, je vous raconterai quelques

---

1. Infirmière, chargée de cours en éthique et en bioéthique de l'Université de Montréal, présidente du comité de bio-éthique de l'hôpital Notre-Dame de Montréal.

récits qui illustrent cette ambiguïté de nos propos sur le traitement agressif. *Dans un second temps*, je m'attarderai aux propos de justification de l'acharnement thérapeutique tenus par des médecins, et sur les difficultés inhérentes au fait de ne pas s'acharner. *Dans un troisième temps*, je mentionnerai certaines raisons pour lesquelles des proches désirent parfois un acharnement thérapeutique pour un des leurs. Et enfin, *dans un quatrième temps*, j'aborderai la question de l'acharnement thérapeutique comme discours piégé.

I — Des récits

Les quatre récits que je relate ici sont fictifs dans leur présentation. Ils sont cependant tirés du vécu quotidien des professsionnels de la santé.

1) Marie-Christine est atteinte de méningite :

Marie-Christine, une petite fille de deux mois, est un jour transportée par sa mère à l'urgence de l'hôpital le plus rapproché de chez elle. On diagnostique une méningite grave. Elle est intubée et on l'hospitalise aux soins intensifs. Les médecins stabilisent sa condition physique et elle s'améliore rapidement. Son évolution neurologique cependant laisse à désirer. Après cinq jours d'hospitalisation, elle est toujours dans un coma profond et l'activité cérébrale est pauvre. Il est clair pour tous, dans l'équipe médicale, que le pronostic de récupération neurologique est nul. L'état général de l'enfant est cependant stable.

Le médecin traitant de l'enfant informe les parents de la condition de leur enfant et du pronostic neurologique. Les parents comprennent bien la situation, et acceptent finalement le fait qu'il n'y a plus d'espoir acceptable pour leur enfant. Ils sont d'accord avec l'extubation, laquelle est faite le lendemain. Or, à la grande surprise de tous, l'enfant respire spontanément. Elle est toujours en coma profond cependant, et elle ne répond pas à la douleur. Vingt-quatre heures après, Marie-Christine vit toujours. Les parents demandent alors au médecin de cesser tous les traitements : les antibiotiques, l'alimentation par gavage, et l'hydratation par soluté. Le médecin cesse les gavages, et refuse de cesser l'hydratation en alléguant que ce n'est pas un traitement agressif. Une semaine plus tard, l'enfant vit toujours. Les parents reviennent à la charge. Ils accusent les médecins d'acharnement thérapeutique et disent qu'ils contribuent à faire vivre un légume. Si le pronostic est nul, tout doit être cessé. Les médecins allèguent, pour leur part, que l'hydratation intra-veineuse n'est pas une mesure extraordinaire de traitement, et que ce serait inhumain de laisser mourir un bébé par déshydratation.

2) Mario a un accident de moto.

Mario a dix-huit ans. Il est transporté à l'urgence d'un hôpital universitaire suite à un accident de moto. Il a plusieurs fractures : bassin, bras. Il a aussi subi un traumatisme crânien. Mario ne portait pas de casque protecteur lors de l'accident. Réanimé à trois reprises en douze heures, il a une faible activité cérébrale. Après examen, cependant, il est évident pour l'équipe médicale que Mario ne survivra pas. Les dommages cérébraux sont tellement importants qu'ils apparaissent incompatibles avec la vie. Son cœur bat cependant, et son débit urinaire est bon pour le moment. Avertis, les parents de Mario se sont présentés à l'urgence dans un réel désarroi : il s'agit de leur fils unique.

Mario est hospitalisé depuis quatre jours. Sa condition n'a pas changé. Il est toujours sous respirateur. Le médecin traitant s'entretient avec les parents longuement, à plusieurs reprises, et il tente de leur expliquer que le pronostic de Mario est fatal. Cesser la ventilation assistée apparaît la meilleure chose à faire parce que de toute manière, il ne survivra pas. Les traitements sont futiles et n'améliorent pas du tout sa condition, sinon de le faire vivre mécaniquement.

La mère ne veut rien entendre. Elle insiste pour qu'on le maintienne sous respirateur et dit au médecin qu'il fait mieux de traiter son enfant sinon il aura des problèmes. Le père est plus réaliste que sa femme à propos de la condition de son fils. L'équipe soignante des soins intensifs (médecins, infirmières, travailleur social) discute de ce cas, et s'entend sur la futilité du traitement. Or, que faire devant cette mère qui veut qu'on s'acharne à faire vivre son fils ? Mario a vécu six semaines avec sa mère à ses côtés qui priait pour sa guérison, alors que tout espoir était perdu depuis longtemps. Au bout de six semaines, un dernier essai de réanimation cardio-respiratoire n'a pas réussi, et Mario est décédé.

3) Un diagnostic difficile à poser chez Sylvain :

Sylvain est un bébé né à terme par césarienne, après une grossesse tout à fait normale, chez une jeune mère de 22 ans. Quelques heures après sa naissance, il présente de la cyanose et doit être intubé et ventilé. Il est ensuite transféré en néonatalogie. Dans les jours qui suivent, on tente de sevrer l'enfant du respirateur, mais cette tentative est infructueuse. Les médecins ont de la difficulté à poser un diagnostic précis. Il demeure sous respirateur pendant quatre mois. On finit par le désintuber graduellement, et il est transféré en pédiatrie. Et après de multiples observations et examens, l'équpie médicale est d'avis que Sylvain souffre de neuromyopathie dégénérative généralisée.

À six mois, toujours hospitalisé, Sylvain fait un arrêt cardio-respiratoire après un gavage. On l'intube d'urgence, on doit lui faire une trachéotomie, et il est transféré aux soins intensifs. Il ne pourra plus être sevré du respirateur. Il présente régulièrement des convulsions, et il a un important retard de développement.

Les médecins ont discuté avec les parents de l'état de leur enfant et de son pronostic. La mère admet qu'elle utilisait de la drogue avant et au moment de la conception de l'enfant. La mère est hostile et agressive avec les médecins et les infirmières. Elle note à plusieurs reprises qu'elle n'est pas satisfaite des traitements que Sylvain reçoit. Elle ne comprend pas que les médecins ont du mal à poser un diagnostic précis. Elle veut à tout prix qu'on sauve son enfant. Elle est même prête à le soigner à la maison. Le père de l'enfant, par contre, considère qu'il serait préférable de le laisser partir tranquillement en lui donnant juste le nécessaire pour qu'il ne souffre pas.

4) Madame Simoni ne veut plus vivre :

Madame Simoni a quatre-vingt-sept ans, et elle habite en centre d'accueil d'hébergement. Elle souffre d'hypertension artérielle, et est bien contrôlée par la médication. Elle a quelques oublis, de temps à autre, comme plusieurs personnes âgées. Sa condition générale est cependant bonne pour son âge. Elle n'a pas de famille, sinon une vieille cousine en Europe.

Madame Simoni commence un jour à faire de la fièvre, elle tousse, elle a mal dans le dos. Le médecin du centre d'accueil la visite et diagnostique un début de pneumonie. Il faudrait, dit-il, qu'elle soit transportée à l'hôpital. Il souligne le fait que le centre d'accueil n'est pas équipé pour soigner une pneumonie. Madame Simoni refuse d'aller à l'hôpital. Elle ajoute de plus qu'elle ne veut même pas être traitée. Elle dit au médecin que le Bon Dieu l'a oubliée sur terre. Elle note qu'elle a mené une bonne vie, qu'elle considère qu'elle a fait son temps, et qu'elle est prête à partir.

Plusieurs infirmières la comprennent. Certaines, par contre, ne sont pas du tout d'accord avec elle, et veulent qu'on la transfère à l'hôpital. Le médecin insiste auprès de Madame, et finalement demande le transfert malgré son refus, en alléguant la confusion. Madame est alors transportée à l'hôpital. Une fois rendue, elle refuse de s'alimenter. Elle devient confuse, ses problèmes pulmonaires s'aggravent, elle a un accident cérébro-vasculaire, et meurt une semaine plus tard.

Apprenant cette nouvelle, plusieurs infirmières blâment le médecin de l'avoir traitée malgré son refus et disent qu'il a fait de l'acharnement thérapeutique en la faisant transporter à l'hôpital. Pour le médecin, il ne s'agit pas d'acharnement thérapeutique. C'est tout simplement une bonne médecine que de traiter une pneumonie.

Dans le premier cas que j'ai apporté, le médecin veut continuer à hydrater l'enfant et ne considère pas que c'est de l'acharnement thérapeutique, alors que les parents veulent tout cesser. Dans le troisième cas, c'est la mère qui veut qu'on s'acharne, mais pas le médecin et le père de l'enfant. Dans le deuxième cas, c'est la mère qui veut qu'on traite agressivement son fils, alors que les médecins considèrent les traitements futiles. Et dans le quatrième cas, un groupe d'infirmières considèrent qu'on aurait dû respecter le refus de cette dame. D'autres infirmières cependant, et le médecin traitant, considèrent qu'une bonne pratique médicale consiste à traiter une pneumonie même malgré le refus d'une patiente, et en supposant la confusion engendrée par la fièvre.

Qui a raison parmi toutes ces personnes? Qui a la bonne interprétation de l'acharnement thérapeutique? De tels faits vécus (et combien d'autres) me font dire que l'on est peut-être un peu trop rapide, à certains moments, dans nos jugements à propos de l'acharnement thérapeutique, et on oublie parfois la complexité des situations dans lesquelles les intervenants et les proches peuvent être impliqués.

II — Le discours de justification de l'acharnement thérapeutique tel que véhiculé par des médecins.

Comment certains médecins apprécient-ils l'acharnement thérapeutique? Que peut-on dire des explications qu'ils donnent pour justifier le traitement agressif?

Mon expérience personnelle, et une revue de la littérature, m'ont permis d'identifier certains motifs que les médecins allèguent pour justifier le traitement agressif.

1) S'acharner à traiter est une bonne pratique médicale.

Pour plusieurs médecins, s'acharner à traiter est une bonne pratique médicale. C'est être un bon médecin que de ne pas désespérer, de ne pas démissionner trop vite. Le bon médecin est celui qui aura tout essayé, et qui démissionnera en désespoir de cause. Tel que le soulignait Jean Ziegler, sociologue suisse, dans son volume *Les vivants et la mort,* le bon médecin est celui qui utilisera toute la technologie mise à sa disposition pour traiter. Et si cela ne fonctionne pas, le malade mourra par défaut. C'est en s'acharnant, dira-t-on, que la science médicale a progressé, en tentant toujours de faire reculer les frontières du savoir. Si nous démissionnons trop vite, disent certains médecins, qui dit que nous n'aurions pas pu sauver ce patient. L'agressivité thérapeutique est donc une bonne chose. Elle a sauvé bien des vies. Et bien des médecins raconteront ce petit miracle de la médecine qu'ils ont réalisé (ou vu réaliser), ne serait-ce qu'une seule fois, alors que selon toute vraisemblance, le patient allait mourir et il a survécu grâce à l'acharnement thérapeutique de son médecin. Certains ajouteront: il est même venu me remercier par la suite. Si je puis me fier à ce que certains médecins me disent, et à ce que la littérature rapporte, les médecins apprennent très tôt dans leur formation qu'il faut s'acharner, ne pas démissionner trop vite, et faire avancer la science médicale.

L'expression «acharnement thérapeutique» a couramment une connotation négative. Elle véhicule l'idée du médecin qui traite inutilement, alors que les espoirs sont perdus ou démesurés. Cependant, il est vrai que c'est en s'acharnant que la médecine a fait d'immenses progrès dans le traitement, et cette expérience est aussi perçue comme positive. Alors, quand l'acharnement thérapeutique positif devient-il un acharnement thérapeutique discutable, sinon condamnable? Et qui décidera de l'acceptable et de l'inacceptable? Le médecin, les parents? La société?

Cette première justification de l'acharnement thérapeutique est donc en lien avec la conception que certains ont d'une bonne médecine.

2) La complaisance face aux demandes des proches.

Une seconde justification de l'acharnement thérapeutique est la complaisance face aux demandes des familles qui ont de la difficulté à intégrer un deuil. On a pu constater cela chez la mère de Mario et chez la mère du nouveau-né atteint d'une maladie dégénérative. Comme un médecin me le mentionnait un jour, ce n'est parfois plus le patient que l'on traite en s'acharnant ainsi, mais la famille, et on en est conscient. Le risque, ici, évidemment, est que ce n'est plus le bien-être du malade qui est recherché, mais celui de la famille. Et cela pose certainement des questions.

Il est facile de tenir un discours théorique sur cette réalité et d'affirmer que cela n'a aucun sens d'agir ainsi, mais ces situations se présentent dans un contexte souvent dramatique, chargé d'émotions pour les uns et les autres, et à l'intérieur d'une dynamique de relations interpersonnelles. Quelle devrait donc être la meilleure attitude devant un membre de la famille qui exige l'acharnement thérapeutique?

3) La crainte des poursuites judiciaires.

Une troisième justification de l'acharnement thérapeutique est la crainte des poursuites judiciaires. Ces craintes en sont venues à hanter l'imaginaire médical chez nous. On peut le constater régulièrement. Un médecin traitera alors qu'une bonne pratique médicale, humainement acceptable, lui indiquerait que cesser est la seule alternative adéquate. Mais plusieurs médecins se sentent (ou se croient) sur la corde raide, travaillant dans ce qu'ils appellent un vide juridique, et dans un cadre où les avis juridiques peuvent varier aussi. Ils ne veulent pas prendre la chance d'avoir des problèmes. C'est dans ce contexte que s'est développée graduellement, chez nous comme aux États-Unis, ce qu'on appelle une médecine défensive. Si on peut comprendre le vécu difficile de telles ambiguïtés, il y a cependant ici matière à réflexion. Dans un contexte où la population est beaucoup plus informée qu'elle ne l'était autrefois, on peut, par exemple, se demander comment la population réagira, avec le temps, lorsqu'elle réalisera que des décisions médicales sont parfois prises non en fonction de son bien-être, mais par crainte de problèmes personnels ou professionnels ? Agir en fonction du bien-être du malade doit normalement être l'objectif de la médecine. Quelle histoire de la médecine est-on en train d'écrire à notre époque ?

III — Le discours de justification de l'acharnement thérapeutique par les proches.

Des proches exigent aussi un acharnement thérapeutique de la part du médecin. Pourquoi ? Je crois que l'on peut identifier trois motifs qui sous-tendent une telle requête.

1) Le refus de la mort d'un être cher.

Une première raison est le refus de la mort d'un être cher, et le désir parfois inconscient d'avoir le temps d'intégrer cette perte. Cette intégration de la réalité d'une perte se passe dans le temps, la durée. Elle demande un apprivoisement. La mère de Mario l'a admis après le décès de son fils : elle avait besoin de ce temps. Le traitement était inutile. Pour les médecins, c'était de l'acharnement thérapeutique. Ont-ils eu raison de céder aux demandes de cette mère ? Certains intervenants ont souligné, par la suite : «heureusement qu'on n'a pas eu besoin du respirateur pour un cas urgent». Que se serait-il alors passé ? Aurait-on pu lui permettre d'intégrer son deuil ? Et pourra-t-on toujours se permettre une telle poursuite de traitement inutile dans un contexte de rareté de ressources ?

2) Le sentiment de culpabilité.

Une seconde raison qui peut expliquer une exigence d'acharnement thérapeutique de la part des proches est le sentiment de culpabilité, inconscient ou conscient, accompagné d'un désir et d'une satisfaction pas toujours conscients d'ailleurs, d'avoir tout essayé. Le désir de traitement agressif, chez la mère de Sylvain, est un révélateur de ceci. Elle avait pris de la drogue durant sa grossesse, et s'est sentie responsable, à tort ou à raison, des problèmes de son enfant. Elle aurait fait n'importe quoi, pour faire taire son sentiment de culpabilité. La qualité de vie de son enfant, son pronostic fatal, elle ne les voyait même pas. Elle était obnubilée par le remords.

3) L'espoir d'un miracle.

Une troisième raison pour laquelle des proches peuvent demander un acharnement thérapeutique est un espoir, pas toujours réaliste malheureusement, que la médecine opère un miracle. Certains ont peine à croire que les médecins ne trouveront pas LA solution. Cela est particulièrement vrai quand il s'agit d'un enfant. La vie d'un enfant, c'est la survie des parents. Elle véhicule leur désir d'immortalité. Et la mort d'un enfant, c'est un peu comme le monde à l'envers. Dans une certaine logique des choses, les enfants survivent à leurs parents.

Un jeune médecin me disait un jour: «quand la population cessera-t-elle de penser qu'on est des Bon Dieu?». Par ailleurs, il y a aussi des personnes qui disent: «quand cesseront-ils de se prendre pour des Bon Dieu?». Les deux réactions existent.

IV — L'acharnement thérapeutique: un discours piégé.

Quand j'analyse les quatre cas apportés au début — et je pourrais en apporter plusieurs autres — je deviens songeuse. Je constate que qui que nous soyons, et quel que soit le rôle que nous soyons appelés à jouer et les situations dans lesquelles nous sommes impliqués, notre vision de l'acharnement thérapeutique pourra varier. On attribue habituellement l'acharnement thérapeutique au médecin, mais des proches le désirent aussi. Les conceptions de l'utile et du futile varient selon les circonstances et les personnes.

On peut admettre, en théorie, qu'un traitement futile est celui qui peut prolonger l'inconscience, et qui ne peut terminer la dépendance des soins médicaux intensifs. On peut tenter de faire des distinctions subtiles entre l'effet d'un traitement sur un organe, par exemple, et le bénéfice total du traitement pour la personne. Il n'en demeurera pas moins que lorsqu'un évènement particulier se présentera, nous devrons faire une herméneutique de cette situation, i.e. que nous devrons l'interpréter. Nous devrons donner un sens à l'utile et au futile pour cette situation particulière, lequel sens débordera bien souvent l'aspect strictement médical et mécanique. Et ce sens sera certainement marqué par la symbolique de nos relations à autrui.

La qualité de vie : qui peut en juger ?

GUY BOURGEAULT[1]

«Mourir avec dignité», «mourir de sa mort à soi»: telles sont les deux orientations maîtresses, délibérément associées, qui définissent, dans son titre même, la problématique générale du présent colloque. Dans ce cadre, ma contribution aux discussions aura pour objet les enjeux d'une définition, quand approche sa fin, de ce qui constitue la qualité de la vie humaine. Jugeant, en effet, que ce qui reste de la vie d'une personne est promis ou non à une suffisante «qualité», on met en branle l'appareil technologique biomédical et on s'acharne, comme on dit parfois, à la «sauver», à la prolonger, ou on décide, au contraire, sinon d'en hâter la fin, de la «laisser partir». Mais qui donc, hors la personne qui la vit, peut juger de la qualité d'une vie humaine, d'une vie qui ne peut être humaine qu'en étant la vie de quelqu'un, *sa* vie? Et quel sera, pour qui prend la décision, le cadre de référence du jugement posé? Selon les personnes qui la vivent et compte tenu, bien sûr, des valeurs privilégiées et sous l'influence des idéologies qui ont cours et qui font parfois consensus dans leurs communautés d'appartenance, la

---

1. Éthicien, l'auteur est professeur à la Faculté des sciences de l'éducation de l'Université de Montréal. Il est également associé au Centre de recherche en droit public de la même université, dans le cadre d'un programme de recherche sur les aspects éthiques et juridiques de l'utilisation des technologies dans le champ bio-médical. Il a récemment publié un ouvrage sur *L'éthique et le droit face aux technologies de la vie et de la santé. Prolégomènes pour une bioéthique,* Montréal, les Presses de l'Université de Montréal; Bruxelles, De Boeck — Wesmaël, 1990. Le texte qui suit emprunte librement à certaines sections de la deuxième partie de cet ouvrage.

vie humaine peut être perçue et vécue comme un don, comme projet, comme responsabilité...Mais le sens que chacun donne à sa vie fait-il en même temps et à lui seul la mesure et le prix de sa qualité ? Voilà les questions auxquelles je tenterai d'apporter, dans cet exposé, moins des réponses que des éléments de réflexion.

Quelques mots, d'abord, en guise d'introduction et pour situer mes propos dans le cadre du colloque et de sa problématique, sur le discours actuel sur « le mourir ». Quelques pistes et quelques jalons de réflexion, ensuite, touchant la définition de la qualité de la vie et ses enjeux. Quelques repères, finalement, pour la décision et pour l'action.

I — Le « retour de la mort »
— critique du discours actuel sur « le mourir »

Après un long temps de silence et peut-être de déni, prolifère aujourd'hui, sur « le mourir » plus que sur la mort, le discours.[2] Mais de quoi donc ce subversif « retour de la mort » dans le discours actuel sur « le mourir » est-il le signe ? Que nous dit ce discours sur la vie ?

Le « retour de la mort » dans la conscience contemporaine, que révèle le discours, tient sans doute au présent malaise de civilisation, lui-même lié à une conjoncture économique incertaine, voire à une crise du système économique, à la déshumanisation conséquente des relations et de la vie, à un développement technologique à maints égards aliénant. Compte aussi le poids de la menace d'une explosion nucléaire pouvant allumer ce grand feu d'artifice dont nous ne pourrions toutefois admirer le spectacle ! Et de celle d'une détérioration de l'environnement peut-être devenue irréversible et dont les premiers dommages seulement nous seraient révélés dans les sécheresses et dans le dépérissement de nos forêts, dans la pollution de lacs et de rivières dont les eaux sont déjà mortifères... Sans doute l'humanité a-t-elle vécu depuis les origines sous l'emprise de semblables menaces et, à travers les millénaires, sous le coup, tour à tour ou simultanément, des famines, des guerres et des cataclysmes. Mais les menaces d'aujourd'hui ont ceci de particulier et de nouveau, du moins dans les perceptions que nous en avons, que leur

---

2. Je reprends ici le propos d'un article publié, sous le titre « Cette mort qu'on tente d'apprivoiser... », dans la *Revue Internationale d'action communautaire,* 23/63 (printemps 1990) — « Vieillir et mourir : à la recherche de significations », 103-112.

source est humaine et non plus «naturelle», qu'elles ne sont ni le fruit du hasard ni la manifestation de quelque mystérieux dessein de la providence, mais qu'elles viennent par décision — ou indécision — humaine mettre en échec une maîtrise pourtant élargie de jour en jour, grâce à la technologie, sur le monde et sur la vie. Révélant la vanité de nos rêves, ces menaces nous rappellent soudain notre condition mortelle.[3]

Il y a aussi cet autre fait de civilisation que constitue une certaine littérature thanatologique et d'un certain discours qui, nouvelle forme d'un déni que pourtant elle dénonce, édulcore la mort et, en taisant ses horreurs pour le plus grand nombre, en évacue le mystère en même temps que le scandale, avec les angoisses de l'agonie (=lutte), pour situer la mort en continuité avec la vie et non plus en rupture (et en interruption) avec elle.[4] Cette littérature renvoie d'ailleurs à une pratique en voie d'instaurer, médication aidant, un modèle du «bien mourir» qui remplace celui, désuet sans doute, de la «bonne mort». Car il ne faut plus parler de la mort, mais du mourir : on m'a récemment entretenu, et le plus sérieusement du monde, de la nécessité désormais d'«apprendre à gérer son mourir»! Or la mort, par delà le mourir, a ceci de profondément troublant pour la conscience humaine qu'elle rappelle jusqu'à quel point la vie, gratuite en son jaillissement et dans son déroulement tout autant que dans sa fin, échappe à la maîtrise humaine et au contrôle. Et par conséquent à la rationalité gestionnaire et technologique des programmes inlassablement instaurés et revus.

S'inscrivant à sa façon dans ce courant «thanatologique» et inspirant plusieurs de ses ténors, Elisabeth Kübler-Ross, sur la base d'une riche expérience de dialogue avec des mourants hospitalisés, présente la mort comme pouvant être acceptée et vécue, après une phase de dénégation éventuellement agressive, comme «dernière étape de la croissance»[5]. Les témoignages cités sont souvent touchants. Ils sont cependant le fait de personnes malades et informées de la gravité de leur maladie, qui

---

3. Maurice Boutin, dans l'ouvrage collectif *Essais sur la mort,* Montréal, Fides, 1985, pp. 33-37.
4. Je me contenterai de citer ici, sans commentaire, le titre d'un opuscule publié il y a quelques années : *La vie et la mort : une continuité.*
5. Elisabeth Kübler-Ross, *Les derniers instants de la vie,* Genève, Labor et Fides, (1969) 1975, et *La mort, étape de croissance,* 1977.

savent qu'elles vont mourir bientôt et qui se voient dans l'obligation presque, la mort venant, de «s'y faire» et de s'y préparer. Il s'agit également de témoignages de personnes lucides, mais dont les forces manquantes ou défaillantes facilitent peut-être parfois l'abandon ou, pour reprendre l'expression d'Elisabeth Kübler-Ross elle-même, la «décontraction»[6], laquelle peut alors être proprement biologique ou physiologique, tout autant que psychologique ou spirituelle. Il s'agit enfin de personnes «accompagnées» dans leur dernière maladie par des parents et des amis parfois, par les membres de l'équipe de soins...et par Elisabeth Kübler-Ross elle-même ou par d'autres personnes partageant la même philosophie — celle, dominante, de la majorité des personnes qui œuvrent dans les unités hospitalières dites de soins palliatifs et qui marque leurs comportements — , voire la même spiritualité. Un rituel entoure alors le mourant face à sa mort, lui rendant en certains cas possible, tout en lui imposant en même temps le modèle, l'apparente sérénité des chevaliers de la chanson de geste médiévale ou le stoïque abandon des saints dans les pieuses hagiographies. Mais il est bien des personnes qui meurent avant que la conscience ne leur soit venue ou revenue, victimes d'épidémies et de famines, ou encore d'accidents ou de catastrophes, ou à la guerre, dans le dénuement et dans l'abandon... Toutes ces morts violentes et non assistées, celles sans doute du plus grand nombre, échappent à l'emprise des analystes tout autant que des gestionnaires.

«Chacun de nous est le premier à mourir», dit le Roi d'Ionesco. Comme il a été le premier à vivre, le premier à apprendre, le premier à aimer. La mort a beau être, comme la vie, un phénomène courant et naturel, une réalité que l'on peut savamment dénombrer et statistiquement prévoir, elle échappe toujours, dans son unicité inlassablement renouvelée, à notre entendement : qui en a fait l'expérience, par là même n'est plus pour en dire le sens. Chacun sait donc qu'il va mourir, et cette conscience est liée à celle que le vivant a de sa vie, irrémédiablement vouée à la mort. Mais la vraie mort, la mienne, prévue avec certitude,

---

6. Elisabeth Kübler-Ross distingue diverses étapes ou phases ou stades dans le cheminement vers l'acceptation de la mort; on trouve dans ses écrits deux schémas légèrement différents, respectivement en cinq et, intégrant les précédents, en sept stades: 1) choc ou prise de conscience, 2) dénégation, 3) rage et colère, 4) marchandage, 5) dépression, 6) acceptation, 7) décontraction.

ne peut être «anticipée» ou expérimentée, vécue à l'avance; j'en peux lire peut-être au fil de ma vie les signes avant-coureurs dans la maladie, dans la souffrance, dans le vieillissement, mais je n'en saurais faire comme au théâtre, avant le moment tout à fait décisif, la «répétition».

Habitués à la dynamique générale de l'alternance des saisons, nous avons, certes, par delà nos inquiétudes et en dépit de nos angoisses — «Et si le soleil ne revenait pas!» — la certitude du retour des printemps par delà les froids hivers; mais celle aussi, et par conséquent, de l'inéluctable prise de l'automne et de ses feuilles mortes après les moissons de l'été. Chaque vie qui «revient» au printemps est à proprement parler une vie nouvelle, à son tour irrémédiablement vouée à la mort pour asurer la perpétuation ou la conservation de l'espèce qui est la sienne. Pour l'être humain individuel, malgré que sa conscience puisse demeurer ouverte jusqu'à la fin, l'élan de la vie est brisé par la mort, de même que le projet personnel que portait cet élan; la mort le met ainsi tout entier en cause. La mort est donc à la fois empêchement de vivre et condition fondamentale de l'existence humaine. Aussi ne peut-on pas faire abstraction de la mort quand on parle de la qualité — qualité humaine — de la vie...

II — La qualité de la vie : qu'est-ce à dire ?

Brutalement, la mort pose la question du sens de la vie. Qu'est-ce pour les humains que cette vie à laquelle la mort viendra inéluctablement, un jour, mettre un terme? Et quelle est cette humanité qui définit et fait la qualité de cette vie dans la prise en charge par chacun d'une destinée dont pourtant il ne maîtrise ni l'origine ni le terme?

a. La vie comme don et la mort comme fatalité

La vie humaine peut être «reçue» et vécue comme *don,* voire comme prêt : de Dieu, de mère-nature; la mort, qui en marque le terme, apparaît alors à la fois tout aussi arbitraire et tout aussi naturelle que la naissance qui révèle la vie et la fait apparaître en son jaillissement originel. «Dieu donne la vie, Dieu la reprend, Dieu soit loué!» Pour la pensée dite primitive, l'existence humaine tout entière est sous l'emprise nécessaire et sous l'influence déterminante de forces supérieures enveloppantes : la vie est don merveilleux ou prêt gracieux «d'en haut», et la mort, fruit

empoisonné d'une influence des puissances sataniques «d'en bas».
«C'est le destin. Quand son heure est venue, on n'y peut rien changer...»
S'inscrivant dans cette tradition, le mythe chrétien de la résurrection du
Christ constituant le gage de la nôtre, comme aussi, quoique de façon
différente, le mythe multiforme de l'éternel retour rendent en quelque
sorte et en un sens fort insignifiante la mort de l'individu...comme
d'ailleurs sa vie. Ils renvoient l'un et l'autre à une nécessaire acceptation de l'ordre de la nature dans la résignation du saint devant sa mort,
selon les récits enjolivés qui nous en sont parvenus, ou dans la maîtrise
de lui-même et de la situation que semblait garder devant sa mort, dans
la chanson de geste, le chevelier du Moyen Âge[7]. Maîtrise? Ou simple
aveu d'impuissance, au contraire, dans la reconnaissance d'une incapacité radicale d'intervenir, pour l'empêcher ou simplement le retarder,
dans le «départ» de cette vie dont on a d'ailleurs conscience de n'avoir
nullement maîtrisé les cheminements antérieurs?

b. La vie comme projet et le non-sens de la mort

La vie humaine peut aussi être vécue comme *projet* d'une liberté; la
mort, qui révèle la finitude de cette liberté en imposant un terme non
choisi à son projet, s'avère alors non-sens. La vie placée sous le signe
de la liberté s'identifie finalement à son projet. Deux ans avant sa mort,
Jean-Paul Sartre écrira: «La mort, je n'y pense pas. Elle ne vient pas
dans ma vie, elle sera dehors. Un jour, ma vie cessera mais je veux
qu'elle ne soit obérée par la mort en aucun cas. Je veux que ma mort ne
rentre pas dans ma vie, ne la définisse pas, que je sois toujours un appel
à vivre». L'être humain, par l'élan d'une pensée qui fait son humanité
et qui donne sens à sa vie[8], sans doute, mais également par les liens
tissés par son affectivité et aussi par sa descendance, transcende la mort
à laquelle sa vie, pourtant, est vouée et qui va finalement l'engloutir[9].

---

7. Philippe Aries, *Essais sur l'histoire de la mort en Occident du Moyen Âge à nos
   jours,* Paris, Éd. du Seuil, 1975, pp.22-35.
8. Simone de Beauvoir a admirablement décrit et narré cette tension de la liberté dans
   l'incessante reprise d'un projet se réalisant dans la pluralité de projets simultanés ou
   successifs; c'est ce projet qui, dans une nécessaire ambiguïté et en dépit de sa
   finitude, donne sens à la vie — dans *Pyrrhus et Cinnéas,* Paris, Gallimard, 1944.
   Voir aussi *Une morale de l'ambiguïté,* Paris, Gallimard, 1947.
9. Sans en nier le non-sens, Jean-Paul Sartre récuse ce pouvoir de la mort sur la vie.
   Sans doute le non-sens de la mort révèle-t-il la finitude de la vie, c'est-à-dire ses

La mort semble être donc la plus forte et son non-sens paraît acculer, en la vie même, à l'absurde. Reste sans doute, par delà la mort, ce que Jean-Paul Sartre appelle «l'être-pour-autrui»: cette «vie dont l'Autre se fait le gardien» dans sa mémoire, avec le risque évident de l'oubli[10].

c. Pulsion de vie et pulsion de mort... : la mort comme invention de la vie

La vie humaine peut encore être perçue dans son appartenance au jeu cosmique des pulsions de vie et des pulsions de mort évoqué par Hubert Reeves; la mort apparaîtra alors comme «invention de la vie», pour reprendre l'expression de François Jacob[11]. Selon l'intransigeante «logique du vivant» et dans le large mouvement qui emporte la vie vers une souplesse croissante qui fait sa richesse en ouvrant constamment de nouveaux possibles, le sexe et la mort, écrit François Jacob, apparaissent comme «les deux inventions les plus importantes», inventions de la vie. La reproduction par la sexualité, explique-t-il, «contraint au

limites en même temps que son inestimable prix. Mais cette finitude révélée par la mort n'est pas faite par elle; lui étant en quelque sorte antérieure, elle tient aux nécessaires choix de la liberté qui donne sens à la vie humaine. Pour Jean-Paul Sartre, la mort «n'est jamais ce qui donne son sens à la vie: c'est au contraire ce qui lui ôte par principe toute signification». Elle ne saurait d'ailleurs être le but de la vie: «le but doit être voulu pour être». La mort appartient à l'ordre de la facilité, comme d'ailleurs la naissance, et non à celui de la liberté. Limite en quelque sorte externe, la mort ne vient pas de moi, de ma subjectivité que précisément elle limite de l'extérieur. «Ainsi, la mort n'est pas *ma* possibilité...; elle est situation-limite comme envers choisi et fuyant de mon choix... Aussi, me hante-t-elle au cœur de chacun de mes projets comme leur inéluctable envers... La liberté qui est *ma liberté* demeure totale et infinie, non pas que la mort ne la limite pas, mais parce que la liberté ne rencontre jamais cette limite, la mort n'est aucunement un obstacle à mes projets; elle est seulement un destin *ailleurs* de *ces projets*». — Jean-Paul Sartre, *L'Être et le néant,* Paris, Gallimard, 1943, pp. 630-632. Voir aussi ses *Carnets pour une morale* (1948-1948), Paris, Gallimard/NRF, 1983, p. 464.

10. «C'est l'Amérique de 1917, conclut Jean-Paul Sartre, qui décide de la valeur et du sens des entreprises de LaFayette...» — *L'Etre et le néant,* pp. 626 et 381. Reste, dira de son côté V. Jankelevitch, «l'avoir été», «l'avoir aimé»... — réalités en quelque sorte impérissables et qui enveloppent la mort «dans le linceul de gloire» — *La Mort,* p. 410.

11. François Jacob, *La logique du vivant,* Paris, Gallimard, 1970; voir aussi *Le Jeu des possibles. Essai sur la diversité du vivant,* Paris, Fayard, 1981, spécialement pp. 99-102. — Sur les pulsions cosmiques de vie et de mort, voir le livre de Hubert Reeves, *L'Heure de s'enivrer. L'Univers a-t-il un sens ?* Paris, Éd, du Seuil, 1986.

changement», rendant possibles la complexité et la diversité, tandis que la mort apparaît comme «condition nécessaire à la possibilité même de l'évolution». Sans la vie, mais aussi sans la mort avant nous, nous ne serions pas là ! L'avènement de la vie dans le cosmos et plus précisément sur la planète Terre, puis son évolution au fil des milliers d'années qui ont précédé nos quelques millénaires historiques de vie humaine, selon les règles de l'interaction du hasard et de la nécessité qui fait «le jeu des possibles», donnent d'ailleurs à entrevoir clairement qu'il aurait pu en être autrement : la vie humaine telle que nous la connaissons aurait pu ne jamais advenir. Et elle pourrait si facilement disparaître ! Se trouve ainsi relativisée du coup, sans qu'elle soit pour autant niée, l'importance unique de la vie humaine, importance factice parce que fabriquée par nous et prétention d'une vie qui se présente elle-même comme marquant l'achèvement de l'évolution. Se trouve en même temps valorisée — par nous, bien sûr, — la vie non humaine avec laquelle la nôtre est en continuité. Et la mort se trouve réintroduite pour nous, humains, avec une nécessité devenue comme plus évidente et, s'il se peut, plus impérative. Si, cependant, par delà sa nécessité, elle trouve sa «légitimité», à l'encontre de nos désirs et de nos prétentions, dans cette dialectique cosmique des pulsions de vie et des pulsions de mort ; si même dans cette dialectique la mort peut recevoir «sens» en tant que condition de la suite de la vie[12], l'individu n'y trouve toutefois pas son compte, désirs et prétentions bafoués avant d'être anéantis, y est fatalement, un jour, acculé.

d. La vie livrée à notre responsabilité

Il n'y a donc pas que les poètes et les philosophes qui se soient interrogés sur la vie et la mort, et sur leur sens. On peut même voir là le ressort premier de l'aventure scientifique, puis technologique, sur le plan collectif comme sur celui, personnel, des hommes et des femmes qui y ont consacré leur vie.

---

12. José Delgado pariera même, pour dire ce «sens», d'immortalité du point de vue biologique, semblant regretter que, «dans le monde occidental, on nous inculque dès notre plus jeune âge que nous sommes importants en tant qu'individus» : cette mise en relief de la destinée personnelle et de l'individualité, poursuit-il, nous mène à la frustration et à l'angoisse — dans Michel Salomon, *L'Avenir de la science,* Paris, Seghers, 1981, pp. 344-345.

La vie, en effet, peut encore être perçue comme livrée à notre responsabilité, et assumée comme telle, On n'a pas fini de mesurer l'importance de la mutation culturelle opérée tout autant que révélée lorsque la vie humaine, antérieurement perçue comme don et comme objet de révélation, est devenue objet de recherches, puis d'expérimentations et de «fabrication». Le développement technologique des dernières décennies a fait naître de nouveaux espoirs en ouvrant à la vie, et à la mort aussi, des possibilités nouvelles : la technologie «donne» la vie quand celle-ci semble refuser de venir d'elle-même, et elle la re"donne" par delà la maladie et grâce à ses efforts acharnés pour faire reculer la mort. Mais elle engendre également la mort par ses bombes, par sa pollution, par son totalitarisme aussi... Si les promesses de vie se font plus fermes, plus grands deviennent aussi les risques de mort : celle non plus seulement des hommes ou des humains pris un à un, mais de l'homme et de l'humain ou de l'humanité, voire même celle, destruction ultime et anéantissement de l'être, du cosmos tout entier. Se trouve ainsi réintroduite la dialectique cosmique des pulsions de vie et des pulsions de mort, toujours à l'œuvre.

Le développement des technologies, en multipliant les possibles, ouvre le champ de la responsabilité, et donc celui de l'éthique. Nous sommes désormais solidairement responsable des la vie — la nôtre en lien et solidarité avec celle des autres vivants — et de ses chances aujourd'hui et demain. Que ferons-nous de cette responsabilité ?

III — La responsabilité face à la vie et le pluralisme éthique

Les débats éthiques des dernières années autour de la vie et de la mort portent la marque de la pluralité des visions et des opinions touchant la vie et ce qui fait sa qualité humaine. D'où l'opposition, en vue parfois d'une conciliation souhaitée sinon réussie, et peut-être impossible, entre les exigences du respect intégral ou absolu d'une vie humaine dont on affirme le caractère sacré, d'une part, et celles de la prise en compte, d'autre part, de sa qualité, dans les décisions touchant l'opportunité d'interventions devant assurer son développement ou faciliter sa fin.[13]

---

13. Voir l'ouvrage de Edward W. Keyserlingk, *Le caractère sacré de la vie ou la qualité de la vie du point de vue de l'éthique, de la médecine et du droit*, Étude écrite pour la Commission de réforme du droit du Canada, série Protection de la vie, Ottawa, 1979.

A-t-on ou non concrètement la liberté et le droit, ayant jugé de la qualité d'une vie, de ne pas la laisser venir et se développer, ou d'en réorienter les cheminements, ou encore d'en abréger le cours ? Les choix réellement ouverts à cet égard par le développement des technologies dans le champ biomédical font qu'on ne saurait éluder désormais la question.

L'opposition renvoie à un fait dont on a peine à prendre vraiment acte : celui de la pluralité des expériences, d'abord, puis des opinions, des croyances et des convictions touchant la vie et la mort. Les débats à propos de l'acharnement thérapeutique et du recours à l'euthanasie, comme ceux portant sur la procréation artificielle et ses diverses techniques, ou au sujet de l'expérimentation pratiquée sur les personnes ou sur les embryons et les fœtus, ou encore à propos des dons et des prélèvements d'organes, etc., mettent en cause des interlocuteurs dont les opinions et les convictions touchant la vie humaine, sa « nature », ses débuts et sa fin sont diverses et souvent, divergentes, inconciliables entre elles. Selon que l'on perçoit et conçoit la vie humaine comme un don, ou comme un projet, ou comme une responsabilité à la fois personnelle et collective, on n'envisagera pas de même façon les enjeux éthiques liés aux pratiques évoquées ici.

Si, par exemple, on conçoit la vie humaine comme un *don*, et de surcroît comme un don divin, on réclamera pour elle, la considérant comme sacrée et intangible, un absolu respect, du début de la vie embryonnaire jusqu'à son épuisement dans le « dernier soupir » du mourant ; et on ne cherchera pas à la « produire » artificiellement, non plus qu'à en modifier ou encore en abréger le cours parce qu'il semblerait, sa qualité n'étant plus suffisante, qu'elle n'a plus de sens.

Mais si on perçoit plutôt cette même vie comme un *projet* personnel — s'inscrivant nécessairement, bien sûr, dans un projet collectif d'ordre socio-culturel plus large — , il n'est alors plus évident du tout que la vie de l'embryon et du fœtus puisse s'affirmer déjà et d'emblée comme humaine au sens strict du terme ; par ailleurs, il n'apparaîtra pas contre-indiqué de la « provoquer », de la faire jaillir malgré la stérilité en recourant au besoin à la technologie pour pallier l'infertilité « naturelle », pour que son projet à venir puisse s'inscrire dans le prolongement du projet actuel d'une personne ou d'un couple ; et on pourra sereinement souhaiter y mettre fin lorsque le sens qu'on a cherché à lui donner dans le projet de sa vie s'avérera n'être plus possible. Importera dans la décision le jugement touchant la qualité de la vie en cause.

Et si on inscrit résolument la vie humaine sous le double signe et le double sceau de la *responsabilité* et de la *solidarité,* on devra en outre tenir compte, par delà les frontières du désir personnel, des engagements à long terme liés à la mise au monde d'un enfant, à son éducation, à son insertion sociale ; et donc des dimensions proprement politiques de certaines décisions personnelles touchant la vie humaine et ses aménagements... Se poseront ici diverses questions. Dans une société dont les ressources sont limitées, convient-il, par exemple, de multiplier les cliniques de fertilité plutôt que d'offrir d'autres services en matière de santé ? Qu'adviendra-t-il d'une humanité de plus en plus façonnée par la technologie et mise par ses interventions en rupture avec les modes traditionnels de la naissance, de la maladie, de la souffrance et de la mort... et avec leurs rituels ?

Une anthropologie commune ou du moins très largement partagée a longtemps été perçue comme le préalable obligé des repères et des règles de l'éthique. Pour le meilleur et pour le pire, telle anthropologie commune et homogénéisante n'est plus, et ne sera sans doute plus possible. Nous sommes en conséquence conviés à l'élaboration d'une éthique qui saura, répudiant toute forme de totalitarisme, faire place et droit à la pluralité : les possibles étant ouverts, il importe que personne ne puisse décider pour les autres, éventuellement pour tous les autres, de leur actualisation[14].

L'éthique, sans renoncer à « poser question » et à guider les conduites, se trouve dès lors, pluraliste, condamnée, sinon au relativisme et au caprice arbitraire, au relatif. Et acculée à la discussion. On a souvent donné à entendre que, si l'on ne s'accorde pas à reconnaître sur le plan éthique et à consacrer dans la législation, pour en exiger l'absolu respect, le caractère sacré de la vie humaine et de toute vie humaine, on ouvre automatiquement la porte à tous les abus. Je crois quant à moi, tout au contraire, que si l'on reconnaît vraiment la diversité des opinions et des convictions sur la vie et sur le sens qu'on peut lui donner, si l'on reconnaît surtout la légitimité de cette diversité, on doit en même temps se reconnaître individuellement et collectivement l'obligation de

---

14. Michel Serres dira, parlant de l'éthique désormais requise, que son premier principe « nous institue gardien des multiplicités » à protéger et à respecter.

respecter le sens — à la fois la signification et l'orientation — que chacun donne à sa vie; et se reconnaître aussi concrètement et par conséquent la responsabilité d'aider, dans la mesure du possible, à ce que ce sens soit effectivement respecté, c'est-à-dire à ce que prennent corps la signification et l'orientation déjà données. La responsabilité dont il s'agit ici est à la fois individuelle et collective : elle met en cause, responsabilité de caractère proprement éthique, chaque membre ou partenaire de la collectivité dans ses attitudes et dans ses agissements; mais son exercice, en exigeant des aménagements juridiques et sociaux de la vie collective qui le rendent effectivement possible, fait concrètement appel, par delà l'ordre éthique, au droit et à la politique.

Tout devient donc relatif, mais non pas arbitraire. Prend corps, au contraire, dans ce respect de la légitimité d'opinions et de convictions diverses une orientation éthique fondamentale qui cherche à reconnaître, pour lui faire sa place dans les questionnements éthiques comme dans des aménagements juridiques appropriés, l'unicité de chaque vie personnelle avec ses situations propres, son évolution, ses projets, etc. La pluralité ou la diversité deviennent ainsi les garants en même temps que les conditions concrètes de la liberté et de son exercice effectif, tandis que l'unité et l'homogénéité conduisent plutôt ou le plus souvent, comme nous le montre trop abondamment l'histoire, aux totalitarismes asservissants. Concrètement et paradoxalement peut-être, l'affirmation claironnée du caractère sacré de la vie, résultat d'une apparente conviction partagée, s'est assez allègrement accommodée de l'Inquisition, des guerres saintes ou justes et de la torture, et c'est dans un contexte social et idéologique pluraliste, et donc relativisant les anciens absolus, que de nouveaux consensus commencent de prendre forme pour condamner la guerre, la torture, la peine de mort... et pour préserver ou améliorer la qualité des conditions de vie et, plus largement, de l'environnement.

En pratique, des repères éthiques ont pu être proposés, après discussion et débat, touchant le respect de la vie et de sa qualité humaine, dans le contexte de pluralisme idéologique qui vient d'être évoqué, en vue d'aménagements juridiques en tenant compte. Je pense, par exemple, à ceux proposés par la Commission de réforme du droit du Canada au sujet de l'interruption de traitement et de l'euthanasie, repères formulés à peu près dans les termes suivants : présomption en faveur de la vie, respect de l'autonomie personnelle et du droit personnel d'autodétermination, prise en compte de la qualité de la vie, protection des plus faibles[15]. Nous avons là, à mon sens, eu égard à la vie humaine, les repères majeurs d'une éthique de la responsabilité soucieuse de son épanouissement, et donc de sa qualité. Ce que j'entends manifester dans les paragraphes qui suivent.

IV — La responsabilité face à la vie — définition et prise en compte de la qualité de la vie

Comme l'a très clairement manifesté Edward W. Keyserlingk, le principe du respect absolu de la vie lié à la reconnaissance de son caractère sacré a des sources religieuses ou théologiques et aussi empiriques. Dans plusieurs traditions religieuses et notamment dans la tradition judéo-chrétienne, le caractère sacré de la vie tient à la volonté du Dieu créateur et non pas à la nature propre de la vie humaine : celle-ci, «prêtée» par le Dieu qui l'a tirée du néant, est en outre «ordonnée» et promise par lui à une spiritualisation qui rend possible une éternelle immortalité ; telle est, si je puis dire sa qualité première et essentielle, et nul n'a en conséquence droit ou pouvoir sur elle, nul n'est autorisé à y porter atteinte[16].

En profanisant cet héritage religieux, les codes moraux et les droits de l'Occident — dit précisément «l'Occident chrétien» —ont retenu, en tentant toutefois de le fonder «en nature» sur la dignité de l'homme et en évoquant parfois les conséquences désastreuses qui découleraient de son abandon, ce même principe du respect absolu dû à la vie humaine ou, dans sa formulation négative, cette même interdiction catégorique d'y porter atteinte. La proclamation de l'égalité en droit des hommes (mais non, pendant longtemps encore, des hommes et... des femmes !) apparaît comme l'aboutissement de cette tradition religieuse et civile. En éthique et en droit, l'affirmation du caractère sacré de la vie veut empêcher qu'on entreprenne de mesurer à l'aune de l'utilité sociale et du rendement la valeur relative d'une vie par rapport à une autre, qu'on se permette d'en jouer comme d'un instrument pour ses propres fins ou pour celles de la société ; elle veut également empêcher les glissements vers l'abus, sous toutes ses formes, de la vie humaine et des personnes.

---

15. Commission de réforme du droit du Canada : « Euthanasie, aide au suicide et interruption de traitement » Document de travail 28, Ottawa, 1982, pp. 41-47.
16. Edward W. Keyserlingk, *Le caractère sacré de la vie,* pp. 9-18.

On affirme donc que la vie est «sacrée», c'est-à-dire que nul ne peut y porter atteinte. Du moins pas sans raison valable, devra-t-on ajouter, les principales étant historiquement la défense de la foi chrétienne et la raison d'État!

Longtemps perçue et effectivement acceptée comme allant de soi, cette intangibilité de la vie n'est aujourd'hui simplement plus acceptable. On pouvait se résigner à respecter le cours «naturel» et inéluctable de la vie, de la naissance à la mort, lorsque, précisément, on ne pouvait effectivement en changer. Mais avec le pouvoir vient la responsabilité, et aussi le devoir: si nous pouvons faire en sorte que la vie échappe à certaines de ses menaces et à certaines de ses contraintes — maladie, souffrance, conditions dégradantes, etc. —, qui oserait aujourd'hui prétendre qu'il n'en faut rien faire? Aussi éthiciens et juristes ont-ils tenté d'articuler de façon nouvelle les exigences du respect de la vie humaine en prenant plutôt comme repère central des décisions la qualité de cette vie, dont l'appréciation n'est certes pas facile, ou encore en faisant place à l'amour, à la bonté, à la compassion[17]. Cela, comme la vie elle-même, ne va pas sans risques. Impossible néanmoins de nous défiler; il nous faut nous rendre à l'évidence que des décisions, chaque jour, doivent être prises et sont effectivement prises, et des actes posés, qui mettent en cause la vie humaine et y touchent, y portent directement atteinte.

De là l'importance des repères, qui sont certes moins assurés et en tout cas moins «absolus» que ceux des morales anciennes, mais qui peuvent néanmoins baliser la route de la présomption en faveur de la vie, du respect de l'autonomie personnelle et du droit de chacun de s'auto-déterminer, de la prise en compte de la qualité de la vie, du souci de la protection de la vie faible.

---

17. Amour, bonté ou compassion qui peuvent amener à ne pas laisser naître une vie dont on craint qu'elle soit trop peu et trop difficilement humaine, ou à y mettre fin si les souffrances s'avèrent déshumanisantes. Comme on peut aisément le constater, il est fait ici aussi appel à l'appréciation de la qualité de la vie. Voir par exemple les vues de Marvin Kohl sur l'euthanasie dans *The Morality of Killing*, Atlantic Highlands N.J., Humanities Press, 1974; ou encore dans ses contributions à l'ouvrage collectif dont il a assuré l'édition: *Beneficient Euthanasia*, Buffalo, N.Y., Prometheus Books, 1975. Voir également: Jean Toulat, *Faut-il tuer par amour? L'Euthanasie en question*, Paris, Pygmalion, 1976; Patrick Verspieren, *Face à celui qui meurt*, Paris, Desclée de Brower, 1984; Hubert Doucet, *Mourir. Approches bioéthiques*, Paris, Desclée; Ottawa, Novalis, 1988.

a. La présomption en faveur de la vie

D'abord la présomption en faveur de la vie. Et non pas le respect absolu et «à tout prix» de la vie, compte tenu de son caractère sacré. Pourquoi ce changement — ce «glissement», craignent certains? Parce que le caractère sacré et donc intangible de la vie n'est plus communément reconnu, et parce que semblable reconnaissance apparaît même, désormais, comme inadmissible. On ne saurait en conséquence imposer que le déroulement dit naturel de la vie en soit toujours et de façon absolue respecté. Cela a suffisamment été mis en lumière, je l'espère, dans les paragraphes qui précèdent.

Présomption, donc, plutôt et plus modestement, en faveur de la vie. Même si l'on ne lui reconnaît ni ne lui accorde aucun caractère sacré, même si l'on estime qu'on peut en certains cas en infléchir, voire parfois en abréger le cours, la vie humaine, livrée à notre responsabilité, doit avoir notre faveur; nous nous devons à nous-mêmes comme aux autres dont nous sommes solidaires de favoriser sa préservation et sa croissance. Faute de quoi, fragile en tous ses moments, elle n'a pratiquement aucune chance d'avenir. Et cela vaut pour la vie des individus, comme pour celle des collectivités et finalement de l'espèce. Si la «faveur» renvoie, comme d'ailleurs la présomption, au relatif, voire à l'arbitraire des goûts et des choix, du moins a-t-elle l'avantage d'introduire dans la responsabilité face à la vie et dans le devoir de respect à son endroit, quelque chose de dynamique et non plus de simplement passif, un appel à l'action, une exigence d'agir désormais inéluctable. Non pas, toutefois, à n'importe quel prix, en faveur de n'importe quelle vie[18]. D'où la nécessité d'autres repères, dont il sera question plus loin.

---

18. Commission de réforme du droit du Canada: «Euthanasie, aide au suicide et interruption de traitement», pp. 41-42: «La préservation de la vie humaine est une valeur reconnue comme fondamentale par notre société. Sur ce point, notre droit criminel a au fond fort peu varié dans son histoire. Il sanctionne, d'une façon générale, le principe du caractère sacré de la vie humaine. Il a cependant, au cours des ans, été amené à apporter des nuances à l'absolutisme apparent du principe, à découvrir ses limites intrinsèques et à lui donner sa véritable dimension. — La Commission est d'avis que toute réforme (du droit) portant sur la vie humaine doit au départ fermement admettre une présomption en faveur de celle-ci. Autrement dit, on ne doit jamais présumer qu'un patient en phase terminale entend renoncer à la vie à moins d'une expression claire, libre et informée de volonté contraire... — Il ne faut pas cependant... que cette présomption en faveur de la vie ait pour effet d'obliger le médecin à pratiquer l'acharnement thérapeutique dans les cas où le patient est incapable de manifester sa volonté... ».

Présomption en faveur de la vie : il est donc des cas où on tranchera d'autre façon. Qui dit présomption, en effet, donne à entendre qu'il peut arriver et qu'il arrivera sans doute qu'on décidera parfois à l'encontre de son objet : concrètement, ici, à l'encontre de la vie. Il n'y a là, en un sens, rien de neuf. La morale médicale traditionnelle, en effet, apportait déjà des règles et des critères d'application qui relativisaient en pratique le principe du respect absolu d'une vie dont le caractère sacré était solennellement proclamé. Sans entrer dans les détails des discussions et des débats à ce sujet, il suffira d'évoquer ici le recours au *principe dit «de totalité»*, en vertu duquel il devenait légitime de porter atteinte à l'intégrité d'une personne et de sa vie, et concrètement de sacrifier un membre pour sauver la vie ou la santé de la personne, voire même d'une autre personne dont la santé ou le mieux-être peut être obtenu par le don d'un organe ; *la distinction entre traitement ordinaire et traitement extraordinaire,* distinction utilisée pour légitimer l'interruption d'un traitement «lourd» et provocant éventuellement des souffrances jugées excessives et, partant, déraisonnable, et pour contrer donc l'acharnement thérapeutique sans ouvrir la porte à la pratique de l'euthanasie ; *la règle de l'action à double effet* permettant l'intervention médicale qui vise directement à guérir ou à soulager, malgré qu'elle ait — et qu'on sache qu'elle a — comme effet second ou indirect de hâter la mort. Ces règles et ces repères ont eu leur utilité. Compte tenu des développements technologiques des dernières décennies dans le champ biomédical, leur utilisation ne suffit souvent plus. Quand on continue d'y recourir ou simplement de les évoquer, on a l'impression en bien des cas de jouer avec les mots... et de chercher à sauver, avec les mots, des principes anciens sans trop sacrifier des exigences des pratiques scientifiques ou professionnelles, ou même du simple bon sens.

Faisant ici abstraction des importantes différences qu'il peut y avoir — et des non moins importantes distinctions qui en découlent — entre, par exemple, le cas d'un embryon dont on sait qu'il est généralement taré, celui d'un jeune accidenté de la route, celui d'un vieillard atteint d'un cancer incurable, essayons de préciser de façon générale la signification et la portée, sur le plan éthique et sur le plan juridique, de ce repère dit de la présomption en faveur de la vie. Selon les termes de l'étude de la commission de réforme du droit du Canada, il signifie simplement ceci : «si un traitement peut être raisonnablement appliqué pour préserver la vie ou la santé d'une personne, on doit présumer que la volonté de cette personne, si elle avait pu la manifester, eût été de recevoir le traitement et non de le refuser... L'utilisation d'une telle présomption a pour effet concret de renverser le fardeau de la preuve et de le placer sur les épaules de celui qui invoque la légitimité d'un acte qui ne favorise pas le prolongement ou le maintien de la vie humaine »[19].

Preuve peut et doit donc être faite en certains cas contre la présomption, laquelle, lorsqu'il faut «présumer» d'une volonté non exprimée, renvoie de façon nécessaire à une évaluation des chances de la vie, à une décision en sens contraire prise sur la base d'une évaluation des chances de succès et des risques de l'intervention ou du traitement eu égard à la *qualité de lavie* en cause. Mais qui fera l'évaluation dont il est ici question ? et sur quelles bases ? Qui prendra la décision ? et sur quelles modalités ? La considération des enjeux reliés à ces questions fait l'objet des développements qui suivent sur les autres repères proposés.

b. Le respect de l'autonomie personnelle et du droit d'autodétermination.

Quelqu'un peut en arriver à juger que sa vie, dans certaines circonstances, ne vaut pas ou ne vaut plus la peine d'être vécue[20]. Si l'on considère la vie don ou prêt divin et, partant, comme réalité sacrée, intangible, on pourra croire qu'il faut néanmoins prolonger cette vie, avec et malgré ses souffrances et éventuellement son non-sens ; cela, à la limite, même contre la volonté de la personne qui aura, en survivant, à vivre cette vie, ces souffrances, ce non-sens pour elle. Si, par contre, la vie est vue plutôt comme projet d'une liberté personnelle, on reconnaîtra aisément qu'il appartient à la personne qui s'est appropriée sa vie, qui en a formé et mis en œuvre le projet, de décider de sa poursuite

---

19. *Ibid.*

20. Sur le droit de mourir (dans la dignité), George J. A., « Rights of the Terminally Ill Patient », dans John E. Thomas, Éd., *Matters of Life and Death*, Toronto, Samuel Stevens, 1978, pp. 105-117 ; Patrick W. Byrne, Michael J., « Agathanasia and the Care of the Dying », *ibid.*, pp. 98-104 ; Georges Canguilhem, « Quality of Life, Dignity of Death », dans Charles Galperine, Éd., *Biology and the Future of Man* (Sorbonne 1974), Paris, McGraw-Hill, 1976 ; Hans Jonas, « The Right to Die », dans *Ethical Issues Relating to Life and Death*, New York/Oxford, Oxford Un. Press, 1979, pp. 118-145.

ou de son arrêt, de son abandon; sans quoi la liberté, avec la dynamique d'autonomie et d'auto-détermination qu'elle anime, serait brimée et pratiquement niée[21]. Si la vie est perçue et vécue comme responsabilité individuelle et collective, on tentera de réconcilier le respect intégral de la volonté de chacun et son autonomie, sa volonté et sa capacité d'autodétermination, d'une part, et le maintien d'une offre de support à une vie en faveur de laquelle va toujours la présomption, d'autre part.

Quelqu'un peut aussi, malgré la souffrance et peut-être les «incapacités» dont sa vie est désormais marquée, juger que sa vie vaut toujours d'être vécue. Ce jugement peut tenir à une foi religieuse personnelle ou à une sorte d'instinctif entêtement à vivre, ou encore à une peur de mourir, peu importe.

L'unanimité n'étant plus touchant le caractère sacré de la vie et, corrélativement, le respect absolu de son intangibilité, nous nous trouvons acculés à reconnaître la diversité des visions ou conceptions de la vie humaine, à en prendre honnêtement acte, à en tenir effectivement compte. Or, l'expérience de la vie pour chacun étant unique, s'impose le respect du sens que chacun a donné ou donne à sa vie. La vie ne va pas, en effet, sans son sujet; elle est inséparable de lui, comme lui d'elle.

Mais il est des cas où la volonté personnelle ne peut pas être exprimée, l'exercice du droit d'autodétermination étant dès lors empêché. Dans les cas simplement évoqués plus haut, il est clair, par exemple, que l'embryon n'a pas de capacité ni de possibilité d'évaluation, de choix et d'autodétermination; le jeune accidenté, s'il est inconscient, aura peut-être pu faire connaître au préalable une orientation générale de sa volonté, mais non pas sa volonté précise dans la conjoncture post-accidentelle concrète; le vieillard aux prises avec le cancer aura peut-être la conscience partiellement obscurcie par la médication ou simplement embrumée par une perte de mémoire lui rendant difficile, sinon impossible, la perception de la situation et de ses chances d'avenir... D'autres doivent alors, en lieu et place du principal intéressé, et en tentant précisément de prendre en compte, au mieux, son intérêt, évaluer, choisir, décider.[22] En outre, même quand la décision peut être

---

21. Le droit de mourir volontairement apparaît ici lié à la liberté de vivre. «C'est un droit que l'on a dès qu'en conscience on se le reconnaît», écrit Marcel Conche dans *Le Fondement de la morale*, Paris, Éd. de Mégare, 1982, p. 97; voir aussi pp. 96-103.

22. Sur la question de la responsabilité de la décision lorsqu'il s'agit de personnes «incapables», voir le chapitre 2 du livre de Hubert Doucet, *Mourir. Approches bioéthiques*, pp. 36-37.

prise par le principal intéressé, l'influence des avis, opinions et évaluations des autres — parents et amis, médecins et autres professionnels de la santé — sera souvent importante... pour ne pas dire décisive ! La prise en compte de la qualité de la vie ne peut alors être renvoyée à la seule appréciation personnelle de qui vit sa vie : c'est la vie d'une autre personne qui est ici en jeu. Est-il possible d'établir et de définir quelques grands paramètres pour juger de la qualité de la vie d'une autre personne ?

c. La prise en compte de la qualité de la vie

On avait cru que la renonciation au caractère absolu du principe du respect de la vie, fondé sur la reconnaissance du caractère sacré de cette vie, en introduisant le relatif dans le jugement éthique, conduirait tout droit au relativisme moral et ferait glisser l'humanité sur la «pente dangereuse» menant aux pires abus. De même a-t-on craint que la prise en compte de la qualité de la vie dans la décision touchant l'opportunité de sa venue ou de sa prolongation n'amène à «classer», avec leurs vies, les personnes, dépréciant les unes, vies et personnes, par comparaison aux autres, réduisant ainsi à néant cette conquête difficile de notre civilisation qu'est la reconnaissance — ou du moins l'affirmation — de leur égalité en droit. Est-il possible d'éviter cet écueil ?

Ce qui a été dit plus haut au sujet du respect de l'autonomie personnelle et du droit d'autodétermination de chacun constitue un premier élément d'une réponse affirmative à la question posée. Il faut toutefois aller plus loin et tenir compte du fait que l'être ou la personne dont la vie est en cause — embryon ou fœtus, accidenté ou mourant, etc. — ne peut pas toujours exprimer sa volonté. De l'autonomie souhaitable et souhaitée, nous sommes alors renvoyés de force au royaume de l'hétéronomie.

Mais non pas, pour autant, à celui de l'arbitraire. Ni à celui du nivellement utilitariste. Comme l'a bien montré Edward W. Keyserlingk, le concept de *qualité de la vie* ne fait pas «inévitablement et essentiellement appel à des jugements plus ou moins totalement subjectifs sur la valeur relative de l'individu et de la société, sur l'importance, l'utilité ou l'égalité de la vie des individus»; et il est possible de reconnaître dans l'éthique et dans le droit, pour qu'il en soit effectivement tenu compte dans les pratiques bio-médicales, «*à la fois* la valeur intrinsèque de chaque vie humaine *et* la qualité de cette vie»[23].

Il est possible, en effet, poursuit Edward W. Keyserlingk, de débarrasser le concept de qualité de vie, quand on l'utilise dans le contexte médical, de toute idée de relativité de la valeur humaine d'une vie individuelle par rapport à une autre, et de toute trace d'utilité sociale d'une vie comme devant fonder le droit de la personne à un traitement ou à une intervention. D'une part, donc, la comparaison entre les vies n'est aucunement requise. Suffit, en effet, ou bien le jugement ou l'appréciation de la personne concernée quant à la qualité de sa vie à elle, ou bien, en cas d'incapacité de cette personne d'exprimer sa volonté, le jugement ou l'appréciation d'autres personnes en référence à des critères objectifs et communément admis pour définir la vie humaine ou la personne — conscience personnelle et capacité d'interaction, ou, comme le formule Edward W. Keyserlingk, «capacité minimale d'éprouver des sensations et de communiquer»[24]. D'autre part, la référence au concept d'utilité sociale n'est nullement requise non plus; elle est même exclue par le renvoi au concept de personne. Son utilisation serait en outre contraire à la tradition médicale et aux pratiques qui s'y inscrivent, lesquelles ont pour objectif le mieux-être de l'individu.

Le maniement des concepts ici utilisés demeure toutefois délicat. Car il est, de la naissance (ou de la fécondation) à la mort, une continuité et une dynamique de la vie qui n'en assurent la croissance, en même temps que la cohérence, qu'à travers une toujours mouvante tension dialectique entre ce que nous avons appelé plus haut «pulsions de vie» et «pulsions de mort». Si l'on réserve l'attribution du mot «personne», avec la reconnaissance corrélative du statut de personne, aux seuls individus de la race humaine dont les potentialités d'intelligence et de conscience, de maîtrise de soi et d'autodétermination, de communication, etc. ont accédé à une plénitude au moins relative de réalisation[25],

---

23. Edward W. Keyserlingk, *Le caractère sacré de la vie...*, p. 55. Tout le chapitre 3 de ce livre, pp. 52-77, est consacré à la thématique de la qualité de la vie.

24. Edward W. Keyserlingk, *Le caractère sacré de la vie...*, p. 79. Tout le chapitre 4, pp. 78-111, est consacré à la thématique: «La personne en tant que concept normatif».

25. Joseph Fletcher s'est aventuré dans cette voie en tentant de définir les traits de l'«humanité» des personnes humaines: *Humanhood. Essays in Biomedical Ethics*, Buffalo N.Y., Prometheus Books, 1979. Le premier essai du recueil (ch. 1, pp. 7-19),

aussi bien se mettre tout de suite en route, la lanterne du philosophe grec à la main, à la recherche du rare animal... Nul, en tout cas, n'oserait déclarer avoir droit à cette reconnaissance personnelle à toute heure du jour! Concrètement, qu'en est-il du statut personnel ou de la qualité de vie du fœtus, du jeune bébé, du handicapé, du vieillard? De là l'importance du minimalisme évoqué plus haut quand il s'agit d'évaluer la capacité d'éprouver des sensations et de communiquer. De là aussi la nécessité de prendre en compte le caractère dynamique de la vie, y compris de la vie personnelle, pour tenter d'en évaluer, même lorsqu'elle est faible et fragile, les chances de développement.

d. La protection des faibles

Ceci dit, l'importance du dernier critère de la Commission de réforme du droit du Canada, critère valable sur le plan éthique comme sur le plan proprement juridique, touchant le souci de la protection des plus faibles[26]. La loi doit assurer à tous les citoyens une protection égale de leurs droits; pour ce faire, elle doit en pratique renforcer sa protection à l'endroit de ceux parmi eux qui sont les plus faibles et dont, par le fait même, les droits peuvent être plus facilement violés ou ignorés. Il importe de faire valoir, sur le plan éthique et sur le plan juridique, un «préjugé favorable» à leur endroit.

En pratique, la difficulté de mise en œuvre de ce «préjugé favorable» tient au caractère essentiellement personnel de toute décision touchant la vie et la santé, comme de toute évaluation touchant la qualité de la vie, et à la nécessité simultanée, dans bon nombre de cas, de recourir à ce que l'on appelle une «décision substituée», c'est-à-dire celle de

---

intitulé «Humanness», reprenant des articles de 1972 et 1974, tente précisément de tracer un «profil de l'humain», de dégager ce qui est ou du moins semble requis pour qu'un être soit considéré comme «vraiment humain»: intelligence minimale, conscience de soi, maîtrise de soi, conscience du temps, perception de l'avenir, conscience du passé, aptitude à communiquer, intérêt pour les autres, communication, maîtrise de son existence, curiosité, évolution et capacité d'évoluer, équilibre entre rationalité et sentimentalité, idiosyncrasie, activité néo-corticale. Joseph Fletcher reprendra par la suite cette présentation en la simplifiant, ne retenant alors que la conscience de soi, la capacité d'interaction, le «bonheur» (ou une joie de vivre minimale ou l'attachement à la vie?) — le tout tenant concrètement à l'activité néo-corticale observable en pratique. Voir le résumé de la position de Joseph Fletcher faite par Edward W. Keyserlingk, *Le caractère sacré de la vie...* pp. 102 ss.

quelqu'un d'autre. Si l'on refuse que quiconque puisse prendre une décision, en matière si importante, en lieu et place de l'intéressé, et qu'il faut donc toujours en de telles circonstances faire jouer le principe de la présomption en faveur de la vie, on risque d'user de discrimination à l'endroit des faibles et des incapables en leur refusant pratiquement ce qui peut être consenti aux autres. Faudrait-il, par exemple, sous prétexte qu'il ne peut décider lui-même d'une interruption de traitement, infliger à qui ne peut exprimer sa volonté un acharnement dit thérapeutique qui ne ferait que prolonger la souffrance sans espoir de guérison ? Si l'on veut éviter une semblable aberration, il faut consentir en certains cas à la « décision substituée », laquelle peut s'avérer requise sur le plan proprement éthique, et voir à ce que des aménagements juridiques conséquents assurent qu'elle soit effectivement prise dans le meilleur intérêt du faible ou de l'incapable.

Nous sommes ainsi renvoyés, de nouveau, à la nécessaire et difficile prise en compte de la qualité de la vie sans qu'il soit possible d'en donner à l'avance une définition qui soit valable pour tous et en toutes les situations. C'est pourquoi l'éthique doit aujourd'hui se pratiquer dans l'inlassable reprise d'une interrogation ouverte.

---

26. Commission de réforme du droit du Canada : « Euthanasie, aide au suicide et interruption de traitement », pp. 45-46.

L'instant de la mort
ou le corps à mourir

Christian St-Germain[1]

*Un monde de douleur et de peine alors
même que les cerisiers sont en fleurs à
Issa.*[2]

*L'homme pendant des millénaires, est resté
ce qu'il était pour Aristote: un animal vivant et de plus capable d'une existence
politique; l'homme moderne est un animal
dans la politique duquel sa vie d'être vivant
est en question.*[3]

Mourir n'est pas simple, ne meurt plus qui veut. Certes cela se fait
aujourd'hui sans cérémonie, mais il n'y a pas à proprement parler dans
cet *american way of death*, de progrès. C'est que l'article de la mort
n'est plus ce moment précis où la vie soudainement s'apprêtait à faire
défaut, mais à sa place, une redoutable locution: nous mourrons tantôt
d'un cancer, tantôt au cœur d'une déception, des lenteurs de la mort de
l'autre; dans l'attente d'un organe compatible.

Nous ne recevons plus la mort de la vie mais davantage des malver-
sations techniciennes d'une maille dans le filet électronique, qui retint

1. Docteur en théologie de l'Université de Montréal, professeur au département des
   sciences religieuses de l'UQUAM.
2. Roger Munier (dir.), *Haïku*, Paris, Fayard, 1978, 198 p.; p. 25.
3. Michel Foucault, *Histoire de la sexualité 1. La volonté de savoir*, Paris, Gallimard,
   1976, 211 p.; p. 188.

ce qui reste de vie au mourant. Là se rejoignent les courbes alanguies des statistiques concernant la maladie et celle des signes vitaux. Étrange coucher de soleil électronique! mais peut-être aussi continuité avec l'affairement du travailleur moderne en continuel face-à-face avec l'écran ordinateur. L'expression voulant que des secondes, toutes blessent et que la dernière tue se serait-elle vue remplacée par la disparition subite de cette petite montre pulsatile au coin de l'écran de la machine au travail?

C'est lieu commun de rappeler que le médecin ne constate plus la fin inéluctable du vivant mais qu'il se voit octroyer au milieu de la sphère technique un pouvoir sur la douleur, et enfin sur la vie et la mort. Il est en quelque sorte, de ce point de vue le *fonctionnaire de la technique*[4].

À cet égard, ce qui frappe le bien portant c'est la division du travail au sein même des services de santé. Et éventuellement la séparation du mourant d'avec les malades ordinaires, ceux porteurs de symptômes sur lesquels l'institution médicale peut encore exercer quelque contrôle. Cette taylorisation radicale est à l'inverse du statut réservé au malade dans les sociétés traditionnelles. Comme le note Ivan Illich:

> «Les cultures traditionnelles tirent leur fonction hygiénique précisément de leur capacité de soutenir chaque homme confronté à la douleur, à la maladie et à la mort en leur donnant un sens et en organisant leur prise en charge par lui-même ou par son entourage immédiat.»[5]

Le malade porte sa mort à la croisée des temps objectivés: dans le tumulte et la succession des quarts de garde, à travers l'intéressement des internes et le sourire preste des préposés. L'efficace des soins et l'exigence qu'il fait peser sur les traitements ajoutés au roulement du personnel arrachent à la lutte agonique son caractère révélateur. Cette vie qui reflue, la terrible gestation de la mort dans le vivant devrait-elle être soumise aux mêmes attentions, remise de la même façon que l'est la naissance, aux soins de sages-femmes? Autrement dit, devrait-on laisser l'accès aux rives de la vie et de la mort, dans l'isthme que forme la confluence de ces instants, à des passeurs plutôt qu'à des douaniers?

Question difficile qui met en cause toute notre compréhension de l'être mortel, limité, inséparable du temps qui passe, qui arrive. Si le

---

4. Michel Haar, «Le tournant de la détresse ou: comment l'époque de la technique peut-elle finir?» dans: Michel Haar, *Cahier de l'Herne Martin Heidegger*, Paris, L'Herne, 1983, p. 334.

5. Ivan Illich, *Némésis médicale*, Paris, Seuil, 1975, p. 134.

vivant rencontre la mort comme un simple accident de parcours, une défaillance que saurait corriger éventuellement une observation plus fine des mécanismes du vieillissement; la mort se situe aux confins du champ de vision de l'œil cyclopéen de la science.[6] Mais si au contraire, elle n'est plus ce qui, au loin, menace, mais qui dès lors est ce qui est, au plus près de la vie, giron secret, elle doit être attendue, voire méditée comme ce qu'il y a de plus propre à l'être humain. La mort délivre mais elle doit aussi être délivrée de la vie comme la femme l'est de l'enfant qu'elle porte. Dans les *Élégies de Duino*, le poète Rainer Maria Rilke rappelle cet état en ces termes : «Mais cela : avoir en soi la mort, la mort en sa totalité, et dès avant la vie encore si doucement la contenir, et ne pas en être mauvais !... Oh ! C'est inexprimable !»[7]

Ici nulle propension pour la suavité d'une étrange grossesse ou le nihilisme d'un bouddhisme crépusculaire mais l'attente, le recueillement devant ce dés-arrangement d'avec les forces de la vie. Non pas simple déplétion mais comme l'obligation d'aller à la rencontre de ce qui tient toute la vie en état. Si la référence n'était pas désuète nous pourrions dire remontée de l'âme; cris, lumière, larmes vers l'événement le *plus silencieux*[8]. C'est la rencontre pour l'être humain des ces instants intimes, comme une fluidité qui fait retour sans égard pour la durée, l'implosion dans un temps vrai que décrit Georges Bataille en ces termes :

> «La mort trahit l'imposture de la réalité, non seulement en ceci que l'absence de durée en rappelle le mensonge, mais en ceci qu'elle est la grande affirmatrice de la vie et comme le cri émerveillé de la vie. L'ordre réel rejette moins la négation de la réalité qu'est la mort que l'affirmation de la vie intime, immanente, dont la violence sans mesure est pour la stabilité des choses un danger, et qui n'est pleinement révélé que dans la mort.»[9]

6. On peut considérer que souvent «l'instinct de connaissance sans discernement est semblable à l'instinct sexuel aveugle — signe de bassesse!», Friedrich Nietzsche, *Le livre du philosophe*, Paris, Aubier-Flammarion, 1969, p. 41.
7. Rainer Maria Rilke, *Les Élégies de Duino*. Les sonnets à Orphée, Paris, Seuil, 1972, p. 45.
8. À cet égard, Nietzsche *penseur de la grossesse* pour Jacques Derrida, (*Éperons les styles de Nietzsche*, Paris, Flammarion, 1978, p. 58), écrit : «Et crois-moi, cher vacarme d'enfer! Les plus grands événements, ce ne sont pas nos heures les plus bruyantes, mais nos instants les plus silencieux», Friedrich Nietzsche, *Ainsi parlait Zarathoustra*, Paris, Union Générale d'Éditions, 1958, p. 123.
9. Georges Bataille, *Théorie de la religion*, Paris, Gallimard, 1973, p. 63.

Dans le contexte technicien, la médecine traditionnelle s'applique à réprimer violemment la consistance des symptômes, à faire revenir la stabilité synonyme de santé ou encore, à bout de ressources, à tendre vers ce qu'on appelle candidement une certaine qualité de vie.

Le déploiement de l'ordre technicien tend à réprimer un désordre. Or, le mal l'ex-cède[10]. La mort ne se laisse pas installer dans la durée, elle se fait dissonance, contre-temps au projet impérialiste du vivre, mais surtout *affirmatrice* comme si la vie sortait de ses gonds et que se levait l'embâcle des projets dans un printemps noir. Le temps sort de son lit de durée et pourtant c'est l'homme qui y reste à l'instant de mourir. C'est que la conscience n'admet pas sa négation, la perte d'identité, sans la représenter comme scission.

La mort, vérité de tous les processus, est disposée à l'écart sans que s'engage le plus souvent entre celui qui la vit et sa famille, un dialogue. Comme si cette vérité dans la société occidentale était, tel un renseigne-

---

10. Dans son ouvrage *Job et l'excès du mal*, Paris, Grasset & Fasquelle, 1978, p. 133-134, Philippe Nemo écrit : « [...] D'où vient ce fait, qu'à l'état de nature il y ait du désordre ? À la psychologie il faut demander : comment se fait-il que tous les processus psychiques ne connaissent pas un développement normal ? En vérité, il y a toujours du trouble, et toujours plus de trouble que celui qui serait nécessaire pour troubler le trouble et le ramener à l'ordre. [...] Voici ce dont Job peut avoir mémoire : que le désordre parce qu'il est initial, non accidentel, dure toujours même sous l'apparence de l'ordre ». Dans ce contexte, il n'est pas certain que l'on puisse opposer à ce désordre incoercible, à la force dissolvante de la mort ou à son scandale, le caprice inintelligible d'un enfant qui joue ou qui, poussant des pions comme le suggère le fragment 52 d'Héraclite opérerait dans sa royale désinvolture une « Dikè » — Justice — plus haute, au-delà justement des jugements de valeur particuliers. Auquel cas, de cet apparent désordre résurgirait comme étant opéré en sous-main la navette, tissant de main d'enfant la trame d'un Ordre, d'une Intention immanente au monde. C'est d'ailleurs en ces termes que ce fragment est compris par Abel Jeannière : « Le jeu du dieu obéit à des règles compliquées qui lui permettent de prendre soin de l'ensemble. Ici le temps est un enfant qui joue, mais son jeu obéit aux mêmes règles compliquées, ces règles des jeux enfantins où se perdent les adultes qui les trouvent absurdes. Et nul pion ne se meut au hasard. [...] Le devenir est un jeu enfantin, où l'adulte ne voit qu'arbitraire et caprice, parce qu'il n'en sait pas en exclure tout calcul personnel. Et le jeu est réglé dans ses moindres détails. Dans cette union au logos être et pensée s'identifient, « le logos et l'âme s'augmente lui-même » et l'âme devient l'un et le tout. L'univers est intelligible. » Abel Jeannière, *Héraclite*. Traduction et commentaire des fragments, Paris, Aubier, 1985, p. 71. Pour dire la force déconcertante de la mort devrait-on préférer au fragment 52, le fragment 124 « Le plus bel ordre du monde est comme un tas d'ordures rassemblées au hasard » ?

ment personnel, devenue assujettie à la loi de l'accès à l'information, à la plus stricte confidentialité. Faudrait-il mourir en douce comme lorsque l'on quitte une fête sans saluer? Pourtant c'est contre cet ordre issu de la réification de la vie, de la *violence du calme* que vient battre aux tempes de la conscience claire le trouble du mourir. Bataille note à ce propos:

«L'ordre réel doit annuler — neutraliser — cette vie intime et lui substituer la chose qu'est l'individu dans la société du travail. Mais il ne peut faire que la disparition de la vie dans la mort ne révèle l'éclat invisible de la vie qui n'est pas une chose. [...] Personne ne la savait là lorsqu'elle y était, elle était alors négligée au profit des choses réelles: la mort était une chose réelle entre autres. Mais la mort montre soudain que la société réelle mentait.»[11]

Manière de dire que la mort fait triompher la vie mais en nous la dérobant ou encore, que l'homme devient conscient à surmonter son moment animal, à préférer l'ombre de l'instant à la proie de la durée. Or, en gardant la tête froide, il a progressivement quitté l'intime, le cri, les larmes et c'est disloquant la profondeur de son être communionnel, se séparant, qu'il s'est saisi lui-même, pure solitude devant ce qui devient l'obscénité du mourir.

À cet égard, chacun se retrouve devant le mourant comme privé de mots,[12] n'en trouvant aucun à la mesure de ce qui, dans la défection de

---

11. Georges Bataille, *op. cit.*, p. 64.
12. Louis Vincent Thomas décrit cette constriction des liens autour du mourant dans les sociétés traditionnelles alors même que ceux de la société développée se défont: «Lorsqu'un malade se porte très mal dans le village l'atmosphère devient tendue et lugubre. [...] Aussitôt le dernier soupir rendu, l'une des vieilles femmes ferme les yeux du défunt et rectifie la position du corps. Les proches parents sortent de la case mortuaire en pleurant; ce qui donne le signal des lamentations aux autres membres de la famille rassemblés devant la porte. Les femmes poussent des cris de douleur et se roulent dans la poussière. Elles se défont les cheveux, les couvrent de boue et ne gardent sur elles qu'un petit pagne et un petit corsage en mauvais état». Sous la direction de L.-V. Thomas, Bernard Rousset, Trinh Van Thao, *La mort aujourd'hui*, Paris, Éd. Anthropos, 1977, «Une coutume africaine: l'interrogatoire du cadavre», p. 230-231. Cette étrange danse de Saint-Guy pour l'occidental est sans doute plus proche dans son exubérance de ce qui s'y passe que l'anesthésie du contemporain devant son semblable à l'agonie. Dans un cas, c'est la société qui est remuée dans ses entrailles comme elle l'est au moment des fêtes et dans l'autre, la mort est retranchée de la vie chirurgicale ment, dans la schizoïde qui police ou éteint désormais nos rapports.

l'autre, désigne le sans-mesure, le risque par excellence. Peut-être que ne sauraient seoir à ces moments que les rites judaïques de déchirement des vêtements ou les larmes qui «loin d'être douloureuses, sont l'expression d'une conscience aiguë de la vie commune saisie dans son intimité».[13] Ou encore, la poésie qui à la limite du langage désigne sans nommer, appelle sans forclore, ou garde le silence. Ne serions-nous que froissement entre la lumière et l'ombre?

L'explosion émotionnelle qui accompagnait les derniers sursauts du moribond a été remplacée par le recul, les prières par les dons pour l'avancement de la recherche et les dons d'organes préférés à l'immortalité de l'âme. La vie recycle la mort et le deuil se révèle événement privé et éventuellement confié à la ressource compétente en la matière : psychologue, psychanalyste, etc. Dans ce domaine comme ailleurs, la logique du *management* prévaut et ce qui doit être légitimement vécu se fait dans le cadre du *light*, du *low* et du *dry* qui font déjà les délices de notre hypo consommation de la vie en général. À vrai dire, on dispose du mourant davantage que l'on gère la mort. Puisque gérer implique un geste qui fait passer et l'intention qui s'y rattache comme le remarque le psychanalyste Daniel Sibony :

> «Ce qui indique dans le verbe *gérer* (gerere) c'est le gestum, le geste à faire, l'acte ou le geste de porter, porter la charge d'accomplir, s'engager dans l'accomplissement. Le mot *gérondif* vient de gérer, et il désigne ce temps des verbes où la chose va s'accomplissant, où *c'est en cours*. [...] Or même dans le cadre religieux, les techniques du rituel doivent s'exécuter avec *cœur*, avec le *sentiment* qu'il ne s'agit pas d'une technique ; sinon ils ne sont pas agréés ; l'Autre ne marche pas...»[14]

Dorénavant c'est bien plus la retenue, le savoir-faire qui guide le plus simple mouvement à l'égard du mourant que l'intention de recevoir sa mort. Une situation aussi gratuite, inutile, voire irrécupérable place en porte-à-faux le dispositif productiviste des services médicaux. Ceux-ci au nom même de la dignité humaine doivent ouvrir des lieux où la douleur sera en dernier recours, à défaut de la vie, prise en charge. Comme le note Louis-Vincent Thomas :

> «Notre civilisation qui nie la mort nous prépare mal à accepter ce qui met un terme aux prétendues valeurs de la vie : la productivité, la compéti-

13. Georges Bataille, *op. cit.*, p. 65.
14. Daniel Sibony, *Entre dire et faire.* Penser la technique, Paris, Grasset & Fasquelle, 1989, p. 236-237.

tion, la réussite sociale. Une culture qui porte l'individualise à son paroxysme ne peut intégrer la disparition du je, du moi personnel d'autant
plus que la mort, aujourd'hui technicisée, professionnalisée, se déroule
dans le cadre déshumanisé de l'hôpital et le recours aux valeurs religieuses
est quasiment perdu.»[15]

La société ne se fait plus médiatrice, instance de gestion symbolique
par les rites (sinon en connotant leur absence par des congrès sur la
mort) mais pur centre de distribution de services anonymes. Plus encore, il serait étonnant que le mourir interroge le vivant puisqu'en
dernier ressort la société pourvoit à tous les divertissements jusqu'au
déni d'une réalité autre. Si la mort est traitée, elle l'est sous le mode de
l'information en général et on n'a qu'à songer dans cette veine à la
Fondation rêve d'enfant où rencontrant à la limite du possible, l'intolé-
rable, les parents accèdent pour conjurer l'injustice à participer au
dernier souhait du mourant. Quel désir se réalise, cela reste difficile à
dire mais le plus souvent, c'est le divertissement, la sortie de soi qui
rassure sur les fins dernières: Disneyland, joueurs de hockey, acteurs
forment la constellation ou peut-être la nouvelle liturgie d'une projection de soi vers la nuit rassurante qui semble veiller sur ces étoiles.

La puissance technologique déréalise tout événement humain, fine
pellicule qui fige la douleur, la pérennise, la plastifie avec la distance
de l'écran. Dans ce cadre, «ce qui échappe à l'organisation, ce qui ne
peut être diffusé par les médias, cesse tout simplement d'être éprouvé.
Il semble presque que, sous le règne de la volonté, l'être de la douleur
soit fermé à l'homme, et pareillement l'être de la joie».[16] Pourtant
comme le fait remarquer Gilbert Hottois, «la technique n'est pas de
l'ordre du symbole» et on pourrait ajouter, qu'elle en est sa permanente
déforestation.

Jamais la possibilité mortelle n'est admise dans une société qui a
décidé de prendre ses rêves pour la réalité, ni un rapport à la dette ou à
l'environnement ne viennent troubler cette exigence de bonheur, ce
droit au plaisir et dans ce contexte pour paraphraser une formule
juridique: la question de la mort ne sera pas entendue. La mort reste
cette irréalité tenue à distance, contenue, dernier tabou de la rationalité
précisément parce qu'elle marque la limite à tout pouvoir.

15. Louis-Vincent Thomas, *Mort et pouvoir*, Paris, Payot, 1978, p. 28.
16. Michel Haar, *loc. cit.*, p. 234.

Dans cette optique, entre l'homme et sa mort, il n'y a désormais pas tant la maladie qu'un corps étranger, presque enseignant qui enserre chacun des symptômes tantôt par une nouvelle génération de produits pharmaceutiques, tantôt par un calcul globulaire. Chiffres, abréviations des tests, scanner[17] se tiennent précisément là où jadis, des gestes symboliques, onctions, prières, imposition des mains, entrouvraient la brèche vers un au-delà, maintenaient un contact entre le corps à mourir et ses possibilités surnaturelles. C'est la déréliction du symbolique,[18] l'impossibilité d'affecter la crise du mourir à une création qui la rend vraisemblablement si pénible, voire impossible. Ni geste, ni parole, ni huile ne viennent à la rescousse du mourant, le corps vivant devient vite momie sous les perfusions, prison, enlisement. La mort ne se fait plus traverse mais affaissement dans le sans recours. Surinvestie techniquement, elle se fait miroir aux alouettes, fenêtre placardée plutôt que puits de lumière. Sans l'entre-mise religieuse, l'être humain se prive d'une contre-partie symbolique, fut-elle illusoire, il se trouve en panne sèche avortant de sa vie, retournant à l'Autre sans un adieu sans un bonjour. L'anxiolytique empêche le partage de l'inquiétude.

Toute possibilité d'une re-naissance symbolique, d'un passage à ce moment parfait où la vie se contracte pour changer d'état, se voit obstruée, il y a si l'on peut dire un *dead end* symbolique. En un certain sens, les gestes rituels laissaient apparaître dans la destruction de l'homme extérieur, non pas la faillite d'une génération de soins ou encore les retards de la science, — pour la science nous mourrons toujours une décennie trop tôt — mais que l'instant de la mort ne saurait être rattrapé, rejoué. Gravité du dernier moment plus qu'exténuation des limites du savoir sur le corps.

En exagérant cette perspective, on peut dire que dans l'objectivation qu'instaure la science, ce n'est pas tant un mourant qui est accompagné mais les suites fâcheuses d'une maladie qui sont prises en filature ; chute

---

17. Pourtant comme le fait remarquer Gilbert Hottois, « la technique n'est pas de l'ordre du symbole » et on pourrait ajouter, qu'elle en est sa permanente déforestation. Dans Venant Cauchy (dir.), « Science, technologie, production », *Philosophie et culture*. Actes du XVIIᵉ congrès mondial de philosophie, T.II, Montréal, Éd. Montmorency, 1988, pp. 615-622, p. 616.
18. Cette déréliction n'est-elle pas tributaire du fait que l'on s'interdit d'accepter l'entr'ouvert, de dire que la vie appartient davantage à la rupture qu'à la symbiose ?

amortie encore par les opiacées ou par le nouveau code de politesse thanatologique.[19]

Il est difficile de mourir en paix, plus qu'à aucune autre époque peut-être, tant l'impression que tout est possible paraît répandue. On peut aisément imaginer la réticence qu'a le malade à accepter son sort, après avoir vécu littéralement jour après jour, dans le regard des spécialistes, des internes, vu défiler à son chevet autant de science, épier le moindre sursaut d'enthousiasme dans chaque sursis diagnostique, pour saisir que peu à peu, comme dans le cercle que crée un naufrage, disparaissent un à un le *baume des regards*. Plus encore, l'imminence de la « mort inévitable est vécue par le personnel soignant comme un échec, une mutilation, une blessure narcissique ».[20] Double chute dès lors, où le patient se voit progressivement transféré à des spécialistes du désinvestissement en douce : accompagnateurs, thanatologues, ceux qui, habitués, ne nourrissent plus aucun espoir à votre endroit.

Car l'art du mourir réside sans doute dans le retrait successif de chaque pli ou de chacune des inflexions dans lesquels un peu de vie réside encore.[21] Une sorte de détresse certes mais bien davantage le travail de dé-tressage des liens qui retenaient bien amarrée la vie à ses projets.

Le corps entreprend ses dernières grandes manœuvres, un peu comme dans l'utérus à une étape précise de sa croissance, il s'est renversé, de la même manière, mais cette fois psychiquement, il entreprend une sorte de difficile délestage qui se résumerait d'abord en une dénégation, ensuite en une forme de colère, pour se poursuivre dans une tentative de marchandage et enfin dans la dépression. Non pas tant au sens d'un coup de cafard mais presque au sens propre : le moi se fait vide, creux. Autant de stations psychiques qui ne sont pas sans rappeler le traumatisme de la naissance et éventuellement un rapport au manque.

L'enfantement et le mourir seraient comme un égal labeur, — mais aussi la répétition du travail d'individuation de l'enfant par rapport à la

---

19. « Faut-il distinguer entre une mort hideuse et une mort préparée de la main des génies ? Entre une mort à visage de bête et une mort à visage de mort ? », René Char, *Les matinaux* suivi de *La parole en archipel*, Paris, Gallimard, 1962, p. 196.

20. Louis-Vincent Thomas, *op. cit.*, p. 34.

21. Ces étapes sont reprises par Bernadette Lamboy dans : *La mort réconciliée*, Paris, Éd. Seveyrat, 1989, p. 120.

mère soit la terreur d'être, d'être attaché, séparé ou perdu[22] — un travail inscrit dans un rythme plus essentiel encore que ne saurait l'être celui que ponctuent les horloges, mais l'instant de vérité, le retour vers ce à quoi l'on ne saurait suffire. Mourir dans la dignité serait-ce cela : accoucher de sa propre mort, naître de sa propre vie ? Auquel cas, il y aurait rupture du lien, salut du moment où je ne serai plus. Patience devant ce qui n'est plus ultime frustration mais issue, ajournement de la croyance en l'immortalité ou comme le dit René Char : «On naît avec les hommes, on meurt inconsolé parmi les dieux».[23]

C'est que le mystère de la mort ne donne guère de prise à l'espoir. À moins justement d'en accepter, non comme une offense, l'élément de passivité. La fatigue, la vieillesse, et la mort ne sont problématiques que dans l'exacte mesure où elles apparaissent comme les grandes contradictions des volitions humaines plutôt que ce qui, justement permet à l'être humain d'être ce qu'il est.

Pour Gabriel Marcel, l'angoisse ou l'inquiétude indéterminée à l'égard de la temporalité et de la mort serait volonté dégradée, fixation à un stade de développement. Comme si interrompu dans une zone de sa croissance, l'être humain se cuirassait, s'asphyxiait dans le souci de soi pour devenir indisponible. Gabriel Marcel écrit dans *Position et approches concrètes du mystère ontologique* : «Être indisponible, c'est être en quelque manière non seulement occupé, mais encombré de soi. Je dis en quelque manière : l'objet immédiat peut varier indéfiniment ; être occupé de soi, de sa fortune, de ses amours, et même de son perfectionnement intérieur. [...] Ce qu'il faut voir c'est que le contraire d'être occupé de soi, ce n'est pas l'être vide ou indifférent.»[24]

D'où le fait sans doute que la mort ne saurait être perçue comme un processus de croissance personnelle, auquel cas elle serait redevable à un certain hédonisme. Non, la pensée de Gabriel Marcel comme celle dont se réclamera plus tard, Emmanuel Lévinas, renvoie à une plus grande fluidité du moi.

---

22. Michel Schneider, *À quoi penses-tu ?*, dans : *Le trouble de penser*, Paris, Gallimard, Nouvelle Revue de la Psychanalyse, n° 25, 1982, pp. 7-35, p. 11.

23. René Char, *op. cit.*, p 147.

24. Gabriel Marcel, *Position et approches du mystère ontologique*, Paris, Vrin, 1949, p. 86.

Certes, le tragique n'y est pas absent, mais c'est dans l'ouverture à l'Autre qu'est censée se dissoudre toute angoisse, vécue ici, comme une adhérence du moi encombrant. Les racines du pessimisme sont les mêmes que celles de l'indisponibilité :

> « Si celle-ci grandit à mesure que nous vieillissons, c'est que trop souvent l'angoisse en nous croît, et jusqu'à nous étouffer ; à mesure que nous nous approchons de ce que nous considérons comme un terme, pour se protéger d'elle-même, cette angoisse doit mettre en œuvre un appareil de défense de plus en plus pesant, de plus en plus minutieux, et aussi ajouterai-je, de plus en plus vulnérable. »[25]

Dans ces conditions, la mort sans perdre son caractère d'épreuve trouve réponse dans l'exigence d'un don de soi, d'une kénose. Le moi est soulagé de la mort précisément dans la mesure où il est libéré de lui-même, c'est-à-dire lorsqu'il ne s'appartient plus, délesté, désaisi. À la strangulation inhérente à la conscience de soi répond la pure perte d'un accueil, d'une victoire de la lumière sur les ténèbres où se tient tapi, le moi du souci et du projet. Vaincre la mort serait-ce déjà cela, dépasser l'isolement, se perdre ?[26] Mort d'avant la mort, vie au-delà de la vie ? Solution éthique à la mort que trouve aussi, au terme de sa réflexion, Emmanuel Lévinas : « Mais il y a beaucoup à faire — il faut faire beaucoup — pour débarrasser la mort de l'angoisse — sans que ce soit par divertissement — pour ne laisser à la mort qu'une coquille vide. Car dans un monde entièrement humanisé notre être passe intégralement dans notre œuvre. »[27]

Il y aurait possibilité de dépasser l'angoisse de la mort en se confiant à la prodigalité, à l'ouverture, en allant vers l'Autre. À la mort comme à l'Autre, faudrait-il dire comme Abraham : me voici ?

---

25. *Ibid.*, p. 87.
26. Comme le note G. Bataille : « La sphère de l'isolement est comparable à une prison qui protégerait des dangers du dehors en même temps qu'elle enfermerait [...] L'étranglement par lequel l'être intérieur communique avec l'espace libre n'est sans doute pas la mort elle-même, mais il en est toujours l'ébauche — ou l'image, ou le commencement », Georges Bataille, *Oeuvres complètes*. VII, Paris, Gallimard, 1976, p. 269.
27. Emmanuel Lévinas, *Du Dieu qui vient à l'idée*, Paris, Vrin, 1982, p. 155.

Aspect juridique

La mort, responsabilité des uns et des autres

Les volontés de fin de vie

Mort, volontés, communication

Le droit à la mort et le droit des mourants

La mort, responsabilité des uns et des autres

Me GISÈLE GRATON[1]

La société, avec sa population vieillissante, se voit dans l'obligation de décider pour ses membres en perte d'autonomie, dont les facultés cognitives sont diminuées. Gérer les derniers moments de la vie de l'autre et en assumer les responsabilités professionnelles constituent une lourde tâche. En effet, comment déterminer si les soins et traitements réconcilient le principe du caractère sacré de la vie et celui de la qualité de la vie? Où commence et où finit l'acharnement thérapeutique? Que signifie le fait de compléter ou de vivre sa mort quand la personne est devenue complètement inapte et a perdu sa lucidité depuis plusieurs années? Nous verrons dans ce texte la complexité des réponses à ces questions.

Suite à un prise de conscience des besoins de cette clientèle, il y a eu concertation en vue d'humaniser les soins. L'institution s'est efforcée d'aménager un milieu de vie plus humain pour accueillir ces personnes qu'elle abrite souvent jusqu'au dernier soupir. Il est apparu essentiel de personnaliser les contacts avec les patients, si peu lucides soient-ils et d'impliquer davantage la famille, les proches, dans les prises de

---

1. Cette juriste détient également une maîtrise en service social de l'université de Montréal. Elle a fait de nombreux stages aux États-Unis, en Angleterre et en France, au Centre de bioéthique de Sèvres à Paris et a occupé divers postes de responsabilité. Elle est directrice d'un comité au MSSS.

décision. Et le travail en équipe multidisciplinaire a favorisé l'approche globale dans l'application des plans de soins individualisés.

Malgré la mise en place de ces approches humanisantes, l'avancement de la science et l'alourdissement de la clientèle furent tels que les équipes soignantes éprouvèrent de la difficulté à prendre leurs décisions, non seulement en toute connaissance de causes, mais aussi en toute connaissance des effets et des conséquences. Les médecins et les professionnels de la santé étaient confrontés à des questions dont les réponses ne relevaient plus spécifiquement de la médecine. Le système de santé débordant déjà de structures, fallait-il en instituer une autre? C'est ainsi que les comités d'éthique ont pris naissance.

Les comités d'éthique

Plusieurs établissements de santé ont donc créé des comités d'éthique clinique. Ces instances jouissent d'une bonne réputation et sont rarement remises en question.

Ces comités consultatifs sont composés de professionnels issus de différentes disciplines, dont une partie provient du personnel interne. Les opinions et recommandations sont élaborées à partir des observations, diagnostics et pronostics de ces personnes, sans que la parole soit donnée au patient ou à son représentant. Quant à leur rôle éducatif, il n'est pas mis en évidence: les comités siègent à huis clos à l'intérieur de l'établissement et il n'existe aucun mode de communication favorisant les échanges d'un comité à l'autre.

Ces commentaires sur la composition, le rôle et le fonctionnement des comités d'éthique ne diminuent en rien leur pertinence, mais démontrent la nécessité de marquer un temps d'arrêt afin d'évaluer leur visibilité et leur impact. Toute structure, si humanisante soit-elle, risque de se scléroser si elle n'admet pas la critique. Les comités d'éthique constituent un soutien indispensable pour finaliser les décisions dans les cas où la mort s'est déjà installée. Leur souci d'élaborer des raisonnements respectant les enjeux de la vie et de la mort est incontestable. Ce qui est inquiétant, c'est l'absence de discours dans un espace ouvert. Avant que ces chapelles ne s'érigent en cathédrales, il serait souhaitable qu'une coordination régionale ou autre s'établisse entre ces multiples comités.

Le droit et les droits

Comme il est toujours difficile de décider pour autrui, et comme la menace de poursuites judiciaires est omniprésente, on se tourne de plus en plus vers le droit qui, apparemment, tranche les litiges en donnant des réponses claires et précises. Certes, un système de lois complet déterminant nos droits et obligations, réglementant notre système de conduite et lui fournissant un cadre défini pour l'action sociale et collective, se trouve justifié. Toutefois, il faut se rappeler qu'à trop vouloir légiférer sur les libertés individuelles, on risque d'emprisonner les citoyens dans les mailles d'un filet abstrait et inadéquat.

Nous savons que l'expérience de la mort est unique. Il n'y a pas de loi qui puisse prescrire une façon de mourir. Dans cette optique, le recours exclusif au droit est une illusion, car nous sommes souvent forcés de trancher entre le bien et le mieux, de déterminer ce qui est juste dans une situation d'injustice. Et la seule façon de nous en tenir à des solutions équitables, c'est de ne pas nous approprier l'autre.

Les soins palliatifs

Même en possession de ses moyens, il est difficile de communiquer avec les professionnels ou de les questionner. Nous avons, à tort ou à raison, l'impression que notre désir de comprendre devient synonyme d'un manque de confiance envers ceux qui nous soignent. Pour les professionnels de la santé, transmettre un message de non-guérison et expliquer les détériorations irréversibles sont des moments particulièrement éprouvants. Affirmer ne plus pouvoir ou devoir guérir devient synonyme d'abandon si l'accompagnement dans la mort n'est pas offert. Mais cet accompagnement ne relève pas exclusivement de la responsabilité médicale.

Nous avons donc créé les unités de soins palliatifs comme support pour effectuer le grand passage en toute équité et dignité. Ces unités sont, à l'heure actuelle, réservées à certains patients et elles possèdent, entre autres, des méthodologies, des horaires, des approches spécifiques. Il s'agit presque d'une institution dans l'institution. Dans ces unités, on parle ouvertement de la mort, on entoure les malades le jour comme la nuit, et plusieurs bénévoles y investissent temps et émotions.

Nous savons que la mort est une étape remuante tant pour la personne qui la vit que pour les accompagnants. Et l'individu qui vit sa mort est vulnérable et fragile. Dans une telle situation, il s'agit d'être attentif pour ne pas rompre le rythme du patient afin de lui permettre une mort digne, une mort douce, afin de répondre à son meilleur intérêt. Qui sommes-nous, médecins, infirmières, avocats, théologiens, psychologues et autres, pour déterminer quel est le meilleur intérêt de l'autre? Cette notion est discutable car, trop souvent, elle ne fait appel qu'aux valeurs propres des décideurs. Pour éviter pareil écart, pareil dérapage, et afin de ne jamais nous éloigner d'autrui, il vaudrait mieux prendre systématiquement pour référence la biographie du patient.

La biographie du patient

L'histoire de la vie des individus devient l'unique fil conducteur pour connaître leurs valeurs. C'est un élément indispensable qui permet de prendre les décisions en considérant le patient dans toutes ses dimensions, dans son unicité.

Les intervenants, la famille, les proches doivent écouter les multiples échos qui leur viennent de la personne et ce, pour éviter de se substituer à ses désirs, à ses besoins et à ses droits. Il est facile pour ceux qui décident de glisser dans un rapport où leurs valeurs et croyances, celles de la société, dominent les valeurs, les croyances de l'autre, de celui qui ne peut plus s'exprimer d'aucune façon. Nous constatons que les structures ne garantissent pas le respect du patient. Aussi faut-il se demander quotidiennement pourquoi nous œuvrons auprès des mourants. Pour nous-mêmes? Pour travestir ou canaliser nos propres peurs? Ou vraiment pour l'autre?

Le discours sur la mort et la dignité du mourant aurait eu avantage à *s'orienter vers la biographie de l'individu plutôt que vers ses droits.*

La culture, les expériences personnelles, les valeurs, la religion sont autant de facteurs qui modèlent la mort suivant la personnalité de chacun. À cet égard, les arguments que les consultants invoquent doivent être empreints de la vie de l'autre. Pour gérer ce qui ne se gère pas, nous nous limiterions ainsi à écouter ce que l'autre nous a dit dans ses choix, ses actions, ses mots et gestes quotidiens. Cette réalité nous force à discourir, à réfléchir, à décider avec humilité, sans dogmatisme, car dans ce domaine personne ne détient la vérité.

Mourir, c'est vivre une dernière étape, sa dernière étape. C'est tout et c'est beaucoup. Cette étape appartient à chacun. Aucun motif n'en justifie l'usurpation qui, même sans violence et au nom de la dignité, demeure odieuse. Mais si, pour diverses raisons, nous devons intervenir, nous devons le faire en sourdine, sur le bout des pieds, car qui d'entre nous peut prétendre vivre la dernière solitude de l'autre?

Les volontés de fin de vie

NICOLE FONTAINE[1]

Le Curateur public représente légalement près de 15 000 personnes inaptes au Québec. À ce titre, il a pour mission de veiller à leur bien-être moral et matériel en même temps qu'assurer la protection et la défense de leurs droits, dont le droit de consentir à des soins ou de les refuser et le droit à une mort digne. Dans ce contexte, le Curateur public est appelé à participer à des décisions importantes au nom des personnes représentées. Nous verrons notamment quels sont les principes qui servent de guide en pareilles circonstances.

Les volontés de fin de vie

Au Québec, le testament biologique ou testament de fin de vie, emprunté du *living will* américain, est en usage depuis quelque temps déjà et connaît une certaine popularité. Il se veut d'abord et avant tout une barrière à l'acharnement thérapeutique. Un tel document peut représenter un avantage pour la personne isolée qui ne saurait faire connaître ses volontés par d'autres moyens. Il peut également s'avérer utile pour favoriser le dialogue entre le patient, ses proches ou son représentant légal et le médecin traitant.

Cela dit, le testament de fin de vie fait l'objet de certaines réserves. Tantôt, on notera l'impossibilité de savoir si la personne maintiendrait ses volontés telles qu'elle les a formulées dans le document antérieure-

---

1. Curatrice publique.

ment à son inaptitude. Ou encore la difficulté d'interpréter certains termes tels : moyens ordinaires, extraordinaires, proportionnés, disproportionnés, etc., sans trahir les volontés de la personne.

Bref, l'unanimité est loin d'être faite sur le sujet. Mais en dehors de toutes ces considérations, il nous faut reconnaître que si le testament de vie s'avère délicat dans son interprétation, sa valeur indicative n'en est pas moins indéniable.

Le mandat donné en prévision de son inaptitude permet à une personne majeure apte, de désigner par écrit un mandataire qui s'occupera de sa personne ou de ses biens dans l'éventualité où elle deviendrait inapte. Plusieurs souhaiteront sans doute y introduire des volontés relatives aux soins de fin de vie.

Le mandat met en relief le principe de l'autodétermination de la personne et la recherche de son bien-être. Bien sûr, il est nécessaire de recourir au tribunal pour l'homologation du document lors de la survenance de l'inaptitude du mandant (art. 1731.1 C.c.). Cependant même avant sa reconnaissance judiciaire, le mandat possède à notre avis une valeur indicative des volontés du mandant.

Bien qu'il s'agisse d'une option intéressante, le mandat comporte certains inconvénients. Dans une société où les personnes seules ou délaissées se multiplient, trouver «le» mandataire idéal en qui l'on a entièrement confiance peut s'avérer ardu. Il est clair par ailleurs que la compétence décisionnelle du mandataire en tant que représentant légal désigné pour le consentement aux soins n'est officielle qu'après l'homologation. Or, pour le moment, il faut compter quelques semaines pour franchir les étapes menant à la reconnaissance judiciaire d'un mandat. Avec le temps, ces démarches devraient pouvoir être accomplies beaucoup plus rapidement.

En dehors de ces véhicules *officiels* de transmission de ses volontés, une personne aura pu, tout simplement et à une époque où elle était lucide pour ce faire, exprimer ses volontés verbalement. Le cas échéant, celles-ci devront orienter, dans la mesure du possible, la décision prise en son nom par une tierce personne.

Quelle que soit la manière qui ait été choisie par la personne antérieurement à son inaptitude pour faire connaître ses volontés de fin de vie, on constate donc la nécessité de l'intervention d'un tiers qui, en temps opportun, parlera en son nom.

Ceci nous amène à examiner la question du consentement substitué aux soins et des nouvelles dispositions introduites à ce chapitre au Code civil.

Le consentement substitué

La personne humaine est inviolable et comme le précise l'article 19 C.c.: « Nul ne peut porter atteinte à la personne d'autrui sans son consentement ou sans y être autorisé par la loi. Voici donc un énoncé très clair qui consacre l'intégrité corporelle de la personne, son autonomie décisionnelle en matière de soins ou traitements susceptibles de lui être administrés.

L'article 19.1 C.c., de droit nouveau, apporte des précisions additionnelles en énonçant que « nul ne peut être soumis sans son consentement à des soins. » Quant à l'article 19.2 C.c., il se lit comme suit: « Lorsque l'inaptitude d'un majeur à consentir aux soins exigés par son état de santé est consatatée, le consentement est donné par le mandataire qu'il a désigné alors qu'il était apte, par le tuteur ou le curateur. S'il n'est pas ainsi représenté, le consentement est donné par le conjoint, ou à défaut de conjoint ou en cas d'empêchement de celui-ci, par un proche parent ou par une personne qui démontre pour le majeur un intérêt particulier. »

Il est important de noter que la personne représentée par un mandataire ou sous tutelle ou sous curatelle ne doit pas être automatiquement considérée inapte à consentir aux soins ou à les refuser. Dans la perspective du plus grand respect possible de l'autonomie de la personne, le législateur a voulu que le majeur sous régime de protection puisse bénéficier comme toute autre personne d'une présomption d'aptitude à consentir aux soins ou à les refuser. Il n'y aura nécessité de recourir au consentement d'une tierce personne qu'une fois l'inaptitude à consentir du majeur établie sans équivoque.

Obligations du tiers consentant

Le législateur a en outre établi la ligne de conduite que doit suivre la personne appelée à consentir au nom d'autrui, l'article 19.3 C.c. précisant que « celui qui consent à des soins pour autrui ou qui les refuse est tenu d'agir dans le seul intérêt de cette personne en tenant compte, dans la mesure du possible, des volontés que cette dernière a pu exprimer.

S'il exprime un consentement, il doit s'assurer que les soins sont bénéfiques, malgré leurs effets, qu'ils sont opportuns dans les circonstances et que les risques présentés ne sont pas hors de proportion avec le bienfait espéré.»

Comment interpréter l'intérêt de la personne? Même s'il vient d'être introduit au Code civil, le concept de l'intérêt de la personne n'est pas nouveau; plusieurs auteurs l'ont déjà interprété en s'inspirant, notamment, de la jurisprudence américaine et de quelques décisions québécoises qui l'ont analysé plus particulièrement dans le cas d'enfants en bas âge.

Lorsque les volontés de la personne inapte sont inconnues, le critère qui devrait guider la décision est celui de la *personne raisonnable*, c'est-à-dire un critère centré sur le patient, dans sa totalité et son individualité. En d'autres termes, la personne appelée à décider pour autrui (tuteur, curateur, conjoint, proche parent, etc.) doit orienter sa décision de la même manière que le ferait une personne *prudente et raisonnable* dans les mêmes circonstances. Par exemple, une personne raisonnable estimerait sans doute inutile un traitement qui ne contribue pas à l'amélioration de la condition du patient, en plus de lui imposer un lourd fardeau physique et mental. (...) Le but de la médecine n'est certes pas de faire inutilement souffrir et prolonger la mort, mais bien plutôt de maintenir, améliorer ou restaurer la santé. Si cet objectif ne peut être atteint, on s'orientera vers les moyens susceptibles de procurer au malade le plus grand confort possible dans les circonstances. Enfin, même si la personne n'a pas fait connaître ses volontés, il n'en demeure pas moins que ses valeurs, convictions et opinions connues, voire ses attitudes antérieures face à la maladie, peuvent orienter la décision qui doit être prise en son nom. La personne a une *histoire* dont il faut tenir compte.

Lorsque la personne inapte a déjà, verbalement ou par écrit, exprimé ses volontés et que celles-ci sont applicables dans le contexte, elles doivent orienter la décision. En somme, la décision du tiers devrait, dans la mesure du possible, correspondre ici à celle qu'aurait prise le majeur inapte, eût-il été lucide pour en décider personnellement.

Le curateur public

À titre de représentant légal, le Curateur public doit répondre, entre autres, à des demandes d'abstention ou d'interrruption de traitement concernant les personnes qu'il représente.

L'analyse de ces demandes est assurée par une équipe multidisciplinaire. Les recommandations auxquelles elle donne lieu sont soumises avec toute la documentation pertinente à la Curatrice publique, responsable de la décision finale dont les intéressés sont informés par écrit. Comme tout autre tiers consentant, le Curateur public est tenu d'agir dans l'intérêt seul de la personne représentée et dans le respect de ses droits fondamentaux.

Mort, Volontés, Communication[1]

YVON BUREAU[2]

Le processus décisionnel

Bien qu'il y ait de nombreuses exceptions, la règle générale veut encore que les décisions de fin de vie, d'agonie et de mort dans nos hôpitaux québécois soient prises selon un processus décisionnel fortement influencé autant par la culture et les coutumes hospitalières et professionnelles que par celles du mourant et de ses proches.

Dans un premier temps, il est possible d'identifier dans notre système hospitalier, certains éléments de la structure organisationnelle qui ont un impact majeur sur le processus de décision concernant les soins et traitements des grands malades.

On est en droit de penser que la tournée médicale sur les départements hospitaliers joue un rôle prépondérant dans la prise de décision. La présence simultanée des médecins impliqués et de toute l'information sur l'état clinique du malade en font un forum idéal. Cependant, plu-

1. Comment, en 1991, se prennent dans nos hôpitaux québécois les décisions importantes qui entourent la fin de la vie, l'agonie et la mort d'une personne? Quelle culture et quelles coutumes hospitalières soutiennent le cheminement habituel d'une décision concernant la fin de la vie? Comment peuvent s'exprimer, de nos jours, les consentements et les refus en ce qui regarde les traitements de fin de vie?
2. Président de la Fondation Responsable jusqu'à la fin. Travailleur social au Centre François-Charron. Auteur de *Ma mort Ma dignité* Éditions du Papillon enr. 10150, de Bretagne, Québec, Qc, G2B 2R1

sieurs personnes déplorent le peu d'informations transmises au patient et à ses proches lors des tournées médicales. Les plans de traitements sont discutés entre médecins principalement.

On peut aussi observer que l'hôpital confère au médecin traitant une autorité formelle sur le contrôle des traitements. Cet élément favorise la centralisation de la prise de décision autour du personnel traitant.

De plus, l'avènement de nouvelles technologies bio-médicales a suscité le développement et l'utilisation de plus en plus fréquente de protocoles de traitements standardisés susceptibles d'influencer la prise de décision dans l'orientation du plan de traitements des grands malades.

Les professionnels de la santé

Malgré une évolution des mentalités durant la dernière décennie, on constate que pour plusieurs professionnels de la santé, les discussions sur les choix de la fin de la vie du mourant sont souvent difficiles à aborder. Ces mêmes professionnels se sentent habituellement plus à l'aise pour discuter de ces sujets délicats avec la famille du grand malade qu'avec le malade lui-même. Les bouleversements émotifs associés à la dernière étape de la vie accentuent les difficultés reliées à la prise de décision concernant les traitements à faire ou à omettre chez les malades dont la vie est sérieusement menacée.

Pour prendre des décisions éclairées, il est primordial pour le patient et sa famille d'avoir accès à de l'information pertinente de la part des professionnels de la santé. Plusieurs professionnels de la santé hésitent encore trop souvent à parler de façon ouverte et précise avec la personne malade, encore lucide, des différentes alternatives de traitement.

Le mourant et ses proches

Réintégrer le processus décisionnel n'est pas une tâche facile pour le patient et ses proches. Souvent, les personnes malades, plus spécialement les personnes âgées, craignent d'exprimer leurs points de vue, leurs interrogations et leurs hésitations face aux traitements prescrits par leur médecin. En effet, plusieurs se sentent irrespectueux de l'autorité professionnelle s'ils se permettent une opinion critique, ce qui ne les empêche pas de ressentir de la crainte, de la peur et de l'angoisse face aux traitements éventuels qu'ils auront à subir.

Il est difficile pour le patient de refuser ce qu'on lui présente comme ce qu'il y a de meilleur. Trop peu de temps pour décider et trop peu d'information vont l'amener à vite se sentir petit et démuni. Cette situation le portera à laisser les décisions dans les mains des professionnels de la santé et à ne pas être responsable de la fin de sa vie.

L'interprétation de la Loi

«La personne humaine est inviolable. Nul ne peut porter atteinte à la personne d'autrui sans son consentement ou sans y être autorisé par la loi» (Code civil du Bas Canada, art. 19, adopté en 1971).

«Nul ne peut être soumis sans son consentement à des soins, qu'elle qu'en soit la nature, qu'il s'agisse d'examens, de prélèvements, de traitements ou de toute autre intervention» (Code civil du Bas Canada, art. 19.1, en vigueur depuis 1990).

Le but de la loi est de protéger l'inviolabilité de la personne; le moyen d'y parvenir est le consentement. Or, les décisions ont mis l'accent beaucoup plus sur le moyen que sur l'objectif de la loi. Ainsi entrevu, ce qui devient important est qu'il y ait une signature au bas du formulaire de consentement aux soins et aux traitements; la communication au préalable, qui doit s'assurer qu'un consentement libre et éclairé a eu lieu, devient secondaire.

Pourtant, la communication entre les soignants et le mourant doit toujours primer; le consentement libre et éclairé doit toujours être recherché. La signature n'a de sens et de validité que par la communication et le consentement libre et éclairé qui la précèdent.

On n'a longtemps parlé que de consentement, le refus étant implicite dans l'idée d'inviolabilité Ainsi, l'obligation d'obtenir le consentement voulait dire qu'il était possible d'accepter ou de refuser les traitements, mais que sans consentement l'on ne pouvait traiter. La culture hospitalière a pourtant longtemps écarté de ses murs les mots *refus* et *refus de traitement*.

L'arrivée d'amendements à l'article 19 du Code civil commence à avoir des impacts sur le processus décisionnel dans les hôpitaux, faisant corps avec une évolution des mentalités. Aujourd'hui, les consentements et les refus peuvent s'exprimer en signant un formulaire de consentement aux soins, en utilisant le testament biologique, en désignant un mandataire, en faisant conaître de façon autre ses volontés écrites. Bien que l'expression orale soit valable, l'écrit se présente comme la façon privilégiée d'expression du consentement et du refus de traitement.

1. Le formulaire de consentement aux soins est encore le moyen le plus utilisé pour accepter ou refuser les soins offerts. Très souvent, il n'est perçu que comme une formule administrative : très peu de gens le lisent ; se contentant de demander où signer, ils font confiance et signent. Rappelons que ce qui a de la valeur et de la validité, ce n'est pas la signature en soi, mais ce qui précède : l'information suffisante pour qu'un consentement soit éclairé et libre.

2. Le testament biologique est un moyen écrit qu'une personne majeure et capable utilise pour refuser d'être maintenue en vie par des moyens artificiels, inutiles et disproportionnés, c'est-à-dire des traitements qui sont trop lourds compte tenu du peu d'avantages qu'ils apportent. Cet écrit lui sert aussi à demander les médicaments nécessaires pour enlever efficacement les douleurs à la fin de sa vie. Il permet enfin à cette personne, si elle le désire, de préciser les traitements voulus de fin de vie et ceux qu'elle refuse.

3. La Loi, depuis avril 1990, autorise une personne à désigner par écrit une ou des personnes qui verront à l'administration de sa personne et de ses biens, lorsqu'elle deviendra incapable de le faire elle-même. Une personne ne devrait jamais accepter d'être mandataire sans avoir eu d'abord avec la personne une intime communication sur les traitements possibles de la fin de sa vie.

4. L'écrit doit avoir une grande place dans l'expression des volontés du mourant. À part le testament biologique, d'autres écrits exprimant la volonté peuvent exister. Une personne sur la fin de sa vie peut, par exemple, écrire une note qui sera placée dans son dossier médical. Elle peut demander à un autre membre de l'équipe soignante de le faire.

La communication

Voici l'essentiel. C'est la communication qui vient donner du sens et de la valeur à des volontés et à des choix. Même confuse, la personne mourante doit continuer à communiquer avec ses soignants et ses proches en les incitant à agir selon ses valeurs et ses choix maintenant exprimés. À défaut, quelqu'un décidera à sa place, mais décidera-t-il en son nom, selon ses volontés ?

Le droit à la mort
et le droit des mourants

Hon. JEAN-LOUIS BAUDOUIN[1]

La mort est un sujet important. Un sujet qui, dans notre société moderne, a pris encore plus d'importance en raison des déchirements, des difficultés et des tiraillements auxquels sa gestion donne lieu.

La gestion de la mort a de tout temps préoccupé l'Homme. Pendant longtemps la mort a été acceptée cependant comme un phénomène naturel, comme l'aboutissement fatal et inévitable de la vie. On retrouve encore dans certaines sociétés actuelles cette idée de la mort qui est la conséquence inévitable de la vie. C'est le cas en particulier dans les sociétés en voie de développement où la fatalité de la mort est bien acceptée.

Problématique moderne de la mort

La problématique de la mort que nous connaissons est une problématique de sociétés développées. C'est un peu une problématique de l'égoïsme de nos sociétés. Cette gestion de la mort est devenue pour nous, au Canada, en France, en Europe, une gestion extrêmement difficile et déchirante. D'abord pour le mourant, mais aussi pour toutes les personnes qui œuvrent auprès de lui : médecins, infirmières, gestionnaires d'hôpitaux, travailleurs sociaux, psychologues, psychiatres, etc.

---

1. Juge à la Cour d'appel du Québec.

Cette exacerbation du contrôle de la gestion de la mort vient d'un certain nombre de phénomènes nouveaux. Le premier est ce qu'on appelle les progrès de la techno-science, progrès qui permettent de maintenir en vie des personnes qui autrefois seraient décédées des suites naturelles de leur maladie. On peut presque parler ici de morts-vivants. Technologie qui essaye d'abréger les souffrances et qui tente, avec les soins palliatifs, de rendre le passage de la vie à la mort le moins désagréable possible. Mais par un étrange paradoxe, cette technologie prolonge souvent ces souffrances. Elle éprouve de plus des difficultés à connaître ses propres limites.

Des craintes surgissent aussi devant un phénomène plus large, celui de l'encombrement des hôpitaux. Les hôpitaux, on le sait, sont pleins, trop pleins. Pleins de malades chroniques, ou de personnes qui ne devraient pas être à l'hôpital. Cette problématique des progrès de la science et de la technologie entraîne une crainte pour le mourant. Une crainte qui est fondamentalement celle de perdre sa propre mort, de perdre l'auto-gestion de sa mort au profit des «autres», au profit de personnes qui n'ont rien à voir avec lui, qui ne sont là que par accident.

Nouvelles valeurs de la société

Une deuxième raison de cette exacerbation se trouve dans les changements de la société elle-même. Il faut insister là-dessus parce qu'on a tendance à blâmer la médecine et la science pour ce qui est non pas un phénomène médical ou scientifique mais un phénomène social.

Notre société a des attentes totalement démesurées à l'égard de la science et de la médecine. La médecine, dit-on, est toute puissante. Il n'y a rien à l'épreuve de la médecine. Regardez ne serait-ce que le vocabulaire qu'on emploie : on parle des miracles de la médecine. Le médecin est devenu une espèce de grand-prêtre qui va régler ou permettre de régler tous les problèmes. Nous avons à l'égard de la médecine et de la science des attentes qui sont totalement irréalistes. La médecine et la science ont certes fait des progrès, nul ne peut le nier. Mais ces progrès scientifiques ne sont pas nécessairement la garantie du vieux rêve de l'immortalité humaine.

Un autre phénomène important est la contradiction entre l'image moderne de la mort et les valeurs sociales que nous vivons tous. La mort à l'heure actuelle, et il en a toujours été ainsi, est liée au hasard. La mort est une loterie, une épouvantable loterie. Une loterie dans une société où, au contraire, tout est organisé. Une société où on croit au déterminisme, à la planification, aux certitudes, et non pas aux simples probabilités. La mort heurte là une valeur sociale fondamentale.

De plus, grâce ou à cause de son succès dans son combat contre les maladies et dans le prolongement de la vie, l'homme a ressuscité un peu son vieux rêve d'immortalité. Ce rêve trouve prise dans cette idée que maintenant on peut guérir, on peut prolonger la vie au-delà de ce qui était possible il y a seulement une dizaine d'années.

Dans une société comme la nôtre éprise de justice distributive, où chacun doit avoir sa part, où il ne doit pas y avoir de personnes très pauvres ou très riches, la mort est perçue comme une injustice parce qu'elle contrevient à cette égalité.

Et enfin, il faut le dire, notre société est une société hédoniste, une société qui se regarde, qui se contemple. La mort, elle, est inesthétique dans notre société. Regardez la façon dont on dispose des morts; regardez tout notre rituel funéraire qui consiste à rendre le mort aussi ressemblant qu'un vivant. Regardez notre vocabulaire quand on va au salon funéraire voir quelqu'un qui est décédé: la phrase classique est «on dirait qu'il dort». Pourquoi dort-il? Parce qu'il a été maquillé; parce qu'il a été remis au fond, dans le monde des vivants. On combat l'inesthétisme de la mort. La mort n'est pas esthétique, elle heurte donc une autre de nos valeurs sociales.

Conflictualisation de la mort

Un autre phénomène nouveau, qui rompt avec le passé, est qu'on a réussi aujourd'hui (malheureusement) à conflictualiser la mort. C'est, à mon avis, une pratique particulièrement détestable et néfaste. On conflictualise la mort à plusieurs niveaux. Premièrement, dans le rapport médecin-malade. On connaît tous l'acharnement thérapeutique qui n'est plus, du moins au Canada, au Québec et dans certains pays européens, ce qu'il était il y a vingt ou trente ans. On l'a conflictualisé. Le conflit est maintenant ouvert à perpétuité entre les soins, l'acharnement thérapeutique, et le respect des volontés du patient. Que fait-on alors?

Comme toute société fait quand un conflit devient très exacerbé, on pense au droit, à la loi, aux juristes. C'est à mon sens une erreur. On croit, à tort, que le droit va régler le problème, qu'il faut une législation, un règlement. Alors on fait comme les Américains ont fait: on fait le «Natural Death Act» de Californie, on fait le testament de vie, on fait le mandat dans le Code civil. On «juridicise», on couvre d'un manteau juridique quelque chose qui n'a rien à voir avec le juridique. Qui n'est juridique que parce que cette chose est devenue pathologique et conflictuelle, alors qu'elle ne devrait pas l'être.

Un autre conflit important surgit, et ceux et celles qui œuvrent en milieu hospitalier le savent, entre l'équipe médicale au complet (médecin, équipe soignante) et la famille. Comment faire passer la décision? Comment convaincre la famille d'arrêter un traitement, ou au contraire d'entreprendre le traitement pour la personne malade qui n'est plus capable de donner son consentement? Comment vivre tout ce processus qui consiste à déculpabiliser la famille de la décision qu'elle va devoir prendre inéluctablement?

Et c'est là où on s'aperçoit aussi que s'établit souvent un dialogue de sourds qui entraîne naturellement des conflits. La famille attend du médecin ou de l'équipe soignante un jugement éthique. Elle attend que le médecin lui dise: oui vous avez raison de vouloir arrêter les soins, oui vous avez raison de ne pas entreprendre des soins. Alors que le médecin, souvent, ne peut pas donner un jugement éthique, mais un jugement clinique. La famille demande au médecin DOIT-ON faire telle chose? Et le médecin entend, lui, PEUT-ON. Le conflit entre le médecin, l'équipe soignante et la famille devient exacerbé et transforme la mort en conflit.

Il existe aussi un conflit très connu sur lequel je ne m'étendrai pas, entre les membres de l'équipe soignante elle-même. Une dernière situation conflictuelle autour de la mort est le conflit entre le malade et la famille. La famille est ou se croit toujours investie d'une espèce de mission sacrée qui est de respecter les dernières volontés du malade. Lorque ces volontés sont claires, les problèmes sont moindres. Mais lorsque ces volontés sont ambiguës, ce qui est souvent le cas chez un malade en phase terminale, la réalité ne correspond pas tout à fait au dialogue. Il faut souvent décoder ce que la personne veut dire; quand la personne dit, par exemple: «je veux mourir», est-ce un souhait réel, ou est-ce un appel au secours? Les risques de conflit sont là-aussi permanents.

Notre société a donc réussi, et c'est regrettable, à conflictualiser la mort. Et quand un conflit quelconque surgit, on appelle le juriste de service. Ce dernier arrive et on lui demande de faire un code, une loi, de donner des limites, de tracer des balises ou un périmètre dans lequel on puisse fonctionner. On demande ensuite à voir le juge, personnage indépendant, totalement désincarné de la réalité, qui vienne dire : « Vous avez raison, vous avez tort ». On aboutit ainsi à deux phénomènes.

Premièrement, une JURIDICISATION, c'est-à-dire l'incorporation dans des textes formels, dans des lois votées par l'Assemblée nationale, de règles et de règlements qui sont des règles de comportement. Deuxièmement, à une JUDICIARISATION, c'est-à-dire un appel, un recours aux tribunaux. Nous ne sommes pas encore, heureusement, arrivés au stade auquel sont arrivés, par exemple, les États-Unis avec des conflits permanents devant les tribunaux. Ces conflits (affaire Quinlan, affaire Cruzan, etc.) sont des conflits d'éthique, pas de droit.

Le mourant a droit à sa mort

Le droit n'a commencé à s'occuper des mourants que très tard. Cet intérêt s'est manifesté avec l'apparition des crises sociales, des crises de développement technologique et des conflits évoqués plus haut. Le droit a évolué. On dit toujours que nous les juristes, avons au moins un métro de retard sur le reste de la société. C'est vrai dans un certain sens. Mais les juristes ne peuvent pas devancer une évolution sociale. Le droit est souvent en réaction à l'évolution sociale, il la précède rarement.

Le mourant a droit à sa mort. Il a droit de vivre ses derniers moments comme il l'entend. Ce droit-là est maintenant bien reconnu sur le plan du droit formel même s'il en est parfois autrement en pratique. Ce droit est basé sur le principe de l'autonomie de la personne, principe qui est consacré par la Charte canadienne, par la Charte québécoise, et également par le Code civil. Ce principe de l'autonomie veut créer un droit subjectif que j'appellerais le droit à l'auto-détermination. J'ai sur mon corps, et donc sur ma vie, le droit de décider ce que je veux faire.

La difficulté est que le droit à l'auto-détermination entre souvent en conflit avec d'autres valeurs. Conflit avec d'abord la médecine, le médecin. Je ne parlerai pas ici de ce que beaucoup d'auteurs, surtout européens, ont appelé le «pouvoir médical», ou le «paternalisme médical». C'est une notion qui, dans notre société, est pas mal dépassée par rapport à ce qui existe à l'heure actuelle dans les sociétés européennes.

Mais ce paternalisme est présent ici à l'état latent. Il est d'ailleurs facilement explicable. Qu'est-ce qu'un médecin? Un médecin c'est quelqu'un qui pendant des années a travaillé sur une chose : lutter contre la maladie et la mort. Et vous lui demandez à un moment donné d'accepter la fatalité. C'est très dur pour un médecin. Cela va à l'encontre de toute la formation qui lui est donnée. Mais il faut que le corps médical, surtout encore une fois en Europe, se rende compte que ce n'est pas lui, le médecin, qui est *nécessairement*, le mieux placé pour savoir ce qui est dans le meilleur intérêt du patient.

Les médecins répliquent souvent par un syllogisme, qui consiste à dire : la vie est le meilleur intérêt du patient dans tous les cas, donc pratiquons l'acharnement thérapeutique , donc traitons. C'est évidemment faux. Le patient d'abord a seul le droit de décider pour lui. Deuxièmement, les solutions médicales souhaitées par l'équipe soignante ne sont pas nécessairement les solutions personnelles que le mourant souhaite. Et troisièmement, lorsqu'un traitement est devenu inutile, ce n'est plus un traitement. L'acharnement thérapeutique, au fond, c'est le traitement inutile.

Dans beaucoup de pays les juristes justifient l'acharnement thérapeutique par un concept qui est assez vieux dans le droit, qui est le concept qu'on ne peut pas refuser de porter secours à une personne en danger. Dans le Code criminel français, c'est un texte qui est là depuis longtemps et qui est en fait une règle de bon sens.

Si vous voyez quelqu'un en train de se noyer, qu'il suffirait que vous lui tendiez la main pour le sortir de l'eau, et que vous refusiez de le faire, que vous assistiez à sa noyade du bord de la rive, le droit va vous punir. C'est une règle de bon sens; c'est la charité forcée par le droit. On a souvent appliqué cette règle dans le cas des patients inconscients, en disant: le médecin enfreindrait le Code criminel français s'il ne portait pas secours à la personne en la ressuscitant ou en lui donnant des soins extraordinaires. Il contreviendrait à la loi. Et c'est souvent en France à propos de ce texte que l'on justifie l'interventionnisme médical.

Charte québécoise

Nous avons le même texte, ici, dans la Charte québécoise. Il n'a jamais encore été interprété dans le contexte médical. Je suis convaincu que les conditions socio-économiques, sociales et psychologiques étant différentes ici, il ne serait pas interprété comme obligeant un médecin à l'acharnement thérapeutique.

Le patient doit donc récupérer une pleine autonomie décisionnelle, ce qui signifie plusieurs choses.

Premièrement que le médecin doit respecter la décision du patient d'interrompre, de cesser ou de ne pas entreprendre un traitement même si, dans le jugement du médecin, il n'est pas d'accord avec la décision.

Deuxièmement, que le patient qui refuse le traitement alors que le médecin insiste, et je dirais même dans les cas où le médecin insiste avec raison, ne doit pas être ostracisé, ne doit pas être marginalisé, ne doit pas être abandonné tout simplement parce qu'il refuse de suivre ce que lui conseille la médecine. Troisièmement, à partir du moment où la personne est capable de décider, elle est le seul juge de sa qualité de vie. On ne peut pas, on ne doit pas pouvoir lui imposer à elle une qualité de vie qui paraît acceptable à soi mais qui ne l'est pas pour elle.

Un consentement libre

Mais il faut quand même être prudent. Le médecin doit premièrement donner tous les renseignements au patient pour lui permettre de prendre sa décision. C'est le vieux concept juridique du consentement libre et éclairé. Il faut que le médecin fournisse toute l'information au patient pour lui permettre de prendre sa décision, l'information positive comme l'information négative. Deuxièmement, le médecin qui se rend compte que son patient prend une mauvaise décision, doit s'efforcer de le convaincre de revenir sur sa décision. Une décision de se laisser mourir ou de ne pas continuer un traitement ne se prend pas en dix secondes. C'est une solution qui doit être mûrie. Le médecin a le devoir de faire voir l'autre côté de la médaille et même dans certains cas d'essayer de convaincre le patient lorsqu'il est clair pour lui que cette décision est mal fondée.

Et enfin, et c'est peut-être là où les médecins sont le plus blâmés, il faut que ces derniers dans les situations marginales évaluent, ce qui est extrêmement difficile, la capacité du mourant de prendre une décision éclairée. Tout en évitant de cataloguer comme incapables tous ceux ou toutes celles qui ne sont pas d'accord avec eux.

Le principe de l'autonomie du patient est maintenant bien reconnu dans les lois et par la jurisprudence. Sa contravention, quand ce principe n'est pas respecté, entraîne des sanctions. Des sanctions pénales puisque traiter une personne sans son consentement constitue des voies de faits au sens du droit criminel. De plus, une personne qui est traitée sans son consentement et dont les volontés ne sont pas respectées a un recours devant les tribunaux civils. C'est ce que dit le droit formel.

Droit formel et droit vécu

Par contre, il n'y a pratiquement pas de cas au Canada en droit criminel où un médecin a été trouvé coupable de voies de faits pour avoir traité un patient sans son consentement. Il y a une différence entre le droit dans les livres et le droit devant les tribunaux, entre le droit formel et le droit vécu.

Les problèmes surgissent surtout dans le cas des personnes qui ne peuvent pas ou ne peuvent plus décider pour elles-mêmes : les enfants, les personnes souffrant d'un handicap ou d'une aliénation mentale, et les personnes qui sont inconscientes. Qui peut et qui doit décider pour eux ? C'est un problème qui pour le droit est relativement simple, parce que le droit reconnaît le consentement substitué dans beaucoup d'autres domaines. Et le droit a effectivement mis sur pied tout un système qu'on appelle de consentement substitué : famille, curateur, tuteur, mandataire, etc.

C'est un système qui est très harmonieux au point de vue juridique, mais qui ne correspond peut-être pas du tout à la réalité vécue. Il crée de sérieux problèmes de conflits inter-familiaux et surtout des problèmes de critères de décision. Quand on a à décider pour un enfant qui vient de naître, par exemple, et qui est atteint de spina-bifida, qui est dans un état qui ne permette pas d'espérer une qualité de vie acceptable et qui permet d'envisager une mort à court terme, quels sont les critères qu'on doit observer ? Qui peut juger de la qualité de la vie de l'autre ? Et selon quels critères ? Il n'y a pas de critères objectifs. Chaque fois que je juge la vie de quelqu'un, je juge subjectivement, je juge avec mes préjugés, et avec ma subjectivité. Dans certains cas, et c'est une décision qui est dramatique à prendre pour beaucoup de gens, le meilleur intérêt du patient est de laisser la nature suivre son cours, de permettre à un processus de mortalité interrompu arbitrairement de suivre le cours ordinaire des choses. Là encore, on demande au droit des réponses. On a parlé du testament de vie. Le testament de vie à l'heure actuelle au Canada ou au Québec n'a probablement pas de valeur juridique formelle ; il n'est pas reconnu dans les textes. Il a peut-être une valeur symbolique pour le médecin, il a peut-être la valeur de l'expression d'une volonté du patient à un moment donné, mais il n'a pas encore été reconnu par les tribunaux.

Le mourant a droit à l'absence de souffrances

Le premier droit du mourant est le droit à l'auto-détermination, le droit de décider lui-même. Il en a un deuxième qu'on oublie plus souvent, peut-être parce qu'il est d'apparition plus récente, c'est le droit à l'absence de souffrances. Par la tradition judéo-chrétienne on a, à mon avis, trop valorisé la souffrance. On l'a valorisée parce qu'elle est symbolique. On n'a qu'à penser aux premiers Chrétiens, dans le Colisée à Rome, par exemple. Je ne suis pas sûr, personnellement, qu'à notre époque moderne, on doive en rester là. La personne humaine ne devrait pas être valorisée dans la souffrance.

Je pense au contraire qu'à l'heure actuelle, avec tout ce que l'on a à notre disposition au point de vue scientifique, le patient a le droit à une mort douce, à une mort sans souffrances.

Ce droit n'est pas encore développé. Il demande d'abord un travail d'équipe, un travail multi-disciplinaire, une équipe de soins palliatifs, pas seulement un médecin ou une infirmière. Parce qu'il faut soigner non seulement la souffrance physique, mais peut-être surtout la souffrance morale, l'angoisse devant la mort. Et deuxièmement, ce n'est pas une notion encore reconnue formellement par le droit. Elle commence à être reconnue aux États-Unis, où il y a effectivement des procès qui sont intentés par les familles de personnes qui sont décédées contre des hôpitaux et des médecins pour n'avoir pas donné à ces personnes-là durant la phase terminale les soins palliatifs appropriés. On a l'habitude, nous les juristes, de dire que ce qui est du droit jurisprudentiel aux États-Unis, dans cinq ans ou au plus tard dix ans, devient du droit jurisprudentiel au Canada. Et je pense qu'on assistera, éventuellement d'ici quelque temps, à des procès de personnes qui poursuivront des hôpitaux, des médecins, des équipes soignantes, pour avoir laissé un patient souffrir. Il n'y a aucune raison à l'heure actuelle de laisser une personne souffrir.

Il y a, évidemment, des limites. La limite entre l'absence de souffrance et l'euthanasie active est très difficile à trancher. Là encore, nous avons des textes dans le Code criminel qui condamnent l'euthanasie active. Mais tout le monde sait que dans la plupart des hôpitaux aux États-Unis et au Canada, arrive un moment où on sait fort bien que les doses que l'on va donner risquent d'entraîner une détresse respiratoire. Est-ce pour autant de l'euthanasie lorsque l'acte est posé, non pas dans le but de tuer, mais dans le but de soulager la souffrance, même si ce soulagement de la souffrance a pour effet de hâter la mort? Notre société est suffisamment évoluée pour reconnaître ce fait. Je doute que si un médecin était accusé devant un tribunal pénal de ce genre de délit il puisse être condamné.

Le mourant a donc le droit de décider de sa mort, et il a le droit de mourir dans l'absence ou avec un minimum de souffrances. Il a le droit de mourir dans la dignité. Le droit de décider, c'est la liberté; le droit de ne pas avoir de souffrances, c'est le droit au respect de soi-même.

Décriminalisation de l'aide au suicide

Nos sociétés vont progressivement entendre un discours revendicateur qui va être le suivant: il faut maintenant passer du droit des mourants au droit à la mort. Il faut légaliser certaines formes d'administration de la mort. La revendication n'est pas nouvelle. Elle s'est reproduite de façon cyclique à travers les siècles. Il y a eu, en Angleterre et aux États-Unis au 19e siècle un mouvement euthanatique extrêmement puissant. Mouvement qui a duré jusque vers les années 1930 et qui à partir de la deuxième Guerre mondiale, devant la récupération idéologique par les nazis de l'euthanasie active est (excusez le jeu de mots) mort de sa belle mort.

Le mouvement euthanatique est toutefois un mouvement qui est endémique dans toute société. On assiste à deux revendications. La première, qui est une revendication plus modérée, est la décriminalisation de l'aide au suicide. Jusqu'en 1973 le Code criminel pénalisait la tentative de suicide ratée. Il ajoutait l'opprobre à l'insulte: la pauvre personne qui s'était ratée devenait un criminel. La tentative de suicide ratée a heureusement été décriminalisée. Je ne pense pas que le législateur canadien voulait par là endosser le suicide. Mais il voulait éviter de punir quelqu'un qui avait fait un geste dans un état de désespoir total. Par contre, l'aide au suicide (tout comme l'assistance ou le conseil au suicide) demeure pénalisée, criminalisée. Une étude effectuée il y a une dizaine d'années, alors que j'étais à la Commision de réforme du droit, a toutefois montré que l'article punissant l'aide au suicide n'avait jamais été invoqué au Canada.

Vous avez aujourd'hui des groupes comme «Exit» en Angleterre, «Hemlock» aux États-Unis, qui revendiquent le droit d'aide au suicide. C'est là que le discours commence à changer un peu de perspective. On réclame maintenant une aide médicalisée au suicide. On voudrait que cette aide soit la plus efficiente et la moins douloureuse possible. Et quand on parle d'efficience et d'absence de douleur, on pense nécessairement à la médicalisation de la mort. Jusqu'ici, tous les législateurs ont strictement refusé d'entériner l'aide au suicide. Le public en général s'interroge souvent sur ce refus.

Mais le législateur doit voir plus loin. Il doit penser qu'il y a des cas d'aide au suicide qui sont vraiment odieux. Par exemple, la personne qui conseille à un adolescent déprimé de mettre fin à ses jours. Ou la personne qui, convoitant déjà l'héritage d'un vieillard un peu débilité, le dévalorise tous les jours de sa vie pour le pousser au suicide. Ces personnes-là accomplissent un acte qui n'est sûrement pas un acte de charité! C'est la raison fondamentale pour laquelle tous les pays du monde jusqu'ici n'ont jamais voulu décriminaliser l'aide au suicide.

L'euthanasie active

La deuxième revendication du mouvement euthanatique, qui découle de l'aide au suicide médicalisée, est la demande d'euthanasie active. C'est une revendication qui a toujours existé. Et encore une fois, on n'a qu'à voir l'utilisation qu'ont fait les nazis de ce principe pour se rendre compte du danger de la glissade.

L'euthanasie est criminalisée dans tous les pays du monde, sauf en Hollande où le gouvernement, dans le cadre d'un projet, a clairement indiqué qu'il ne poursuivrait plus les cas d'euthanasie active faite par un médecin à la demande d'une personne en phase terminale. D'après les renseignements très fragmentaires que nous avons de cette expérience, il semblerait que le nombre de demandes, considérables au début, se soit estompé petit à petit. L'opinion publique hollandaise qui était extrêmement favorable au début semble avoir changé de cap.

Donc, l'euthanasie active n'a pas bonne presse. Mais la question se complique quand on essaie de faire la distinction entre les formes d'euthanasie active et les formes d'euthanasie passive. Et le droit, et la médecine, ne parviennent pas toujours à s'entendre là-dessus. Le gros débat à l'heure actuelle aux États-Unis, débat qui va sûrement venir ici, est à propos de la différence entre ce qu'on appelait autrefois les soins ordinaires et les soins extraordinaires. Cette notion n'est pas objective parce que les soins ne sont ordinaires ou extraordinaires que par rapport à une personne ou à une situation. On n'a qu'à penser au problème de l'arrêt de l'hydratation et du gavage chez les personnes qui sont dans un état de coma avancé. C'est un des problèmes qui vont sûrement prendre des dimensions critiques dans les années à venir.

Conclusion

Replaçons la problématique dans un contexte général. Il ne faut pas oublier que nous, les pauvres personnes humaines, vivons à une époque donnée et pendant une période d'années réduites. Nous n'avons pas la mémoire collective ni cette intelligence du monde qui nous a précédés. C'est là où l'histoire, l'évolution des peuples a peut-être des choses à nous apprendre.

Dans notre civilisation judéo-chrétienne, la vie appartenait à la divinité, à Dieu. L'homme n'avait aucun contrôle sur sa vie et donc aucun contrôle sur sa mort. C'est pourquoi à l'époque des premières années du christianisme, le suicide et l'euthanasie étaient tous deux irrémédiablement condamnés. C'était d'abord un péché contre la divinité. Et comme la société à l'époque était une société théocratique, imprégnée des valeurs religieuses, c'était également un délit pénal. Il n'y a que quelques siècles encore, on faisait des procès aux cadavres des gens qui se suicidaient. C'est très symbolique de faire un procès à un cadavre. Mais on faisait ce procès pour bien montrer aux gens que c'était un péché et un délit.

Puis la société s'est transformée peu à peu par un processus intéressant. On a commencé par dire que le suicide est un acte irrationnel. Si c'est un acte irrationnel, c'est un acte auquel on doit compatir. On a alors permis la sépulture chrétienne à des personnes qui s'étaient suicidées. Ce changement est même assez récent au Québec. Petit à petit, la personne humaine s'est réappropriée un peu sa mort.

Il y a aussi une évolution vers la compréhension de l'euthanasie passive et même de l'euthanasie active. Une étude a été faite pour la Commision de réforme du droit, il y a quelques années, en droit comparé canadien et américain, sur tous les cas recensés d'euthanasie active portés devant les tribunaux : le mari qui tue sa femme qui souffre trop, le père de famille qui euthanasie son enfant parce qu'il ne peut plus supporter les souffrances de ce dernier, etc. Les jurés, qui représentent au fond la sagesse populaire, ont toujours refusé de condamner. Ils ont trouvé tous les moyens possibles et imaginables pour refuser de condamner. Il s'est donc établi socialement une certaine tolérance devant la mort provoquée. On est arrivé maintenant à l'étape de la conquête de l'Homme sur son propre destin, étape qui a entraîné la décriminalisation de la tentative de suicide et un meilleur contrôle du droit et de la société en général sur l'acharnement thérapeutique et les phénomènes semblables.

Où va-t-on maintenant ? Sans vouloir faire le prophète, je pense que nous allons clairement vers la revendication d'un droit à la mort. Mais il faut se rendre compte d'une chose. Si on accepte qu'il y ait un droit à la mort, on accepte également qu'il y ait, dans un rapport d'obligations, un créancier, quelqu'un qui ait le droit à quelque chose, et un débiteur, quelqu'un qui doit satisfaire ce droit.

Si on accepte un droit à la mort, on va accepter d'entrer dans un système juridique bien connu, le système de l'obligation. Il va falloir un débiteur. Il va falloir imposer à un certain nombre de personnes dans la société, et ça sera probablement aux médecins, l'obligation de respecter ce droit. Donc, ça ne sera plus le droit de non-interférence, ça sera l'obligation d'intervenir. On demandera à ce moment-là au médecin directement de provoquer la mort et on arrivera dans une société où si le médecin refuse de pratiquer l'euthanasie, il sera un coupable, un débiteur délinquant.

La chose est préoccupante. Il y a un passage que des gens, que tout un groupe de pression veut faire mais un passage qui ne peut pas et ne doit pas se faire. Dans une société comme la nôtre, la reconnaissance de façon formelle de l'euthanasie active, c'est la reconnaissance d'une faillite. C'est la reconnaissance d'une faillite morale, sociale, juridique. Il faut y résister. Mais n'attendons pas du droit la réponse à ces problèmes-là. Le droit ne peut encore une fois que suivre la société. Et le droit ne fera, à un moment donné de l'évolution de la société, que récupérer la règle qui s'en sera dégagée par consensus.

Aspect spirituel

La mort apprivoisée au XXᵉ siècle

La vérité pour soi pour... les autres

Au plus près de notre humanité

La mort apprivoisée au XXe siècle[1]

BENOÎT LEMAIRE[2]

Il n'est jamais facile de mourir mais il est facile de bien mourir. La vie est une continuité. À quoi bon naître si ce n'est pour toujours ? Didier Decoin, prix Goncourt, écrivait que si on pouvait, avec une caméra, filmer ce qui se passe dans le sein de la mère, au moment où l'enfant doit venir au monde, on verrait que l'enfant doit s'en aller, qu'il doit être expulsé, qu'il est de trop. On pourrait le plaindre. Mais ceux qui l'attendent de l'autre côté, le père, la mère, le médecin, l'infirmière, disent : « Enfin ! Le voilà ! ». C'est peut-être le même phénomène quand on meurt. Notre vie présente ressemble peut-être à la vie fœtale. Tous les grands maîtres de la spiritualité, chrétienne ou hindoue, voient la vie comme une continuité.

L'Auteur de la vie nous laisse le choix du temps, de la manière et des modalités de notre mutation. À la limite, on pourrait dire qu'on meurt quand on veut et comme on veut ! À la condition de se prendre en charge physiquement, mentalement et spirituellement.

Il n'y a pas de recettes ni de techniques dans l'art de mourir. J'aimerais mieux mourir dans un mouroir de mère Teresa que dans une unité

---

1. Peut-être prenons-nous un peu trop au pied de la lettre ce que nous apprend l'histoire des mentalités. À la mort apprivoisée qui, surtout pour un croyant, était une nouvelle naissance, aurait succédé une mort interdite, une mort rupture, une mort tragique. De nombreux témoignages dans ce livre confirment cette vision des choses. Faut-il en conclure que la mort apprivoisée ne correspond désormais à aucune réalité dans notre société ? Qu'on en juge par le témoignage de ce prêtre de soixante ans, qui assiste régulièrement des mourants.

2. Docteur en philosophie, professeur de philosophie au Cégep de Drummondville, chargé de cours pour ceux qui accompagnent les malades.

de soins palliatifs hautement technicisée. La vie, l'amour, la mort résistent aux techniques.

Mourir est une question de sens à la vie. Victor Frankl est un docteur allemand qui a survécu à l'univers concentrationnaire. Voici ce qu'il raconte dans son livre *Découvrir un sens à sa vie* : «Il est possible de trouver un sens dans l'existence, même dans une situation désespérée. Mais il est impossible de changer son destin.» L'important est donc de faire appel au potentiel le plus élevé de l'homme, celui de transformer une tragédie personnelle en victoire, une souffrance en réalisation humaine. Lorsqu'on ne peut modifier une situation, si on est atteint d'un cancer incurable par exemple, on n'a pas d'autre choix que de se transformer. Laissez-moi vous donner un exemple précis. Un médecin âgé me consulte; il est en dépression depuis deux ans. Il ne pouvait pas se remettre de la mort de sa femme. Je lui demande : que serait-il arrivé si vous étiez mort le premier et que votre femme ait eu à surmonter le chagrin? Le médecin me répond : pour elle c'eût été affreux, comme elle aurait souffert! Je lui dis alors : soyez heureux que vous lui ayez épargné cette souffrance!

La souffrance cesse de faire mal quand elle prend une signification. Elle devient alors un acte sacré. C'est l'«ars moriendi» du Moyen Âge. La mort est une question entre Dieu et moi. La prière en est la clé. Alexis Carrel, prix Nobel de médecine, parlait de la prière en ces termes :

> «La prière peut opérer en nous, si nous le voulons bien, des transformations profondes. La prière est la plus puissante forme d'énergie que nous puissions engendrer. C'est une force aussi réelle que celle de la pesanteur. À titre de médecin j'ai vu des hommes, après que toutes les autres méthodes de thérapie aient failli, se relever de la maladie et de la mélancolie par l'effet d'une prière sereine. La prière, comme le radium, est une source d'énergie lumineuse».

Carrel a pu observer plusieurs fois en clinique qu'une plaie guérissait plus vite si la personne priait. Je suis allergique à la douleur. Quand je récite le Notre Père et que je dis : «délivre-nous de tout mal», j'insiste sur le «tout». Je veux finir en douceur, transiter calmement. Je suis contre l'acharnement thérapeutique. Je veux finir comme le bon larron dont la douleur fut apaisée par le calme du Christ en croix. Ma grand-mère agonisante, âgée de 94 ans, s'informait de ses enfants et de ses petits-enfants au lieu de s'apitoyer sur son sort. Elle avait perdu son moi, elle avait atteint la sérénité.

La vérité pour soi...et pour les autres

Dʳ ARISTIDE GENDRON[1]

La mort est inévitable. Quand on sait qu'on ne peut rien y changer, on finit par l'accepter. J'ai commencé à 40 ans à m'interroger sur la façon dont je mourrais. Dieu donne et reprend la vie. Il aurait pu me faire mourir plus jeune. J'ai aujourd'hui 77 ans. Je serais malappris d'en vouloir à Dieu de reprendre ma vie. J'accepte donc ma mort prochaine.

Qu'arrive-t-il quand on apprend qu'on va mourir? J'avais 51 ans et je faisais de l'emphysème pulmonaire depuis dix ans. Me sentant un peu moins bien que d'habitude, j'avais décidé d'aller passer un rayon X. Même si ce n'était pas pratique courante, j'ai apporté moi-même la radiographie au radiologiste. Ce dernier ne savait pas qu'il s'agissait du film de mes propres poumons. Il me dit: «Ton patient a le cancer des bronches. Quel âge a-t-il?». Je lui réponds: «J'ai 51 ans!». Le pauvre ne savait plus où se mettre. Je lui dis alors: «Le cancer, ce n'est pas seulement pour les autres. Il faut que les médecins l'attrapent aussi». Le radiologiste a alors dit que ce n'était peut-être pas le cancer, qu'il s'agissait peut-être d'une séquelle de tuberculose. Mon père était mort tuberculeux. Finalement, des examens plus poussés ont révélé que je faisais de l'histoplasmose qui pouvait dégénérer en cancer. Je devais subir des rayons X aux six mois. Pour la première fois, je pouvais mettre en pratique ma théorie de Dieu qui contrôle tout.

---

1. Médecin établi à Drummondville, Qc.

Il y a deux ans, cette fausse alarme s'est révélée vraie. L'examen de ganglions à la gorge a confirmé que je souffrais du cancer. Je ne vous ferai pas croire que c'est facile à accepter. J'y pense cinquante fois par jour. Sur le plan physique, les traitements aux rayons X ont brûlé mes glandes salivaires et je dois boire continuellement pour soulager ma bouche asséchée. Je sais que l'avenir ne sera pas rose. Les cancers dans cette région du corps sont particulièrement pénibles.

Je demande à Dieu la force de passer à travers cette épreuve. Je ne vois plus la vie comme avant. Je vois les gens qui ont du plaisir, les jeunes qui sortent. Je sais que cela ne m'arrivera plus. Je ne peux plus voyager, j'ai de la difficulté à travailler dans mon atelier. Je me demande tout le temps si cet hiver sera mon dernier. Ma seule consolation est que la maladie me permet d'apprécier davantage les choses qui me restent : les arbres, l'eau qui coule près de chez moi, ma famille.

Chaque fois que quelqu'un entend le mot *cancer*, il pense à quelque chose qui va le démolir physiquement, moralement et même mentalement. Pour plusieurs, le cancer est encore synonyme de douleur.

En 1938, on commençait à traiter le cancer avec des analgésiques doux : aspirine, anti-inflammatoires, etc. On est ensuite passé à la codéine dont les effets secondaires étaient déplaisants : nausées, constipation. Ce furent ensuite les opiacés, comme la morphine en injection. La morphine calmait et relaxait le patient pendant parfois toute une journée. Certains médecins craignaient que les patients ne deviennent morphinomanes. Le danger n'existe pas si les doses sont administrées adéquatement. Avec tous les moyens dont on dispose, *cancer* ne devrait plus égaler *douleur*.

J'ai eu, en tant que médecin, à annoncer plusieurs diagnostics pénibles à mes patients. Un des principaux facteurs dans l'annonce du diagnostic est l'importance de bien connaître son patient. On n'annonce pas une mauvaise nouvelle de la même façon à un enfant et à un adulte. Dans le cas d'un enfant, il est souvent préférable de retarder l'annonce. Il est très utile de connaître le caractère du patient, ses antécédents personnels et familiaux. Une personne qui n'a jamais été malade risque de mal prendre un diagnostic de maladie grave. De même qu'une personne dont toute la famille a eu le cancer peut être très inquiète quand on lui apprend qu'elle en est aussi atteinte.

Le médecin doit annoncer le diagnostic avec tact et doigté. Il doit savoir doser la vérité. On peut dire n'importe quoi à n'importe qui, mais pas n'importe comment. Vous pouvez faire manger une pomme à un bébé. Encore faut-il la mettre en purée!

Quand on commence à annoncer la nouvelle, on voit si la personne en a eu assez. On s'arrête alors. Si on voit qu'elle peut en prendre, on continue. Il faut faire attention quand un patient dit qu'il veut tout savoir, de ne rien lui cacher. C'est généralement un avertissement. Ce qu'il dit est peut-être vrai. Mais ça peut également vouloir dire qu'il veut apprendre qu'il n'y a rien de grave.

Une fois le diagnostic annoncé, il faut assurer le patient de notre compassion et notre compréhension. Il faut lui dire qu'on comprend que c'est dur pour lui. Mais il faut le dire avec sincérité. Il doit aussi savoir qu'il peut compter sur notre soutien. Il ne faut pas oublier que le patient va revoir souvent son médecin après le diagnostic. Il est important aussi d'aller voir la famille, autant durant la maladie qu'après le décès. Les gens sont toujours touchés quand le médecin va au salon funéraire. C'est la preuve que le médecin se fait du souci.

Au plus près de notre humanité

YVES GIRARD[1]

Nous rejoignons habituellement nos semblables en nous laissant interpeller par leurs caractéristiques extérieures. Mais il y a une autre façon d'atteindre jusqu'à l'intime des personnes et c'est la naissance d'un amour qui nous en indique le chemin. Pour devenir expert en droit, un étudiant doit consacrer plusieurs années d'études, se bourrer de notions. Mais l'éclosion d'un grand amour entre deux personnes peut se faire en une fraction de seconde, sans l'ombre d'un effort, et dans une expérience de bonheur inégalable.

Les applications de la technique et ses résultats positifs nous invitent à emprunter des parcours compliqués et dispendieux pour arriver à nos fins, même quand il s'agit de la vie. Et la place exorbitante que l'on accorde aujourd'hui aux sciences exactes laisse très peu d'espace disponible pour qu'en nous les lois profondes de la vie puissent respirer à leur aise. C'est pourquoi j'insiste au début de ce partage pour que vous vous accordiez un moment de relâche. Il faudrait bannir toute forme de tension cet après-midi. Il vous faut surtout perdre toute espérance de déboucher sur des solutions concrètes et pratiques. J'ajouterais même qu'il vous faut renoncer à comprendre ce que je partagerai avec vous cet après-midi ! Ce n'est pas facile. C'est peut-être la partie la plus laborieuse du travail que vous aurez à faire. Je me refuse pour ma part obstinément à mettre de l'ordre dans mes idées. La matière en question

---

1. Père cistercien, Trappe d'Oka.

n'est pas de l'ordre du savoir, mais elle se situe autour du pressenti et de l'envahissement.

Il y a deux manières pour quelqu'un de se faire accepter de vous. Il peut vous énumérer la liste complète de ses qualités et de ses performances, ce qui est habituellement assez long. Mais il peut aussi vous gagner le cœur par la seule esquisse d'un sourire que votre présence aura provoquée chez lui. Paul Valéry a écrit cette curieuse pensée : «Si tu m'es antipathique, inutile pour toi d'accumuler les arguments dans le but de me faire accepter ce que tu dis, car alors ce ne sont pas tes idées que je rejette, c'est ta personne.» Il existe déjà un lien entre nous cet après-midi, celui de l'attention au mourant. Mais ce lien à lui seul est absolument insuffisant. Il nous importe avant tout aujourd'hui d'entrer en communion les uns avec les autres. La chose va loin, vous savez. J'ose dire que si nous sortons de ce colloque avec comme seul bagage des conclusions capables de révolutionner les approches du mourant, approches qui s'imposeraient au monde entier, nous aurions alors profané le meilleur de nous-mêmes, le meilleur du mourant et le meilleur du colloque lui-même. Est-il évident que nous ne pourrons donner que des miettes au mourant? Si nous ne sommes que des demi-vivants, c'est-à-dire des êtres qui ne sont pas en communion avec eux-mêmes et avec les autres, se pourrait-il que tous les défis semés sur notre parcours, à commencer par ce colloque aujourd'hui, pourraient avoir comme première mission celle de nous ramener à nous-mêmes?

Le mourant en attente de poésie

Nous cherchons bien souvent des solutions à nos problèmes et quand nous trouvons cette solution, nous festoyons volontiers même quand notre propre intérieur continue d'être en chantier. Je vous avertis à l'avance, il est téméraire pour vous de vous engager dans les corridors de la vie. Vous avez bien compris, c'est une témérité. Vous risquez de rencontrer là des lois qui vont chambarder toutes vos approches. Je vais vous citer quelques-unes des lois de la vie qui viennent nous déboussoler. Par exemple, avez-vous pensé qu'avant toute chose le mourant pourrait bien être en attente de poésie? De quelque chose qui se rapproche étrangement de cet univers où l'enfant respire. De quelque chose qui, relevant d'un autre ordre de valeurs, se situe beaucoup plus près de la folie que de la raison. De quelque chose qui est en lien de parenté avec l'illogisme de l'amour et de la beauté. Est-ce que c'est possible que le mourant ait des attentes comme celle-là ? Il est bien rare que l'on s'arrête à penser que le mourant puisse, dans la dernière des détresses, aspirer à cette sorte de bien, avant tout ce que notre propre insécurité et notre désarroi penseraient spontanément à lui offrir. Que, sans être en mesure de le verbaliser, il puisse attendre de vous, de vous voir créer en sa faveur des espaces pour l'avènement de la liberté et de l'impossible. Le mourant attend ça de vous. Vous savez, il y a en chacun de nous une loi bien mystérieuse. C'est qu'il ne suffit pas à notre désir de se voir exaucé. Nous sommes encore à jeun quand nos espérances sont comblées. Nos attentes exigent de se voir dépassées. C'est inconfortable de vivre avec un appétit comme celui-là. C'est ce que nous ne pouvons ni concevoir, ni formuler, que nous attendons avec le plus d'impatience. La grâce du mourant c'est de nous mettre face à des questions comme celles-là. Pour le mourant l'urgence est trop profonde et trop prenante. Les solutions ordinaires ne font plus le poids. L'avènement de la poésie s'impose, c'est-à-dire l'évocation au moyen du symbole de quelque chose d'insaisissable et d'essentiel.

Notre grande peur : la vie

On parlait ce matin de la biographie du mourant, de son vécu. Entrer dans cet univers à la suite du mourant, le suivre. Le mourant est face au pur inconnu. Mais le plus grand des inconnus pour lui n'est pas cet univers où il descend avec angoisse peut-être. Le plus grand des inconnus, c'est l'espace infini de son propre cœur à qui il a trop souvent négligé d'apporter l'attention qu'il méritait. Il y avait trop d'urgences dans sa vie. Il ne pouvait s'attarder à s'occuper de l'essentiel, nourrir le meilleur de lui-même.

Voici une autre loi de la vie, après celle de la poésie : il est plus facile pour nous d'affronter la mort que de nous laisser gagner par la douceur de la vie. Vous êtes tous d'accord avec ça, n'est-ce pas ? Saviez-vous que nous étions beaucoup plus familiers des chemins de la mort que des chemins de la vie ? Saviez-vous qu'il est anormal pour nous autres de vivre ? Je ne parle pas ici, bien sûr, du manger, du dormir et du respirer. Je parle de l'abandon confiant aux mains de la vie qui, en nous, prépare l'accomplissement du rêve qui dépasse nos attentes. On est infiniment loin de ça. Et on en a beaucoup plus peur que de la mort. Comme l'enfant qui hésite à sortir du sein maternel pour être projeté au-dehors, nous fuyons les enjeux qui risquent de nous révéler à nous-même, comme si notre mystère intérieur nous effrayait parce qu'il a trop d'envergure et de profondeur. En fait, c'est le demi-sommeil que nous acceptons le plus volontiers. L'extrême de la vie, tout autant que l'extrême de la mort, nous effraie. L'extrême du bonheur et l'extrême de la communion. Une trop grande intensité nous bouleverse et nous la fuyons. Je vois surgir tranquillement vos réticences et vos objections. Vous allez dire: «Lui, il est complètement en dehors du sujet cet après-midi». Ce réflexe de protection, je vais tenter de vous démontrer qu'il est provoqué chez vous, au contraire, parce que j'aurai peut-être visé avec trop de justesse dans le blanc de l'objectif.

Se réunir à soi-même

Quand deux personnes ont le coup de foudre, chacune d'elle découvre l'infini dans l'autre avant même de l'avoir découvert en soi. Ce qui prouve à quel point nous sommes étrangers à nous-mêmes. Nous sommes incapables de vivre chez nous. C'est trop inconfortable. Notre personne est absente de la maison. Nous avons besoin qu'un autre vienne, l'amoureux ou l'amoureuse, nous dire qu'il y a de la visite chez nous. Nous-même, nous ne le savions pas. Notre maison était habitée. Et remarquez bien que si l'expérience de l'amour est recherchée par nous tous avec tant d'avidité, c'est que, à notre insu bien sûr, cette expérience a la grâce de nous rendre à nous-mêmes. C'est ce qu'on cherche dans l'amour. Ce n'est pas une personne à embrasser comme on le pense souvent. Et nous sommes béatifiés moins par le fait de nous sentir aimés, comme on le pense habituellement, que par cette révélation de nous-même que nous puisons dans le regard de la personne qui nous aime, qui s'émerveille devant nous comme devant quelque chose d'éblouissant et de merveilleux. La méconnaissance de ce que nous sommes fait de nous des êtres séparés de la vie. On appelle ça la mort. Et cette forme de mort est incomparablement plus tragique que n'importe quelle mort physique, psychologique, intellectuelle ou morale. Et c'est de cette maladie radicale que le mourant a besoin d'être guéri avant toute chose. C'est difficile d'acquiescer à ça. Si ce que j'avance actuellement était vrai, c'est toute notre approche du mourant qui devrait être mise en cause. Il importe donc de bien établir la vérité de cette affirmation devant vous aujourd'hui. Je vais m'y appliquer. Mais c'est précisément là une réalité qui ne s'apprend pas et qui ne se prouve pas. Elle n'est pas de l'ordre de la science, ni de l'intelligence. Elle relève de l'intuition de l'amour parce que seul l'amour est capable de porter suffisamment d'attention et de respect au mystère de l'autre.

Regardez comme c'est facile pour les amoureux. Notre grand mal, c'est qu'on s'imagine qu'il n'y a seulement que le coup de foudre dans l'ordre affectif; qu'une saisie globale du mystère infini de l'autre ne peut s'effectuer pour nous, dans un instant sans effort et dans la béatitude, que par le coup de foudre. Eh bien! non. Il y a d'autres paliers d'existence où c'est aussi possible et on ne les exploite pas. Quand de façon permanente vous aurez eu la grâce d'être rendu à vous-même, vous pourrez atteindre jusque dans leurs derniers centres les personnes, les choses et même les évènements dans un trait de feu instantané. Vous saurez tout de la réalité qui est devant vous. Le coup de foudre qui existe dans l'ordre affectif s'étendra à toutes et chacune des réalités qui tissent votre quotidien. C'est ça être un vivant. Et en plus, ce coup de foudre sera vécu avec une exceptionnelle intensité dans l'ordre de l'être, en même temps qu'il laissera tout votre être dans le repos, parce que l'effervescence de tout l'aspect passionnel qu'il y a dans l'ordre affectif sera alors spiritualisé.

La vie se transmet par rayonnement

Arrivé à ce palier d'existence, vous constaterez que les réalités de la vie ne se propagent pas à coups de preuves et d'arguments, mais seulement par émanation et rayonnement. Le temps sera arrivé pour vous où les lois si pénibles et frustrantes de la conquête seront choses du passé. Dieu sait si nous en avons des choses à conquérir. Tout ceci nous oblige à devenir des vivants avant de penser à vivifier ou à revivifier les autres. Ce n'est pas une sinécure. Au monde de la vie, il n'y a de place que pour la vibration et l'irradiation de la personne en pleine harmonie avec elle-même. C'est ça l'univers de la vie. Et cette charge de vie qui doit émaner de votre personne et atteindre l'autre jusque dans ses racines ne doit pas être chez vous un effort de votre volonté, comme si, dans l'ordre affectif, il vous suffisait de vouloir aimer quelqu'un pour tomber effectivement en amour. Personne n'a besoin d'aller à l'école pour apprendre de quelle manière il peut faire déclencher en lui le coup de foudre quand il le désire. Pour être efficace dans l'ordre de la vie, votre agir doit être imprégné de saveur comme un fruit gavé de soleil et plein d'arôme au bout de la branche. C'est irrésistible. C'est ce que vous devez devenir, c'est ce que le malade attend de vous. Celui qui va franchir l'ultime étape de son cheminement a besoin de voir devant lui une réalité si captivante incarnée chez vous pour réaliser qu'il est lui-même peut-être porteur d'une même grandeur et d'une même beauté. Il a besoin d'une référence. Il n'a même pas besoin d'en prendre conscience explicitement. Il lui suffit que son noyau intérieur à votre contact se surprenne en état de veille pour se laisser tenter par l'aventure. Il va se passer en lui quelque chose qui pourrait se formuler comme ceci: «Je ne savais pas, mais c'est ça que j'attendais de toi. C'est ce que je possédais déjà au fond de moi mais je n'en avais jamais pris conscience. C'est ce que je suis moi aussi, je le réalise.» Le patient alors aura la même réaction que le malade à qui vous retournez son oreiller, tout à coup, en parlant avec lui. Il n'avait pas pensé à cela, mais il réalise qu'effectivement sa tête enfiévrée attendait cette forme de soulagement. Vous avez prévenu son désir. À un niveau plus profond d'intervention, vous aurez dans votre vie, devant des impasses comme la mort, le pouvoir et la joie continuelle de créer, de prévenir, de prophétiser et de tomber au centre du besoin. La vie n'aura plus de secrets pour vous. Vous serez avec elle comme deux personnes en amour qui ne se cachent plus rien. Votre vie à ce moment-là doit devenir une noce continuelle.

Je vous parlais tout à l'heure des victoires de la vie qui se réalisent sans effort comme deux jeunes qui tombent en amour. Cette qualité de victoires ne vous est pas familière. Mais croyez-vous que l'eau que vous buvez doive se faire violence pour vous désaltérer? L'avez-vous déjà vue toute croche devant vous quand vous aviez soif? Vous le savez bien, il suffit à l'eau d'être elle-même pour répondre à votre besoin. Elle n'a pas besoin de se forcer d'aucune manière. Quand vous avez soif, tout ce que vous exigez de l'eau est qu'elle soit elle-même. Et vous êtes comblé. Le malade ne demande rien de plus que votre être en pleine douceur d'harmonie. En êtes-vous sûr, convaincu? Le jour où vous serez rendu à vous-même, tout ce qui bouge autour de vous s'épanouira par vous du seul fait de votre présence. Mais attention, de votre présence à vous-même. Vous ne pouvez être rendu à vous-même qu'en vous livrant totalement et sans retour comme dans l'amour humain.

Discrétion de la vie

Je parle actuellement des miracles de la vie dont nos mains sont chargées et que nous n'exploitons pas. Ces miracles de la vie n'ont pas un style flamboyant qui s'impose à l'attention de la galerie. L'air et l'eau, des choses essentielles, sont sans couleur et sans saveur. Elles nous tiennent en vie. À l'image de ces deux éléments, la vie est sobre et infiniment discrète. Si vous êtes porteur et porteuse de vie, c'est comme ça que vous devez laisser émaner de votre personne des forces. Si vous empruntez les sentiers de la vie, votre agir échappera au regard de tous les distraits. Et le grand malade lui-même ne sera souvent pas en mesure d'identifier la source qui vient de l'abreuver. Il n'aura pas de reconnaissance envers vous parce qu'il ne saura pas que ça vient de vous. Mais votre transparence et votre fécondité secrète vous remplira le cœur d'une joie inégalable dans la mesure où elle n'est pas partagée et dans la mesure où il n'y a pas de reconnaissance qui vous vient de la part du malade. C'est la mesure de votre joie, ce n'est pas un barrage à votre joie. À ce moment-là votre joie sera devenue autonome, adulte. Donner naissance de cette manière à votre joie, sans avoir toujours à l'attendre de ceux et celles qui sont autour de vous fera de vous des êtres vivants à temps plein. Rien d'appréciable et de comblant comme d'avoir chez vous le principe de votre bonheur. C'est là le couronnement de toute démarche humaine.

Transparence, aisance et grâce devant le mourant

On parlait du code ce matin. Aucune loi ne vous est imposée sinon celle de la conquête de votre harmonie et de votre plénitude. Le défi que la vie vous propose n'est pas de l'ordre de l'héroïsme, au sens où nous l'entendons habituellement, mais un retour à la simplicité et à la transparence, à l'aisance et à la grâce. Elle est difficile à apprendre cette leçon. Ce n'est pas en vous crispant devant les objectifs de la vie que vous entrerez dans leur atmosphère de détente et de calme infini. Actuellement la vie féconde le monde sans bruit, à l'image de l'aurore muette qui embaume déjà le jour qui vient. Le mourant est impuissant devant la mort, et nous, nous sommes impuissants devant le mourant.

Dans ces conditions difficiles, voire impossibles, pour atteindre à la plus grande efficacité, il vous faut en arriver à faire le moins d'efforts possibles. C'est ce que vous attendiez. Et encore, pour en arriver à vivre ainsi sans effort ni tension, vous n'avez aucun effort à fournir. Pour dormir en paix, un enfant a moins besoin d'un bon lit que d'affection et de tendresse. Avec le capital immense de l'amour dans son cœur, l'enfant va dormir aussi bien sur le plancher de la cuisine que sur le premier coussin rencontré. Le mourant attend de pouvoir sonder en vous l'existence de cette zone mystérieuse où une autre forme de respiration est possible pour lui qui manque d'oxygène. Inconsciemment, il est en attente de celui qui parle; sa paix inaltérable lui laisse entendre un message qui pourrait ressembler à ceci: «Ta mort, c'est si peu de chose auprès de cette plénitude que je pressens bouger, au fond de toi. La chose existe, tu sais, et elle peut devenir une réalité pour toi qui vas mourir. Vois, moi-même j'y communie à cette réalité éternelle.»

Le crime de la tristesse

Vous voulez des lois déstabilisantes, écoutez-en une autre. Ce mode si profondément humain et réconfortant d'intervention, je parle de l'irradiation de l'être en harmonie, ce mode d'intervention, dis-je, si vous désirez qu'il donne toute sa mesure pour le mourant et qu'il ait toute son efficacité, il faut que vous en receviez une plus grande satisfaction que le mourant lui-même. C'est agir contre nature, que de faire vivre les autres par le sacrifice de notre joie. C'est un crime. Celui qui donne et qui se donne, mais qui le fait sans joie, est un être séparé de son propre cœur. Son cœur ne lui appartient pas. Et comment pourrait-il prétendre engendrer la vie chez l'autre (le mourant) lui dont le cœur est en exil? C'est par votre seule surabondance de vitalité intérieure que vous pouvez atteindre jusqu'aux couches profondes de l'être chez vos semblables. La vie, quand elle donne son fruit, commence toujours par béatifier la main qui le porte et qui l'offre avant de satisfaire celui qu'elle veut nourrir. C'est ce que je vis aujourd'hui. Et je n'ai pas plus de bonheur et de joie que vous en avez à recevoir ce que je vous dis. C'est un miracle qui est dans nos vies auquel nous sommes malheureusement très peu attentifs et qui pourrait remplir toutes nos journées de soleil et de célébration silencieuse comme toutes les choses de la vie. Que penseriez-vous d'une fleur qui, pour s'ouvrir à la lumière du jour, un beau matin comme aujourd'hui, en deviendrait laide de tristesse et en resterait à jamais marquée ? Vous la mettriez sur votre fenêtre ? Ou bien quelle joie pourrait vous apporter une personne qui, pour vous sourire, devrait consentir un tel effort qu'elle en grimacerait de douleur ? Vous trouvez ça drôle, mais c'est ce qu'on fait quotidiennement devant les détresses de la vie. C'est notre logique concrète de chaque jour, vous savez.

Dans l'ordre de la vie, le seul don est la surabondance

Bien plus, dans l'ordre de la vie vous n'avez pas le droit de puiser dans vos ressources pour soulager l'autre ou pour l'enrichir. C'est un crime. C'est ce qu'on fait dans le partage des choses matérielles. Ce que vous donnez, vous vous en dépossédez nécessairement. Mais c'est notre erreur d'agir dans le registre de la vie comme on le fait dans le commerce et dans les mathématiques. Ici, nous ne pouvons enrichir l'autre, le mourant, qu'en augmentant notre propre capital, non pas en le mutilant. Dans le monde de la vie, on ne peut rien pour l'autre si notre geste ne comble pas d'abord celui qui le pose, et l'autre ne peut rien recevoir si ce n'est le débordement que je ne peux plus contenir. Il n'a seulement droit qu'à ça, pas à autre chose. Si dans l'ordre ordinaire des choses, le facteur un beau matin peut sans aucune émotion vous apporter une lettre qui vous donne à vous un immense bonheur, dans l'ordre de la vie, il vous est impossible de donner un bonheur que nous ne vivriez pas d'abord au fond de vous. Le facteur n'a pas besoin de faire ça. Dans l'ordre de la vie, vous ne pouvez pas allumer d'incendie si vous ne consentez pas à devenir le cœur même du brasier. Inutile d'y penser, la vie ne vous laissera pas le faire. Seule votre brûlure intérieure peut déclencher l'incendie chez l'autre. Il n'y a pas de mécanique où on fait passer une réalité dans une autre section. C'est votre être qui doit se livrer. Tout ceci parce qu'au niveau de l'être, toute genèse n'est que le produit d'une surabondance et d'un excès de vie. Il n'y a pas de genèse autre que cela.

Le mourant à l'affût de mon mystère

Avez-vous une idée du genre d'hérésie auquel peut conduire cette logique de la vie, qui n'est pas une logique, mais qui vient toujours introduire le mauvais temps dans nos beaux raisonnements ? Je vous en cite seulement une, une hérésie. Il est plus important d'être vrai avec moi-même, de m'établir dans la profondeur de ma paix et dans la richesse de mon harmonie intérieure que d'être attentif aux besoins du mourant. C'est toujours ce que vous avez fait, n'est-ce pas? Et ce renversement des convenances, c'est le mourant lui-même qui le réclame, avant et plus que tous les autres. Le mourant est avant tout celui qui m'invite instamment à descendre jusqu'au fond de ma vérité. Et le plus efficace de tous les services que je peux lui offrir est de me rendre à son désir. Face au mourant, il importe d'abord de me mettre à l'écoute de mon propre mystère. Et sans en être conscient et sans le désirer explicitement, le mourant est à l'affut de cet évènement salutaire pour lui.

Par delà les gestes et les mots

Le miracle, vous en avez plein les mains. Il est à votre portée à longueur de jour. Il vous faut d'abord être persuadé que dans l'ordre de la vie et de l'amour, il y a une forme supérieure de communication qui se situe, ce qu'on oublie tragiquement et si souvent, au-delà de la parole et du geste. C'est celle qui se réalise par osmose. On n'y croit pas à cette communication. Peut-être que nos médias sont trop développés aujourd'hui. L'essentiel ne peut être véhiculé, ni par la parole, ni par le geste. Et notez bien que cette communication par osmose qui est possible entre nous, qui se fait actuellement pendant que je vous parle, pendant que vous écoutez, au-delà du langage, cette communication par osmose n'est pas seulement la plus parfaite, mais elle est surtout la plus béatifiante pour les deux interlocuteurs.

Il faudrait ici développer tout l'aspect de la sexualité, rentrer dans cet univers. La sexualité, la rencontre de l'homme et de la femme dans l'amour, existe à titre de symbole pour nous faire prendre conscience que dans une partie de notre être, il y a une communication, une saisie globale de la personne qui ne se fait pas par la parole. On n'a pas besoin d'expliquer un phénomène comme celui-là à des amoureux. Ils le découvrent spontanément sans avoir à le chercher. Les amoureux ne parlent pas pour se comprendre, mais ils se parlent parce qu'ils se comprennent. Une fois entrés dans la logique de l'amour, nous n'avons plus qu'à en subir les lois renversantes et sereinement efficaces. C'est tout ce qui nous revient. Mais ces lois, la science les oublie si facilement. Evdokimov[1] dit que ce sont là des lois qui sont trop sérieuses pour la science. La science n'est pas assez sérieuse pour s'occuper de choses comme ça, elle s'occupe des choses secondaires. La science par elle-même n'est pas féconde, elle est une terre riche mais sans eau. Aussi longtemps que la science n'est pas enfermée à l'intérieur du cœur, elle perd son temps. Son combustible, à la science, c'est le sang de la charité. Sans cette nourriture, la science fonctionne à froid, et c'est ainsi qu'elle ressemble à la mort, avec tous les prodiges qu'elle peut accomplir. Mais ce n'est pas le rôle de la mort de venir en aide à celui qui est aux prises avec la mort.

Mort, où est ta victoire?

Il n'y a pas de plus grand bonheur que celui d'être rendu à nous-même. C'est tout ce que nous cherchons dans l'amour comme dans toutes nos démarches. Nous touchons alors à une vérité qui nous situe d'emblée au-delà des emprises de la mort. Quand nous sommes rendu à nous-même, la mort n'a plus de pouvoir sur nous. Nous atteignons en nous à ce lieu où la dent de la mort ne peut trouver à se nourrir. Nous entrons dans un espace qui nous libère d'une multitude de peurs, de contraintes et d'esclavages. Mais vous allez hésiter à croire qu'une fragilité aussi grande que la vôtre puisse aspirer à un état aussi enviable. Avez-vous remarqué que la lumière d'une petite chandelle peut résister victorieusement à la plus profonde des obscurités? Sa petite flamme vacillante peut se permettre de danser, joyeuse, au moment même où elle est cernée par des kilomètres et des kilomètres de ténèbres épaisses. Cette petite flamme est totalement libre. Vos faiblesses au milieu de tous les engins de mort, de tous les spasmes de la vie, que sont-elles? Votre petite flamme est là, et si elle ne danse pas dans la nuit, vous n'êtes pas rendu à vous-même. Comme la petite chandelle, il vous suffit d'avoir baigné un seul instant dans la douceur infiniment calme des eaux de la vie, pour que votre lumière à vous conduise le mourant dans cet océan de paix auquel il n'ose pas croire encore, mais qu'il appelle pourtant de tous ses vœux.

---

1. Théologien orthodoxe, décédé. Il était professeur à l'École St-Alexis, à Paris.

Toucher de l'être / Pudeur de l'être

Oui, il existe un seul message qui atteint au-delà de ce que peut espérer la simple parole, le geste et surtout la technique. Il n'y a pas de langage plus persuasif que celui de la vie. Il n'est pas capable de nous mentir, ni aux autres, et surtout, il n'est pas de langage plus universel. Aucun humain ne peut demeurer indifférent à ce que je pourrais appeler le toucher de l'être. C'est comme pour les amoureux. Le moindre petit geste fait surgir au fond de l'être ce qu'il y a de meilleur, de plus beau. La moindre petite attention met l'autre en béatitude. Le langage de la vie atteint l'autre dans le blanc de sa vérité avec une précision jamais prise en défaut, avec un doigté qui désarme toute résistance et invite à l'ouverture, en même temps qu'il donne naissance à la plus haute forme de bonheur qui puisse être. C'est ça, parler à un autre.

Il faudrait développer ici encore une fois tout l'aspect de l'amour humain et de la sexualité. Dieu nous a donné des signes. Ces signes-là sont drôlement parlants et nous sommes drôlement mal-entendants. Il nous est possible d'atteindre jusqu'au sanctuaire inviolable d'une personne sans rien violer chez elle. Il vous est possible de franchir le seuil de ces espaces interdits sans rien blesser de sa pudeur d'être. Plus que cela, on ne peut avoir véritablement accès à l'autre qu'en se tenant à distance de lui. Un peu comme on s'éloigne d'une montagne, disait Gustave Thibon, pour pouvoir mieux en admirer la cîme enneigée. Il faut être loin à ce moment-là. Notre mystère a trop d'envergure, il gagne à être contemplé de loin. Ce que l'amour-passion n'a pas encore appris. Il est très proche l'amour-passion. L'amour d'amitié sent le besoin d'un détachement pour admirer l'autre dans toute sa beauté. Et le mourant, parce qu'il se coupe graduellement de nous, nous oblige à avoir recours à ce moyen souverain de communication et de communion avec lui. Plus vous respectez les distances, plus vous facilitez le passage de la vie. C'est contradictoire. Tout est en contradiction. Ou plutôt non, il y a seulement une contradiction, c'est nous qui sommes en contradiction avec la vie.

L'essentiel s'accomplit par osmose

Si un tel défi nous est proposé, c'est que nous disposons des ressources qui sont à la hauteur de ce défi. Ceux qui sont descendus de leur être peuvent accompagner le mourant jusqu'au-delà du mur infranchissable de la mort. Le mourant, confondu de faiblesse et d'impuissance, adossé aux portes angoissantes du néant, bouleversé pour la première fois de sa vie peut-être par le caractère tragique de son destin, en prend conscience. Paradoxalement il voit passer dans votre personne la possibilité d'un sur-accomplissement. Il se dit : « C'est vrai, c'est au terme de sa course que le soleil est le plus majestueusement beau. Oui, j'en suis rendu là. » Vous êtes là près de lui, incapable de l'arracher à sa détresse. Comme il est important alors pour vous de savoir que l'intensité de la communion, quand elle atteint à son zénith, peut résorber la parole et le geste, leur imposer silence, les obliger à se taire pendant que l'essentiel s'accomplit. Quand vous invitez un grand artiste, il ne convient pas de faire valoir vos maigres talents pendant qu'il s'exécute. Ce serait une disgrâce et un manque de savoir-vivre. C'est ainsi que le langage par osmose, le langage de la vie, le contact d'être à être, quand il a cours quelque part, exige que son action souveraine ne soit perturbée par aucun mode inférieur d'intervention inquiète et maladroite. C'est comme deux jeunes amoureux qui sont ensemble, les yeux fermés, et qui ne se parlent plus. À cette heure, seul le savoir-faire d'une main calme peut parvenir à communiquer sans parole aucune et à soutenir efficacement sans l'ombre d'un geste. L'essentiel passe. À ce moment, seule une paix non falsifiée peut donner l'expérience des choses que le langage et le geste ne peuvent cerner. Parvenue à cette étape, la personne du mourant, si elle pouvait verbaliser ce qu'inconsciemment elle espère, vous soufflerait ceci à l'oreille, quand elle verrait que vous n'êtes pas ajusté avec vous-même : « Es-tu plus vivant que moi, toi qui te tiens à mon chevet ? Tu sais, plus tu es compétent et efficace, plus tu es infatigable et dévoué pour moi, plus tu m'angoisses. N'aurais-tu que cela à m'offrir ? N'y aurait-il pas une porte quelque part que tu pourrais m'indiquer et m'ouvrir au besoin ? Car enfin, au niveau biologique, tu ne peux plus rien pour moi, contre cette mort qui m'enveloppe dans la noirceur et le froid. » Son être, le mourant le pressent, va être livré aux forces de la dispersion et de la désintégration. En conséquence, il lui faut l'évidence qu'en vous la cohésion intérieure ne peut être entamée. Il faut votre paix au moment même où les forces de dispersion ont déjà commencé leur travail en celui qui va mourir. C'est ce que le malade, le mourant attend de vous.

Au-delà des émotions / Par-delà l'intervention

Le mourant est un naufragé qui cherche désespérément un rocher auquel il pourrait s'agripper. La situation est trop grave pour lui. Ses attentes se situent au-delà des émotions ou d'une dernière marque de tendresse qu'à ce moment, dans notre désarroi, on voudrait lui prodiguer. Il réclame la fermeté inébranlable d'un rocher, lui dont toutes les assises s'écroulent. Pas seulement quelqu'un de bien intentionné qui veut l'aider dans ce passage difficile. Mais la chaleur d'une main qui puisse l'accompagner et si possible le conduire là où il s'en va. Quelqu'un qui puisse le guider à travers cet inconnu, comme dans un pays où il aurait déjà parcouru tous les carrefours et connaîtrait toutes les avenues. Quelqu'un qui, par son calme, peut le persuader que ce qu'il vit n'est pas une fin mais un commencement, une entrée dans la paix. L'incarnation d'une espérance qu'il n'a jamais osé s'avouer à lui-même. Le message, on le comprend aisément, se situe dans un autre ordre que celui de l'intervention. Pouvons-nous nous permettre d'arracher quelqu'un à la mort, par l'acharnement thérapeutique si nous ne le recevons pas à la manière d'un miracle ? Nous ne pouvons l'arracher à la mort si nous ne sommes pas prêts à le recevoir comme un miracle, comme la mère en larmes qui, avec effusion, embrasse son enfant qu'elle vient d'arracher aux flammes. Nous n'avons pas le droit d'arracher un mourant à la mort si nous ne sommes pas dans ces dispositions. La technique s'efforce de ramener le malade à la vie, quitte trop souvent à l'abandonner ensuite à une autre forme de mort, celle de la solitude. La lumière conduit le mourant jusqu'à son terme ultime en lui noyant le cœur dans la douceur de la vie. Elle transforme sa mort en un acte de vie.

Table des matières

Achevé d'imprimer
en novembre 1992 sur les presses
des Ateliers Graphiques Marc Veilleux Inc.
Cap-Saint-Ignace, Qué.